D1535106

Vida y muerte de la imagen

Paidós Comunicación

Últimos títulos publicados:

A. Mattelart y É. Neveu, *Introducción a los estudios culturales*
M.-L. Ryan, *La narración como realidad virtual*
M.ª A. Pérez, *Los nuevos lenguajes de la comunicación*
J. Aumont, *Las teorías de los cineastas*
J. Royo, *Diseño digital*
D. Hebdige, *Subcultura*
M. López, *Nuevas competencias para la prensa del siglo XXI*
J. Martínez Abadía y P. Vila Fumas, *Manual básico de tecnología audiovisual y técnicas de creación, emisión y difusión de contenidos*
D. Buckingham, *Educación en medios*
R. Fuentes, *La práctica del diseño gráfico*
J. Rancière, *La fábula cinematográfica*
J. V. Pavlik, *El periodismo y los nuevos medios de comunicación*
A. De Baecque, *Teoría y crítica del cine*
L. Manovich, *El lenguaje de los nuevos medios de comunicación*
A. Mattelart, *Diversidad cultural y mundialización*
C. Lozano y J. L. Piñuel, *Ensayo general sobre la comunicación*
M. McCombs, *Estableciendo la agenda*
J. Nachade, *El actor de cine*
F. Casetti y F. Di Chiro, *Cómo analizar un film*
A. Costa, *Saber ver el cine*
L. Tirard, *Más lecciones de cine*
H. Jenkins, *Convergence Culture. La cultura de la convergencia de los medios de comunicación*
H. Davis y D. Green, *Regulación financiera mundial*
P. O. Costa y otros, *Cómo ganar unas elecciones*
F. Pisani y D. Piotev, *La alquimia de las multitudes. Cómo Internet está cambiando el mundo*
G. Landow, *Hipertexto 3.0. Nueva edición*
H. Jenkins, *Fans, bloggers y videojuegos. La cultura de la colaboración*
P. J. Maarek, *Marketing político y comunicación. Claves para una buena información política. Nueva edición*
H. Jenkins, *Piratas de textos. Fans, cultura participativa y televisión*

Régis Debray

Vida y muerte de la imagen
Historia de la mirada en Occidente

PAIDÓS
Barcelona • Buenos Aires • Mexico

Título original: *Vie et mort de l'image. Une histoire du regard en Occident*,
de Régis Debray
Publicado en francés por Éditions Gallimard, París

Traducción de Ramón Hervás

Cubierta de Mario Eskenazi

1ª edición, 1994
7ª impresión, septiembre 2013

© 1992 by Éditions Gallimard, París
© 1994 de la traducción, Ramón Hervás
© 1994 de todas las ediciones en castellano
   Espasa Libros, S. L. U.,
   Avda. Diagonal, 662-664. 08034 Barcelona, España
   Paidós es un sello editorial de Espasa Libros, S. L. U.
   www.paidos.com
   www.espacioculturalyacademico.com
   www.planetadelibros.com

ISBN: 978-84-7509-981-1
Depósito legal: B-44.483/2010

Impreso en Arvato Services Iberia, S. A.

El papel utilizado para la impresión de este libro es cien por cien libre de cloro
y está calificado como papel ecológico

Impreso en España – *Printed in Spain*

Sumario

Agradecimientos 11
Prólogo 13

LIBRO I
GÉNESIS DE LAS IMÁGENES

1. El nacimiento por la muerte 19
   Raíces 19
   La imagen antes que la idea 24
   El estadio del espejo 26
   La angustia mágica 29
   La muerte en peligro 32
   El eterno retorno 35

2. La transmisión simbólica 41
   La palabra muda 42

Lo visible no es legible   48
Transmisión y transcendencia   53
La fatal «autonomía del arte»   57
El sentido y el grupo   61

3. El genio del cristianismo   65
   La prohibición escrituraria.   66
   Un monoteísta disidente.   69
   El modelo de la Encarnación.   73
   La tentación del poder   76
   La revolución de la fe   80
   La apuesta estratégica   85

4. Hacia un materialismo religioso   91
   El desafío mediológico   91
   «La eficacia simbólica».   94
   El telescopio del tiempo.   97
   El vicio hereditario. 102
   La excepción de los tíos abuelos 105
   Apretar las tijeras 108
   El obstáculo humanista 110
   Kant por Castelli. 113

                        LIBRO II

                   EL MITO DEL ARTE

5. La espiral sin fin de la historia 127
   Una palabra ripolín. 127
   La apuesta de un artículo definido 129
   De tal padre tal hijo 131
   La reutilización de una antigualla: «la vanguardia» . . 133
   La caja de la escalera. 136

6. Anatomía de un fantasma: «El arte antiguo» 143
   «El arte griego»: ¿una alucinación colectiva? 144
   Cuestiones de vocabulario. 146
   El porqué de una ausencia 154
   El caso romano 156
   El eco cristiano 158

7. **La geografía del arte** 161
   El paisaje ausente 161
   La profanación del mundo. 164
   El pospaisaje 169

8. **Las tres edades de la mirada** 175
   Primera referencia 175
   Panorámica 180
   Indicio, icono, símbolo 182
   La escritura al principio 185
   La era de los ídolos. 188
   La era del arte 192

9. **Una religión desesperada** 203
   ¿Todavía una muerte del arte? 203
   El alegre capital 206
   Pontifex maximus 209
   Lo sublime y el fracaso 211
   El saber y el sentido 215
   El síntoma alejandrino 218

LIBRO III

EL POSESPECTÁCULO

10. **Crónica de un cataclismo** 223
    El primer conflicto de las fotos, 1839 223
    El «rey cine», 1895. 229
    La televisión en color, 1968 231
    El fin del espectáculo. 235
    La bomba numérica, 1980 237
    La técnica como poética 244

11. **Las paradojas de la videosfera** 251
    El arcaísmo posmoderno 251
    Telecomunicación y cinecomunión 257
    Visionmorfosis 269
    Lo impensado colectivo. 272

12. **Dialéctica de la televisión pura** 277
    El órgano de la democracia 279

La apertura al mundo   286
La conservación del tiempo   289
«El efecto de realidad»   293

Doce tesis sobre el orden nuevo y una última cuestión . .   299
Bibliografía   309

Agradecimientos

Este libro ha nacido de innumerables estímulos (viajes, vértigos, sesiones de visionado, escuchas y lecturas) y de una vieja preocupación solitaria. No tengo que agradecer apoyo alguno a ninguna institución, francesa o extranjera, universitaria o no. Mi gratitud es para Éditions Gallimard y las personas que, benévolamente, me iluminaron y animaron en mi trabajo: Serge Daney en primer lugar; Daniel Bougnoux, profesor de ciencias de la comunicación en la Universidad de Grenoble; Anne-Marie Karlen, en teología de la imagen; Christian Ferry, productor ejecutivo, Catherine Bertho-Lavenir, historiadora de las telecomunicaciones, Claude Léon, ex presidente de la Comisión Superior Técnica del Cine Francés, René Cleitman, productor, y Véronique Cayla, directora de la Videoteca de París, por los capítulos concernientes a la videosfera, y Louis Évrard, que guió de cerca la confección del texto. Y, naturalmente, Pierre Nora, que no sólo me ayudó con toda su perspicacia sino que además tuvo a bien acoger este estudio en su colección.

LIBRO I

Génesis de las imágenes

Prólogo

Un emperador chino pidió un día al primer pintor de su corte que borrara la cascada que había pintado al fresco en la pared del palacio porque el ruido del agua le impedía dormir. A nosotros, que creemos en el silencio de los frescos, la anécdota nos encanta. Y nos inquieta vagamente. Su lógica nos hiere, y, sin embargo, ese encanto despierta en el fondo de nosotros una sospecha adormecida: como una historia íntima más olvidada que perdida, aún amenazadora. Pero muy lejana. Después de todo, China es el Otro de Occidente... Esos insomnios no se dan entre nosotros.

Pero, ¿de quién nos llega este consejo: «Hace gran bien a los que tienen fiebre ver pinturas que representan fuentes, ríos y cascadas. Si alguien, de noche, no puede conciliar el sueño, que se ponga a contemplar fuentes y le vendrá el sueño»? De Leon Battista Alberti, el gran arquitecto del Renacimiento florentino.[1] Un hombre de aquí, de aquellos que definieron el ideal humanista.

---

1. *De Re aedificatoria*, libro IX, 4 (1452). Véase Paul-Henri MICHEL, *La Pensée de L.B. Alberti*, París, Les Belles Lettres, 1930, pág. 493.

Esto es ya más comprometedor. Así, el hombre racional del siglo XV todavía creía en sus imágenes para entenderlas. El agua pintada que molestaba al chino sosegaba al toscano. En los dos casos, una presencia atraviesa la representación; la frescura de la onda contemplada pasa al cuerpo contemplativo. Sin embargo, la de las fuentes no es agua bendita. Al margen de los espacios litúrgicos y de todo vínculo sacramental, la mirada asegura una comunicación de las sustancias, de lo visto al vidente. La imagen funciona como mediación efectiva. ¿Cómo ha sido posible esto? ¿Y qué ha cambiado en nuestro ojo para que la imagen de una fuente no pueda ya saciar nuestra sed, ni la imagen de un fuego calentarnos?

Posiblemente, estas preguntas no son tan anodinas como parece. Dos anécdotas, sí; pero dos anécdotas que reavivan en nosotros antiquísimos vértigos. Espectro, reflejo, doble o sosia continúan manteniendo, no ya el terror, sino un tenaz halo de equívoco. Como si el incierto estatuto de la imagen no dejara de hacer vacilar nuestras certezas más firmes.

Nosotros, en verdad febriles, preferimos un analgésico a la visión de una marina. Nuestras imágenes sagradas ya no sangran ni lloran. Si les hablamos todavía a media voz, solos, en la penumbra, es por inadvertencia. Ya no creemos de verdad que la estatua de santa Genoveva protege a París y que la Majesté de Sainte-Foy, en Conques, cura la lepra y las hemorroides. Ya no cubrimos los espejos cuando hay un muerto en la casa, por miedo a partir con él, como se hacía antes en el campo, y clavar alfileres en la foto de nuestro enemigo ya no es una manera útil de matar el tiempo. Salvo para los iluminados, los efectos de imagen tienden a caer en el ámbito común: buenas costumbres y malas influencias. Pornografía y televisión. Pasan, si se quiere, de la competencia de los teólogos a la de los prefectos y de los etnólogos a los magistrados, o sea, de lo sobrenatural a la administración de los espacios comunes. ¿Es que ha perdido su misterio la fuerza activa de la imagen? Todas las apariencias indican que no.

Sin duda, nuestro ojo se ha vuelto un tanto agnóstico, o está ya saturado, para mirar los techos de la Capilla Sixtina sin rugir ante las desnudeces que un día un papa «retrógrado» se creyó en la obligación de cubrir con taparrabos. Sin duda, ya nadie pide, entre nosotros, que se bajen a las reservas los desnudos de Boucher, como los ayatolás exigieron del Museo de Bellas Artes de Teherán. Nos reímos, satisfechos, de esos retrasados, olvidando que sus reflejos fueron los nuestros hasta ayer mismo. Y que en París, esta mañana, unos cristianos han puesto bombas en un cine para destruir una pantalla sacrílega y cegar los ojos tentados por la última tentación de Jesucristo. Estamos convencidos de que la inmóvil psicología del fanatismo no nos dará la clave de esos desplazamientos, de esos retornos, de esos cruces de la fidelidad óptica.

Ya tranquilicen o solivianten, maravillen o embrujen, ya sean manuales o mecánicas, fijas, animadas, en blanco y negro, en colores, mudas, hablantes, es un hecho comprobado desde hace varias decenas de miles de años que las imágenes generan acción y reacción. Algunas, llamadas «obras de arte», se ofrecen con complacencia a la contemplación, pero esta contemplación no libera del «drama de la voluntad», como quería Schopenhauer, porque los efectos de las imágenes son a menudo dramáticos. Pero si nuestras imágenes nos dominan, si por naturaleza pueden provocar algo distinto a una simple percepción, su capacidad —aura, prestigio o irradiación— cambia con el tiempo. Nosotros desearíamos examinar ese poder, señalar sus metamorfosis y sus puntos de ruptura. Aquí la historia del «arte» debe desaparecer ante la historia de lo que la ha hecho posible: la mirada que ponemos en las cosas que representan otras cosas. Historia llena de ruido y furor, a menudo contada por idiotas, pero siempre cargada de sentido. No hay anticipación posible, pues la acción que nuestras figuras ejercen sobre nosotros varía con el campo de gravitación en el que las inscribe nuestro ojo colectivo, ese inconsciente compartido que modifica sus proyecciones de acuerdo con nuestras técnicas de representación. Este libro tiene, pues, por objeto los códigos invisibles de lo visible, que definen de manera sumamente ingenua, y referido a cada época, un estado del mundo, o sea, una cultura. O cómo se da a ver el mundo a quienes lo miran sin pensar. Si nos es imposible ver totalmente nuestro ver, puesto que «producir luz supone sombras, una mitad oscura», desearíamos al menos señalar algunos supuestos a priori del ojo occidental. La sucesión ordenada y discontinua de nuestras ingenuidades. Los contrastes entre nuestras posturas de creencia visual, la última de las cuales en el tiempo nos hace tomar al prudente chino por un loco, y a Alberti por un tonto. Y tal vez adivinar las risas maliciosas que inspirará, de aquí a un siglo o dos, la mirada de credulidad cándida que nuestro tiempo, sedicente incrédulo, pone en sus pantallas.

Tarea desmesurada y apuesta peligrosa. No se me escapa que es una osadía querer enlazar épocas, estilos y países, pues hay muchas parcelas que ya no pueden ser trabajadas mejor de lo que han sido. No se recoge una gama infinita de formas expresivas en un puñado de categorías unificadoras sin ponerse a tiro de los hombres del arte. Cualquiera que sea la amplitud de la documentación reunida y, aquí o allá, lo escrupuloso de la investigación, la inmensidad del tema, unida a las incompetencias del autor, expone al deprimente reproche de ensayismo. Tanto más si uno ha querido dar al trazado de un camino duro aspecto de paseo, a veces barroco. La mediología de la imagen tiene toda la ambigüedad de una andadura que se sitúa en el cruce de varias avenidas donde apenas si tengo títulos a los que acercarme: la historia del arte, la historia de las técnicas y la historia de las religiones. La fatalidad en que se encuentra atrapado el nacimiento de toda problemática inédita hace que éste sólo pueda producirse en el seno de esas mismas disciplinas establecidas y de categorías antiguas que lo obstaculizan y cuyas insuficiencias precisamente él intenta mostrar. Pero a veces basta con descentrar ligeramente las perspectivas para alumbrar, allí donde se alzaban respuestas demasiado grandiosas, una pequeña y nueva pregunta. Si esta lección extraída del pasado no autoriza en nada estas pocas hipótesis, aún incompletas, al menos puede servirles de excusa.

1. El nacimiento por la muerte

Un día habrá que abrir la puerta
de las sombras, subir los últimos escalones,
buscar una luz para reconocerse en sombras
tan antiguas que la carne humillada ya está
acostumbrada a ellas.

MICHEL SERRES

El nacimiento de la imagen está unido desde el principio a la muerte. Pero si la imagen arcaica surge de las tumbas, es como rechazo de la nada y para prolongar la vida. La plástica es un terror domesticado. De ahí que, a medida que se elimina a la muerte de la vida social, la imagen sea menos viva y menos vital nuestra necesidad de imágenes.

¿Por qué, desde hace tanto tiempo, mis congéneres se empeñan en dejar tras ellos figuras visibles sobre superficies duras, lisas y delimitadas (aunque la pared paleolítica sea irregular y sin contornos, y el marco del cuadro sea un hecho más bien reciente)? ¿A qué vienen esos glifos, esos grabados y esos dibujos rupestres, a qué vienen esos volúmenes verticales, cromlechs, betilos, acrolitos, colosos, hermas, ídolos o estatuas humanas? ¿Por qué, en suma, la imagen y no otra cosa? Aceptemos por un momento que no sabemos nada y franqueemos la puerta de las sombras.

RAÍCES

El origen no es la esencia; lo que importa es el devenir. Pero toda cosa oscura se aclara en sus arcaísmos. Del sustantivo *arché*, que significa a un mismo tiempo razón de ser e inicio. Quien retrocede en el tiempo avanza en conocimiento.

Empecemos este viaje a los orígenes de la imagen con los medios de que disponemos: nuestros pobres ojos, nuestras pobres palabras.

Sepulturas del Auriñaciense y dibujos de color ocre ejecutados en huesos, 30.000 años a. C. Composiciones radiantes de Lascaux: un hombre boca arriba, con cabeza de pájaro, un bisonte herido, caballos que huyen bajo las flechas, 15.000 años a. c. Insistente retorno, durante milenios, del simbolismo conjunto de la fecundidad y la muerte: la azagaya-pene frente a la herida-vulva. Cadáveres abigarrados de la Edad de Bronce, congelados en el suelo de Altai, cráneos de órbitas realzadas con hematites, 5.000 años a. C. Mastabas menfitas e hipogeos del Alto Egipto, con sus sarcófagos de grandes ojos pintados, las barcas del más allá y las ofrendas de víveres en el muro, 2.000 años a. C. Tumbas reales de Micenas, con sus marcas funerarias en oro, 1.500 años a. C. Frescos rebosantes de vida de las necrópolis etruscas, 800 años a. C. Cortejos de plañideras de la primera cerámica griega, del mismo período. Frescos de Plutón y Perséfone en la tumba del rey Filipo de Macedonia, 350 años a. C. Bajorrelieves de las sepulturas romanas. Catacumbas cristianas. Necrópolis merovingias del siglo VI, con sus fíbulas alveoladas en oro y en forma de aves. Cofrecillos con huesos, relicarios de la alta Edad Media. Figuras yacentes de bronce del siglo XI, máscaras de cobre dorado del siglo XIII, losas funerarias, estatuas sepulcrales de Blanca de Champaña, papas y santos arrodillados de las tumbas renacentistas. Acortemos la letanía de clichés. Es una constante trivial que el arte nace funerario, y renace inmediatamente muerto, bajo el aguijón de la muerte. Los honores de la tumba relanzan de un sitio a otro la imaginación plástica, las sepulturas de los grandes fueron nuestros primeros museos, y los difuntos nuestros primeros coleccionistas, pues esos tesoros de armas y vajilla, vasos, diademas, cofrecillos de oro, bustos de mármol, muebles de maderas preciosas, no se ofrecían a la mirada de los vivos. No eran amontonados en el fondo de túmulos, pirámides o fosas para que sirvieran de ornamento, sino para que prestaran servicio. En la mayoría de casos estaba prohibido el acceso a las criptas, tan pronto como se volvían a cerrar, a pesar de que en ellas se acumulaban las materias más ricas. Nuestros depósitos de imágenes, entre nosotros los modernos, se exponen a la vista. Extraño ciclo de los hábitats de la memoria. De la misma manera que las sepulturas fueron los museos de las civilizaciones sin museos, nuestros museos son tal vez las tumbas apropiadas a las civilizaciones que ya no saben edificar tumbas. ¿Acaso no tienen el fasto arquitectónico, el prestigio, la protección vigilante, el aislamiento ritual en el espacio cívico? Pero en Egipto, en Micenas o en Corinto, las imágenes depositadas en lugar seguro debían ayudar a los difuntos a proseguir sus actividades normales, en tanto que nosotros debemos interrumpir las nuestras para visitar nuestros mausoleos. Interrupción tardía de la preocupación absolutamente práctica de sobrevivir que hemos bautizado con el nombre de Estética.

Después del álbum, el diccionario. La etimología, si no aporta pruebas, al menos indica. En primer lugar, latín. *¿Simulacrum?* El espectro. *¿Imago?* La mascarilla de cera, reproducción del rostro de los difuntos, que el magistrado llevaba en el funeral y que colocaba junto a él en los nichos del atrio, a cubierto, sobre el plúteo. Una religión fundada en el culto de los antepasados exigía que éstos sobrevivieran en imagen. El *jus imaginum* era el derecho, reservado a los nobles, de pasear en público un doble del antepasado.[1] Un *homo multarum imaginum* es, en Salustio, un hombre que poseía muchos antepasados de alto linaje. Y, por lo tanto, muchas estatuas funerarias al aire libre que lucían en todo lo alto el nombre de su *gens*. ¿Figura? Primero fantasma, después figura. ¿Hay que ver ahí un lúgubre oscurecimiento de la vida luminosa de Hélade? Fijémonos, pues, en los griegos, esa cultura del sol tan enamorada de la vida y la visión que las confundía: vivir, para un griego antiguo, no era, como para nosotros, respirar, sino ver, y morir era perder la vista. Nosotros decimos «su último suspiro», pero ellos decían «su última mirada». Peor que castrar a su enemigo, arrancarle los ojos. Edipo, muerto vivo. Decididamente, una estética vitalista. Con toda seguridad, más que la egipcia. Sorpresa: aquí también manda el óbito. *Ídolo* viene de *eidôlon*, que significa fantasma de los muertos, espectro, y sólo después imagen, retrato. El *eidôlon* arcaico designa el alma del difunto que sale del cadáver en forma de sombra intangible, su doble, cuya naturaleza tenue, pero aún corpórea, facilita la figuración plástica. La imagen *es* la sombra, y sombra es el nombre común del doble. Además, como observa Jean-Pierre Vernant, la palabra tiene tres acepciones concomitantes: «imagen del sueño (*onar*), aparición suscitada por un dios (*phasma*), fantasma de un difunto (*psyché*)».[2] Así,

---

1. Según Léon Homo, *Les Institutions politiques romaines de la Cité à l'État [Las instituciones políticas romanas de la ciudad al Estado]*, París, 1927. Los historiadores discuten sobre la realidad de un derecho que, según algunos autores, habría sido inventado por Mommsen, pero del que, no obstante, se encuentran huellas en Polibio y Cicerón. Véase el apéndice de *Ancestral Portraiture in Rome [Retratística ancestral en Roma]*, por Annie Zadoks-Josephus Jitta, Amsterdam, 1932.

2. Jean-Pierre Vernant, «Naissance d'images», en *Religions, histoires, raisons [Religiones, historias, razones]*, París, Maspero, 1979, pág. 110.

del desdichado Patroclo, que se aparece en sueños a Aquiles. Es, pues, un término trágico, y muy conocido de los autores trágicos. Esquilo: «El tábano asesino que persigue a Ío no es otro que el *eidôlon* mismo de Argos». Eurípides, en *Alcestes*, lo mete en la boca de su esposo viudo, Admeto, que suplica a los escultores que le devuelvan a su mujer viva: «Figurado por la mano de imagineros hábiles (*tektonôn*), tu cuerpo será tendido sobre mi lecho; yo me acostaré junto a él y, enlazándolo con mis manos, pronunciando tu nombre, creeré tener en mis brazos a mi querida mujer, aunque esté ausente: fría voluptuosidad sin duda...».[3] Los ceramistas atenienses representan a veces el nacimiento de la imagen bajo las especies de un guerrero en miniatura que sale de la tumba de un guerrero muerto en combate, la más hermosa de las muertes.[4] La imagen atestiguaría entonces el triunfo de la vida, pero un triunfo conseguido sobre la muerte y merecido por ella. Y que no se crea que el orden del símbolo tiene un origen más puro que el más grosero de lo imaginario. El cadáver les presta un mantillo común. Signo viene de *sema*, piedra sepulcral. *Sema cheein*, en Homero, es levantar una tumba. El signo al que se reconoce una sepultura precede y funda el signo de semejanza. La muerte como semáforo original parece hallarse muy lejos de nuestras modernas semiología y semántica, pero si se ahonda un poco en la ciencia de los signos, se exhuma el barro cocido, el gres esculpido y la máscara de oro. La estatua, cadáver estable y vertical que, de pie, saluda desde lejos a los transeúntes, nos hace señas, nuestras primeras señas-signos. Debajo de las palabras, las piedras. La semiología, para que pudiera comprenderse, ¿sería obligada un día a volver de los actos de habla a los actos de imagen y, por lo tanto, a la carroña humana?

En la lengua litúrgica, «representación» designa «un féretro vacío sobre el que se extiende un paño mortuorio para una ceremonia fúnebre». Y Littré añade: «En la Edad Media, figura moldeada y pintada que, en las exequias, representaba al difunto». Ésta es una de las primeras acepciones del término. Y ahora, ese arte de utilizar a los muertos en beneficio propio nos hace entrar en política. Los ritos de los funerales de los reyes de Francia, entre la muerte de Carlos VI y la de Enrique IV, ilustran tanto las virtudes simbólicas como las ventajas prácticas de la imagen primitiva como *sustituto*

---

3. EURÍPIDES, *Alcestes*, hacia 348.

4. François LISSARAGUE, *Un flot d'images, une esthétique du banquet grec [Una oleada de imágenes, una estética del banquete griego]*, París, Adam Biro, 1987. Véase igualmente de F. LISSARAGUE y A. SCHNAPP, «Imagerie des Grecs ou Grèce des imagiers», en *Le Temps de la réflexion [El tiempo de la reflexión]*, 2, 1981.

vivo del muerto. El cuerpo del rey debía permanecer expuesto durante cuarenta días.[5] Pero la putrefacción, a pesar de la extracción inmediata de las vísceras y los métodos de embalsamamiento, va más de prisa que la duración material requerida para la exposición, el transporte de los restos mortales hasta Saint-Denis (sobre todo para los muertos en tierras lejanas) y la organización oficial de las exequias. De ahí la utilidad de una efigie exacta, verista, del soberano desaparecido (Clouet fabricó personalmente el maniquí de Francisco I). Vestida con sus mejores galas y provista de sus símbolos de poder, la efigie va a presidir durante cuarenta días los banquetes y las ceremonias de la corte; sólo ella recibe los homenajes y, mientras está expuesta, el nuevo rey debe permanecer invisible. Así, de los cuerpos del rey, el perecedero y el eterno, es el segundo el que se instala en su maniquí de cera pintada. En la copia hay más que en el original.

Conscientemente o no, la costumbre francesa de la «representación» retoma una tradición romana. En la Roma imperial, según Antonin le Pieux, el *funus imaginarium* —en el que consiste la *consecratio*, o la apoteosis póstuma del emperador fallecido— duplica la inhumación de las cenizas físicas por la incineración, con gran pompa, de su doble colocado en un lecho fúnebre y después de haber vivido siete días de agonía, rodeado de médicos y plañideras. La *imago* no es un pretexto, ni esos funerales una ficción: el maniquí del difunto *es* el cadáver (hasta el punto de que se coloca un esclavo junto al maniquí de Pertinax para cazar las moscas con un abanico). Esta *imago* es un cuerpo potente, activo, público y radiante, cuyas cenizas, convertidas en humo, irán a reunirse con los dioses en el empíreo (cuando los restos reales sean puestos bajo tierra), abriéndole las puertas de la divinización.[6] *En imagen* subía el emperador de la hoguera al cielo, en imagen y no en persona. Caída de los cuerpos, ascensión de los dobles. Como la gloria al héroe griego, la apoteosis al emperador romano, la santidad al papa cristiano (un tal Dámaso es declarado venerable por un retrato sobre cristal dorado colocado en el ábside), al hombre de Occidente lo mejor le llega por su conversión en imagen, pues su imagen es su mejor parte: su yo inmunizado, puesto en lugar seguro. Por ella, el vivo se impone al muerto. Los demonios y la corrupción de las carnes en el fondo de

5. Ralph GIESEY, *Le roi ne meurt jamais [El rey nunca muere]*, París, Flammarion, 1987 (edición inglesa de 1960). Comentario en Carlo GINZBURG, «Représentation: le mot, l'idée, la chose», *Annales, E.S.C.*, noviembre-diciembre 1991.

6. Florence DUPONT, «L'autre corps de l'empereur-dieu», en *Le temps de la réflexion [El tiempo de la reflexión]*, 1986, págs. 231-252.

las sepulturas (en el ejemplo cristiano) se imponen. La «verdadera vida» está en una imagen ficticia, no en el cuerpo real. Las máscaras mortuorias de la Roma antigua tienen los ojos muy abiertos y las mejillas llenas. Y aunque estén en posición absolutamente horizontal, las figuras yacentes góticas no tienen nada de cadavéricas. Tienen posturas de resucitados, cuerpos gloriosos del Juicio Final en oración viva. Como si la piedra esculpida aspirara el aliento de los desaparecidos. Entre el representado y su representación hay una transferencia de alma. Ésta no es una simple metáfora de piedra del desaparecido, sino una metonimia real, una prolongación sublimada pero todavía física de su carne. La imagen es el vivo de buena calidad, vitaminado, inoxidable. En definitiva, fiable.

Así, pues, durante mucho tiempo figurar y transfigurar han sido una misma cosa. Esa reserva de poder contenido en la imagen arcaica, o ese suplemento de majestuosidad que podía aportar a un individuo, y durante mucho tiempo puesto que la imagen resiste, ha hecho de repente de la representación un privilegio social y un peligro público. No se pueden distribuir los honores visuales a la ligera, pues el retrato individual tiene su importancia. En Roma, hasta el Bajo Imperio, la exposición en público de retratos está limitada y controlada. Es un abuso de poder demasiado grave. En principio, sólo los muertos ilustres tienen derecho a la efigie, pues son por naturaleza influyentes y poderosos, después los poderosos en vida, y siempre del sexo masculino. En Roma, los retratos y bustos de mujeres aparecieron tardíamente, después de los de los hombres; como el derecho a la imagen, privilegio de los nobles fallecidos, ha sido concedido tardíamente a los ciudadanos comunes, hacia el fin de la era republicana.

LA IMAGEN ANTES QUE LA IDEA

«La muerte, decía Bachelard, es primero una imagen, y sigue siendo una imagen.»[7] La idea —la muerte como renacimiento, viaje o tránsito— fue tardía y apareció en segundo lugar. Las imaginerías de la inmortalidad (puesto que sólo desde esta mañana los muertos en Occidente mueren de veras) han precedido a las doctrinas de la supervivencia. ¿Por qué la iconografía cristiana, que no estaba prevista en el programa de los Padres de la Iglesia, acaba apareciendo

7. Gaston BACHELARD, *La Terre et les rêveries du repos [La tierra y las ensoñaciones del reposo]*, París, José Corti, 1948, pág. 312.

en el siglo IV? En los sarcófagos y en las catacumbas. ¿Y qué dicen esas alegorías aún abstractas? El triunfo de la fe sobre la muerte, la resurrección de Jesucristo, la supervivencia de los mártires. Las primeras imágenes de esa fe nueva que decía rechazar la imagen han sido como impulsadas por los mitos bíblicos de la inmortalidad del alma.

La idea de inmortalidad no es un dato inmutable, la del alma tampoco, y las dos no van siempre juntas (la supervivencia, antes de la revolución cristiana, era ante todo un asunto del cuerpo). No confundamos a los nómadas que incineran a sus muertos confiándolos al viento, a las estrellas o al océano, y los sedentarios que los amortajan en posición fetal para devolverlos a su madre, la tierra, que los hará renacer. Cada civilización trata la muerte a su manera, por lo cual no se parece a ninguna otra; y cada una tiene sus formas sepulcrales; pero no sería ya una civilización si no la tratara de alguna manera (y el decaimiento de la arquitectura funeraria acerca nuestra modernidad a la barbarie). Las sociedades arcaicas que han hecho de la muerte su núcleo organizador no tienen la misma monumentalidad, puesto que no tienen el mismo más allá. La tumba egipcia, invisible desde fuera, está vuelta en su totalidad hacia el interior, hacia el alma del difunto. Se entierran ofrendas para alimentarlos mejor, para acompañarlos en su supervivencia. La tumba griega, vuelta al exterior, interpela directamente a los vivos. Se alza una estela visible de lejos para perpetuar una memoria. En los dos casos, el espacio de la tumba, morada del muerto, es distinto del espacio del templo, mansión de los dioses. La cultura cristiana fue la primera en hacer entrar los despojos físicos en el espacio sagrado. Esto empezó con los santos y los mártires, siguió con los prelados y los príncipes. Hay una gran distancia entre el sarcófago y la losa de piedra del yacente, o del transido medieval al héroe arrodillado al lado de un santo, y después al caballero del Renacimiento apostado con arrogancia sobre su tumba de mármol. Pero en cámara sepulcral, en pozo, en cúpula, en túmulo, en lo alto o en la roca, siempre hay un monumento. Sea, traducción literal, el aviso de un «recuerda». Horos, Gorgona, Dionisos o Jesucristo, cualquiera que sea la naturaleza del mito mayor, siempre produce una figura. El más allá trae la meditación de un más acá. Sin un fondo invisible no hay forma visible. Sin la angustia de la precariedad no hay necesidad de monumento conmemorativo. Los inmortales no se hacen fotos unos a otros. Dios es luz, sólo el hombre es fotografía, pues sólo el que pasa, y lo sabe, quiere perdurar. De nada se hacen tantas fotos o películas como de aquello que se sabe que está amenazado de desaparición: fauna, flora, tierra natal, viejos barrios, fondos submarinos. Con la ansiedad de quien tiene los días contados, se agranda el furor documental.

Desde que se separó de las paredes de la gruta, la imagen primitiva ha estado unida al hueso, al marfil, al cuerno, a la piel del animal, todos ellos materiales que se obtienen con la muerte. Más que soporte, pretexto o argucia, el cadáver fue sustancia, la materia prima del trabajo del duelo. Nuestro primer objeto de arte: la momia de Egipto, cadáver hecho obra; nuestra primera tela: el sudario pintado por el copto. Nuestro primer conservador: el embalsamador. La primera pieza *art déco*, el recipiente de las cenizas, canope, urna, crátera o cofrecito. Los adeptos de Jesucristo no pudieron resistir a la compulsión imaginaria cuando habían hecho suya la prohibición mosaica para marcar su diferencia en el seno de una romanidad idólatra. De la catacumba a la basílica, y después a las capillas medievales, «cámaras de reliquias» (Duby), se ve al esqueleto «salir» del sótano y ganar en tamaño, en altura, en gloria, a través de una sucesión de adecuaciones. La tibia o la víscera disecada del santo y mártir local reclama el relicario; por lo tanto, el oratorio o el santuario; por lo tanto, la peregrinación y todo lo que viene después: el exvoto de oro, el retablo, el díptico, el fresco y, por último, el cuadro. Así se pasa, sin que nadie se dé cuenta, del amor de los huesos al amor del arte; de los restos a la reliquia, y de ésta a la obra de arte. «El arte cristiano», minuciosa declinación del guiñapo, ha procedido por duplicados, del gran formato al más pequeño. Se levanta un ara sobre el primer osario; después se pone un tejado encima del ara; y, para miniaturizar la sagrada osamenta, el artista parisién de Carlos VI hará un díptico portátil y el orfebre una joya, un colgante que la devota se pondrá en el cuello, sobre la piel.

EL ESTADIO DEL ESPEJO

Fustel de Coulanges: «Posiblemente fue a la vista de la muerte cuando el hombre tuvo por primera vez la idea de lo sobrenatural y decidió esperar más allá de lo que veía. La muerte, que fue el primer misterio, pone al hombre en el camino de los otros misterios, eleva su pensamiento de lo visible a lo invisible, de lo pasajero a lo eterno, de lo humano a lo divino». Posiblemente fue a la vista de la muerte cuando, un día, el *faber* se vio *sapiens*... Un primate femenino, una madre chimpancé, continúa jugando con su cría, que acaba de morir, como si estuviera viva o adormecida. Cuando se da cuenta de que ya no se mueve, la deja a un lado como una cosa más. Parece olvidarla al momento. Entre nosotros, a un cadáver humano no se le trata así. Ya no es un ser vivo, pero tampoco una cosa. Es una presencia/ausencia; yo mismo como cosa, todavía mi ser pero en estado de objeto. «Oh muerte, deforme y horrorosa a la *vista*...» Es lícito pensar que la primera experiencia metafísica del animal humano, indisolublemente estética y religiosa, fue este desconcertante enigma: el espectáculo de un individuo que pasaba al estado de anónima gelatina.[8] Tal vez el verdadero estadio del espejo humano: contemplarse en un doble, *alter ego*, y, en lo visible inmediato, ver también lo no visible. Y la nada en sí, «ese no sé qué que no tiene nombre en ninguna lengua». Traumatismo suficientemente angustioso para reclamar al momento una contramedida: hacer una imagen del innombrable, un doble del muerto para mantenerle con vida y, a la vez, no ver ese no sé qué en sí, no verse a sí mismo como casi nada. Inscripción significativa, ritualización del abismo por desdoblamiento especular. «Al sol y a la muerte no se les puede mirar a la cara.» Perseo tuvo que utilizar un espejo para cortar la cabeza de Medusa. La imagen, toda imagen, es sin duda esa argucia indirecta, ese espejo en el que la sombra atrapa a la presa. El trabajo del duelo pasa así por la confección de una imagen del otro que vale por un alumbramiento. Si esa génesis se confirma, la estupefacción ante los despojos mortales, descarga fundadora de la humanidad, llevaría consigo a un mismo tiempo la pulsión religiosa y la pulsión plástica. O, si se prefiere, el cuidado de la sepultura y el trabajo de la efigie. Todo viene junto y lo uno por lo otro. De la misma manera que el niño agrupa por primera vez sus miembros al mirarse en un espejo, nosotros oponemos a la descomposición de la muerte la *recomposición por la imagen*.

Así, pues, la imagen procede, *stricto sensu*, de ultratumba, como la pequeña estatua fang sentada sobre la tapa del cofre relicario en el que reposan los huesos del ancestro (*imago* y *ossa*, en latín, son a menudo equivalentes). La imagen sale de ultratumba amansada y estabilizada, para que el antepasado siga allí; para impedir que vuelva a molestarnos, para atrapar su alma voladora y rapaz en un objeto indubitable. Es imposible desembarazarse del doble sin materializarlo. Todos los continentes participan de esta lógica, y «doble» es una palabra que tiene equivalentes en casi todas las lenguas (*raphaim* hebreo, *ka* egipcio, *genius* romano, etc.). Incluida la cultura judía. Precisamente, en las necrópolis judías del mundo helenístico se

8. Gérard BUCHER, *La Vision et l'énigme. Éléments pour une analytique du logos* [*La visión y el enigma. Elementos para una analítica del logos*], prefacio de Michel Serres, París, Éditions du Cerf, 1989.

han encontrado infracciones de la prohibición levítica: sarcófagos figurativos (Bet She'arim). Como si el segundo mandamiento admitiera un caso de fuerza mayor. Como si sólo la necesidad afectiva de sobrevivir hubiera tenido suficiente fuerza para transgredir la decisión intelectual de las Escrituras.

Una descomposición con dos salidas, la húmeda o la seca, licuefacción o cremación. Para un vivo lo peor que se puede ver es el charco inmundo, amorfo, innombrable y putrefacto. La mancha irremediable. La imagen física, doble duplicado, me protege de lo peor, el espectáculo desalentador de la putrefacción. La piedra aprisiona lo podrido con lo sólido, transciende lo abyecto con el mármol o la obsidiana. La estela expurga el mal con su espectáculo. Catarsis óptica. En una población de perfiles como los que presenta la imaginería cerámica griega, la Gorgona (al igual que Dionisos) es mostrada de frente, a las puertas del reino de Perséfone. El rostro maléfico de ojos mortíferos es exorcisado por la imagen, que da a la visión frontal valor profiláctico. En las copas con figura roja, en las que todos los combatientes están dibujados de perfil, sólo el guerrero agonizante, ya alejado del mundo, tiene el privilegio de ser visto de frente, como para interpelar al espectador.[9]

La invención de la efigie, contrametamorfosis de lo amorfo a la forma y de lo blando a lo duro, preserva los intereses vitales de la especie. El retrato profano, anónimo, no ritual, nació, en Egipto y concretamente en Fayum, de la necesidad de democratizar la supervivencia. A cada uno su viático, su pasaporte hacia el sol. Es una operación de salubridad pública que consiste en disociar su doble del cadáver, para instaurar la demarcación de lo puro y lo impuro en el seno del grupo, pues lo peor es la mancha generada por la confusión de los dos. ¿No depende la tranquilidad de los vivos del reposo de los muertos? Como conjuración de lo efímero, es también una buena prueba de querer vivir. Como la religión en Bergson, la figuración asegura una prolongación del instinto: «una reacción defensiva de la naturaleza contra la representación por la inteligencia de la inevitabilidad de la muerte». La misma argucia animal. Con la diferencia de que aquí la «defensa» no consiste en adherirse al que se mueve sino en cambiar el tiempo por el espacio. Si «la vida es el conjunto de las fuerzas que resisten a la muerte», el ornato, primera muestra contra la muerte, es una fuerza vital. Toda figura desarrolla prolongaciones. Por eso uno queda consternado cuando, con buena

9. Françoise FRONTISI-DUCROUX, «La mort en face», *Métis. Revue d'anthropologie du monde grec ancien,* I, 2, 1986.

voluntad, se intenta negar la genealogía funeraria de la imagen como si debiera estar atada a lo lúgubre y lo sombrío, cuando el arte es vitalidad, alegría, exuberancia. Precisamente esto lo explica. La figura escenifica en los sepulcros las alegrías de la existencia. En el antiguo Egipto, «el arte de las tumbas» es reconocido por los arqueólogos como más vivo, poseedor de más colorido, menos petrificado que «el arte de los templos». ¿Hay algo más festivo, más pimpante que el vuelo de las aves multicolores, las bailarinas y flautistas de las tumbas etruscas de Tarquinia? ¿Hay algo más erótico que los frisos situados encima de los lechos funerarios romanos? ¿Quién dijo que el país de las sombras era fúnebre? ¿Quién no ha visto a los rapaces sonrientes jugar al balón entre las tumbas de la Ciudad de los Muertos de El Cairo? Los banquetes más alegres se celebran después de los entierros, como el Carnaval tras la Cuaresma. Sí, la imagen se hunde en lo trágico, pero lo trágico tiene más relación con Dionisos que con Saturno. En el fresco, macabro donde los haya, del Campo Santo de Pisa —en lo más oscuro del oscuro siglo XIV—, el Jardín del Amor está frente al Triunfo de la Muerte.

LA ANGUSTIA MÁGICA

Recordemos que hasta esta mañana las sociedades estaban *realmente* formadas por más muertos que vivos. Durante milenios, lo lejano y lo caduco desbordaron, delimitaron y amenazaron el campo óptico; lo oculto era lo que daba su valor a lo patente. Lo próximo y visible no era a los ojos de nuestros ancestros sino un archipiélago de lo invisible, dotado de videntes y augures para servir de intérpretes, pues lo invisible o lo sobrenatural era el lugar del poder (el espacio del que vienen las cosas y al que vuelven). Había, pues, un gran interés en que lo invisible se conciliara visualizándolo; en negociar con él; en representarlo. La imagen constituía no el objeto sino el activador de una permuta en el perpetuo comercio del vidente con lo no visto. Yo te doy en prenda una imagen y a cambio tú me proteges. Eso que impropiamente llamamos obra de arte de los egipcios o los griegos arcaicos procede de la disuasión del débil al fuerte. Yo dependo de fuerzas formidables y me voy a servir de mis herramientas de dibujar y cincelar para depender menos de ellas, incluso para obligarlas a intervenir en favor mío, pues la imagen del dios o del muerto implica su presencia real junto a mí. Identificación de la imagen con el ser que me permite economizar fuerzas y ofrendas: en lugar de sacrificar siempre al dios muerto hombres de carne y hueso, le aplacaré con efigies de arcilla. En vez de sacrificar, acto seguido, a la efigie un toro de verdad, podré contentarla con toros de terracota... Así ocurrió con el *kouros* o el *kolossos*, estatuilla de piedra y de bronce que, en la Grecia arcaica, no tenía nada de colosal. Estas figuritas servían de sustitutos humanos en los ritos expiatorios.[10]

Las estatuas griegas abigarradas como en el circo, cargadas de adornos, de dorados y pedrerías, son personas vivas. No están hechas para que las contemplen —en la mayoría de casos están ocultas y mostrarlas supone un acto ritual—, sino para que nos miren y protejan. Se designan a sí mismas en primera persona. «Fulano de tal me dedicó», se puede leer en esta o aquella efigie; de hecho, el nombre inscrito en una estatua, funeraria y votiva, era siempre el de quien recibía la dedicatoria, no del «artista». La imagen de Apolo es efectivamente un pacto llevado a cabo entre el dios y el que recibe la dedicatoria; de ahí su texto. «La estatua grabada se convierte, pues, en una prueba más vinculante para el dios que es declarado culpable de leer el texto, incluso en ausencia de todo lector humano.»[11] El dios se complacerá en leer la inscripción trazada en sus muslos y me será propicio. De igual manera, el donante cristiano se hacía inscribir su nombre y su silueta en el retablo, al lado del santo, para acrecentar sus posibilidades de salvación.

Primero esculpida, después pintada, la imagen está en el origen y por su misión mediadora entre los vivos y los muertos, los humanos y los dioses; entre una comunidad y una cosmología; entre una sociedad de seres visibles y la sociedad de las fuerzas invisibles que los dominan. Esta imagen no es un fin en sí mismo sino un *medio* de adivinación, de defensa, de embrujamiento, de curación, de iniciación. Integra la ciudad en el orden natural, o el individuo en la jerarquía cósmica, «alma del mundo» o «armonía del universo». Aún más brevemente: un verdadero *medio de supervivencia*. Su virtud metafísica, que la ha hecho portadora de poderes divinos o sobrenaturales, la hace útil. Operativa. Lo contrario de un objeto de lujo. Por lo tanto, no se pueden oponer los objetos poseedores de sentido, que serían las «obras de arte», a los utensilios cotidianos, los cachivaches. Artilugio de los hombres sin artilugio, la cosa imaginada fue durante mucho tiempo un bien de primera necesidad.

10. Jean DUCAT, «Fonctions de la statue dans la Grèce archaïque. Kouros et Kolossos», *Bulletin de correspondance hellénique*, n. 100, 1976, págs. 240-251.

11. Pietro PUCCI, «Inscriptions archaïques sur les statues des dieux», en *Les Savoirs de l'écriture en Grèce ancienne [Los saberes de la escritura en la Grecia antigua]*, Presses universitaires de Lille, pág. 484.

«Magia» e «imagen» tienen casi las mismas letras, lo que no deja de ser significativo. S.O.S. imagen, S.O.S. magia. «En magia sólo hay un dogma, escribe Éliphas Lévi, y es: lo visible es la manifestación de lo invisible.» Absolutamente apremiante en sus operaciones, la magia es menos laxista que la religión. Afirma una voluntad vital y una decisión de eficacia que no se encuentran en las religiones elaboradas, menos activistas, más inclinadas a la resignación y la humildad. En un hermoso libro de arte titulado *L'Art magique*, donde, al ojo físico, que lo debe todo a la percepción de la realidad, opone el ojo del espíritu que actúa en sí mismo, André Breton sostiene con cierto optimismo que su título es pleonástico.[12] Ciertamente, un pertinaz halo de magia envuelve nuestras tradiciones de imágenes. El inconsciente psíquico, con su desencadenamiento de imágenes liberadas del tiempo y que las mezcla todas, no está sujeto al envejecimiento. La «magia de la imagen» poética, en este sentido, es de siempre. Como la de la imagen onírica. Los muertos pueblan todavía nuestras noches, y no en vano Hesiodo hace de Hypnos el hermano menor de Thanatos. Por su culto a la ensoñación, el surrealismo pudo recuperar la dinámica esencial, el corazón vivo de la imagen. Pero con lo que comporta de animismo y de vitalismo exactos, sólo el período originario de los ídolos (que analizaremos aquí) procede propiamente de la magia, mientras que el arte se acerca a la imagen cuando la magia se retira de ella.

André Breton parece tratar la imagen como una cualidad, y no como una relación social, de contenido más o menos indiferente. Como si la virtud mágica estuviera en la imagen, y no en aquel que la contempla. El escudo de Aquiles aterrorizaba a los mirmidones, pero ¿tendría los mismos poderes sobre nosotros? El velo de la Verónica, con la imagen verdadera de Jesucristo, ¿podría curarnos todavía? No depende de una imagen «reengendrar de alguna manera la magia que la ha engendrado», pues lo mágico es una propiedad de la mirada, no de la imagen. Es una categoría mental, no estética. El arte del mismo nombre no hace un estilo como el clásico o el barroco, asimilable a lo fantástico o al onirismo y que ilustraron artistas como El Bosco, Gustave Moreau, Monsù Desiderio o De Chirico. Por el contrario, es la radical subordinación de la plástica a la práctica la que define el momento mágico de la imagen. Los calderos de las brujas y los monstruos con cabeza de pájaro le pedirán en vano que vuelva a la vida. Tan vanamente como la invocación de Swe-

---

12. André BRETON, *L'Art magique [El arte mágico]*, París, Club français du livre, 1957.

denborg, Lavater o el mismo Novalis. Baudelaire decía: «La imaginación está emparentada con el infinito». Sin duda alguna, pero hay que recordar que la imaginación no procede de ella misma, sino del infinito al que se confía el hombre imaginario. O, más exactamente, del infinito al que su infinita debilidad material le obliga a confiarse, a falta de algo mejor. El arte llamado mágico lo era involuntariamente, y el que esculpió la Venus de Willendorf o de Lespugue sin duda estaba convencido de que «lo bello es siempre extraño». La fecundidad de las mujeres de su clan bastaba para su felicidad. Esto no significaría situar la magia en el sitio que le corresponde sino limitarla a los profesionales del tarot y de los pases magnéticos. Supondría simplemente ignorar cuán prosaicos e indispensables son, para los humanos desvalidos, los gestos que sirven para apropiarse de una fuerza, obtener una caza abundante, un hijo de una mujer o la muerte de un enemigo.

¿Qué imagen de arte llegada del fondo de los tiempos (o también, hoy mismo, del «fondo de las tripas» de un artista) no es un S.O.S.? La imagen no pretende hechizar el universo por placer sino liberarlo. Donde nosotros vemos capricho o fantasma gratuito, sin duda había angustia y súplica. El fetiche primitivo, en el que hoy vemos un «poema-objeto» de funcionamiento simbólico, no da testimonio tanto de la libertad de espíritu como del sometimiento de nuestros antepasados a la noche, con sus dioses, sus monstruos y sus sombras errantes, todos ellos acreedores sedientos de la sangre de sus deudores, los vivos.

LA MUERTE EN PELIGRO

Hoy en día, ni monumentos funerarios, ni estatuas, ni frescos en las cámaras de los muertos. Menos maldición, menos conjuro. Con las antiguas ceremonias de duelo y la liturgia pública de los funerales se fueron de nuestras ciudades carnavales, fiestas y mascaradas. Quitad los esqueletos de la vista, ¿qué le queda al ojo? Un flujo de imágenes, sin contenido ni consecuencia, que llamaremos «visual». La «muerte de Dios» no era sino un episodio, la «muerte del hombre» una peripecia ya más grave. Hija de las dos muertes precedentes, la muerte de la muerte asestaría un golpe decisivo a la imaginación. Ocultar las agonías en el hospital, las cenizas en el columbario, escamotear lo horroroso bajo la luz artificial y la decoración de la *funeral home*, es tanto como debilitar nuestro sexto sentido de lo invisible, y de paso los otros cinco, pues perder de vista lo insostenible es disminuir la confusa atracción de la sombra, y su reverso, el valor de un rayo de luz. La domesticación de lo real mediante su modelización teórica y técnica, sin dañar nuestros bastoncillos retinianos, hace menos urgente su utilización. Menos vital y menos gozosa. La abstracción hecha de las «cosas mismas» se convierte pronto en la anestesia de los sentidos. Fin de la encarnación, reducción de la muerte en un accidente, falla de la alegría de vivir, tal sería para mañana el encadenamiento de los peligros. La triste sucesión de lo visual será posiblemente lo que le quede a la mirada demasiado protegida cuando el esqueleto y lo putrefacto, lo fétido y lo sombrío desaparezcan del saludable horizonte cotidiano.

Renan, *El porvenir de la ciencia*: «Vendrá un día en el que el gran artista será una cosa anticuada, casi inútil».

Una humanidad superpoderosa tal vez no tendría ya realmente necesidad de artistas. 30.000 años a. C., en la gran indigencia paleolítica, la imagen brota en el punto de encuentro de un sentimiento de pánico y un inicio de técnica. Si el pánico es más fuerte que el medio técnico, nosotros tenemos la magia, y su proyección visible, el ídolo. Cuando la panoplia técnica se impone poco a poco al pánico, y la capacidad humana de aliviar la desdicha, de modelar los materiales del mundo, de dominar los procedimientos de figuración puede, por fin, contrarrestar la angustia animal ante el cosmos, pasamos del ídolo religioso a la imagen de arte, ese justo término medio de la finitud humana. Aquí disfrutamos de un momento de equilibrio entre la impotencia y la realización, un paso en la cumbre, punto de transición de una naturaleza terrorífica a una naturaleza dominada. El «deleite» del clásico, el de Poussin, es una conquista sobre el horror; de ahí su valor. La belleza es siempre terror domesticado. Y la serenidad del resultado artístico, el fruto de un ensañamiento físico con una materia física. La consistencia de una obra exige cierta resistencia del caos primero, del material bruto a la mano obrera. Hoy el caos ya apenas resiste. Gracias a la mayor potencia de las herramientas podemos tener las cosas a distancia, esquivar la insistencia, actuar sobre ellas desde lejos. El ojo puede rebuscar, dar vueltas sobre la superficie, para una *lectura* rápida de las líneas y de los colores. Después de que nos hemos anexionado el mundo —hasta el punto de fabricar de él tantos como queremos, con la imagen de la síntesis— nos hemos liberado de las tareas de subsistencia, de la angustia de morir esta noche de hambre o de enfermedad, de la caída inexplicable del día, del asombroso ballet de los planetas. Preparados para el narcisismo sin fin, *ad libitum*, de las ojeadas «para ver», para nada.

Hubo «magia» mientras el hombre, insuficientemente equipado, dependía de las fuerzas misteriosas que le anonadaban. Hubo arte, a continuación, cuando las cosas que dependían de nosotros se hicieron al menos tan numerosas como las que no dependían. Lo «visual» comienza cuando hemos adquirido bastantes poderes sobre el espacio, el tiempo y los cuerpos para no temer ya la transcendencia. Cuando podemos trabajar con nuestras percepciones sin temor a los mundos ocultos. Los primeros «artistas» son ingenieros y sabios, mecánicos como Leonardo que horada las montañas con canales, inventa el hombre pájaro y las máquinas de fuego. Cuando se puede comprar la acción benefactora de la naturaleza con la técnica, como hoy en Occidente, *la situación de seguridad mengua el sombrío alcance de la muerte sobre la vida y, en consecuencia, la necesidad de intercesor.* Ejemplo de esa mengua, los cristianos olvidan que el sacrificio de la misa conmemora un hecho abominable —la muerte de Dios— y que comulgar consiste, en virtud del misterio de la Eucaristía, en consumir sangre «real» y carne «real». Peor o mejor que un acto de antropofagia: la teofagia. ¿Cómo sorprenderse de que una época tan olvidadiza de la crueldad sanguinaria de sus mitos de origen inscriba la imagen, objeto de prestigio, en el apartado «cultura»? ¿Hay que tener el miedo en el vientre para tener una necesidad visceral de figuración? Ese miedo que es el padre de la humanidad, tanto de lo mejor que tiene —necesidad de saber— como de lo peor —necesidad de poder.

Representar es hacer presente lo ausente. Por lo tanto, no es simplemente evocar sino reemplazar. Como si la imagen estuviera ahí para cubrir una carencia, aliviar una pena. Plinio el Viejo dice que «el principio de la pintura consistió en trazar, mediante líneas, el contorno de una sombra humana».[13] El mismo origen para el modelado, precisa más adelante. Enamorada de un muchacho que marcha al extranjero, la hija de un alfarero de Sición «enmarca con una línea la sombra de su cara proyectada sobre la pared por un farol. Su padre aplicó arcilla al dibujo y lo convirtió en un relieve que puso al fuego con las demás vasijas para que se endureciera».[14] Así, pintada o modelada, Imagen es hija de Nostalgia.

Una *affluent society*, a la que no le faltara ya nada por tener los medios de guardar huella de todo, incluidos los seres queridos que marchan de viaje, ¿tendría aún deseo de imágenes? O, en sentido in-

---

13. PLINIO el Viejo, *Historia natural*, libro XXXV, 15, París, Édition Budé, 1985, pág. 42.
14. Ibíd., 151.

verso, ¿tendría miedo de ellas? Ambivalencia de la visión, como del *pharmakos* griego, remedio y veneno. El doble en el espejo es portador de pánico *y* de regocijo. Yo me protejo de la muerte del otro y de la mía por un desdoblamiento, pero del doble, muerte hecha imagen, no estoy seguro de poderme desprender. Lo que sirve para eliminar la angustia se vuelve angustioso. Y la presencia-ausencia del difunto, o del dios, en su efigie, ese centelleo de lo invisible dirigido a lo visible, me puede acosar en todo momento. Las imágenes que vienen de un más allá son las que tienen poder. Se distinguen de las otras, las del visual ordinario, en que obligan a los hombres a guardar silencio ante ellas, o a bajar la voz. Prueba siempre reveladora: ¿se va a detener o no se va a detener la conversación? En las noches profanas y muy ruidosas de la Semana Santa, se divisan de lejos, titilantes de cirios y pedrerías, llevadas a hombros varoniles, las Vírgenes de balanceo bailable. Risas y chanzas. Pero cuando el paso se acerca, recargado de oro y plata, ya no es un simulacro de madera dorada sino un poco de la Madre de Dios en persona que sume a la multitud castellana en un silencio inmóvil.

EL ETERNO RETORNO

El ídolo hace ver el infinito; el arte, nuestra finitud; lo visual, un entorno bajo control. Pero queda lo incontrolable. Si él domina su espacio, el consumidor occidental aún no domina su tiempo íntimo, ni el desgaste de sus neuronas. *Nuestra* esperanza de vida ha aumentado, *nosotros* construimos cada vez mejor, colectivamente, *nuestra* circunstancia y *nuestra* tierra, pero ese *nos* de majestad afortunadamente deja ver intersticios de perplejidad. El progreso técnico —y la Evolución misma— se preocupa más de la especie que del espécimen. En su minúsculo lapso de vida, el individuo se beneficia de uno y otra menos que la humanidad. Por suerte, los seres anónimos mueren todavía. Tú y yo. Y siempre antes de hora. Por lo tanto, aún habrá sitio para un Bacon, un Balthus, un Cremonini. Un Robert Bresson o un Kubrick. Todos imagineros que quieren ganar la carrera contra el lingote. Mientras hay muerte hay esperanza-estética.

Esta obstinación en el hándicap nos ocasionará muchos desgarros en las delicias anodinas de lo visual. Verticales silencios en el ruido horizontal de la comunicación. Incluso si la videncia cede el sitio, un poco en todas partes, al visionado, la incurable muerte hace, pues, bastante plausibles los resurgimientos de lo *imprevisto*, aquí y allá. Sin embargo, no depende de nosotros «devolver su función al arte», pues éste puede muy bien procurarse otros órganos, otras prótesis que no sean la creación plástica. *Guernica*, en su tiempo, podía servir de símbolo. ¿Cuál es la obra pintada o esculpida que, cincuenta años después, podría aspirar a la transfiguración, a la transposición mítica de lo nuestro?

La V de los ibis que rozan las aguas del Nilo no tiene edad. Nosotros vemos el mismo estremecimiento del cielo y el agua que contemplaba Akenatón. Durará tanto como la especie y el oxígeno: el diálogo del hombre con la vida, del que la muerte es motor inmóvil, no corre peligro de interrumpirse. En su saco hay simplemente más de un «arte», más de un «medio». No es seguro, por ejemplo, que la pintura tenga asegurada su supervivencia (como arte capital). Ninguna técnica de representación del mundo es inmortal. Sólo lo es la necesidad de inmortalizarla mediante la estabilización de lo inestable.

Quien dice «esto es bello» reconoce una aptitud de atravesar los tiempos y de emocionar a otros que no son él. La fórmula «esto es bello»: más que una garantía de calidad es un certificado de perennidad. Esto ex-iste, con-siste, se tiene en pie. Hará de signo y señal. Aquí es «el milagro del arte»: la supresión de las distancias. «Milagro» quiere decir simplemente: perennidad de lo precario, coextensión del origen en la historia.

Si la muerte está al principio, se comprende que la imagen no tenga fin. El más lejano ídolo cretense puede susurrarnos al oído: «Escucha el ruido de tu corazón y comprenderás lo que nos es común». No cabe duda de que hay un incesante remodelaje de las agonías, pues no se muere de la misma manera en el siglo X antes de Cristo y en el siglo XX después de Cristo. La historia de la mirada tal vez no es sino un capítulo, un anexo de la historia de la muerte de Occidente. Pero una y otra se separarían aún sobre esa permanencia de naturaleza, hecho primero de la finitud, ni absolutamente idéntica ni absolutamente distinta. Ese estrato subterráneo que une interiormente, por abajo, las civilizaciones y las épocas más alejadas unas de otras nos hace en cierto modo coetáneos de todas las imágenes inventadas por un mortal, pues cada una de ellas, misteriosamente, escapa a su espacio y a su tiempo. Hay una «historia del arte», pero el «arte» en nosotros no tiene historia. La imagen fabricada es fechada en su fabricación; y también a su recepción. Lo intemporal es la facultad que la imagen tiene de ser percibida como expresiva incluso por ojos que no dominan el código. Una imagen del pasado nunca está pasada porque la muerte es nuestro foso insalvable y el inconsciente religioso no tiene edad.

Es, pues, en razón de su arcaísmo que una imagen puede seguir siendo moderna. En sentido inverso, porque hacen abstracción de los cuerpos y del miedo, las imágenes autómatas, exaltadas como «nuevas» y que, por desgracia para ellas, sin duda lo son, tendrán más dificultades para persistir. Para con-sistir. Para resistir (la obsolescencia de sus técnicas de fabricación). Sin valor de emoción, esas imágenes pronto no tendrían nada más que valor de documento. Hablando a su tiempo, pero a ningún otro, y arrastradas por el caudal audiovisual, de alguna manera terminarían convertidas en anacrónicas, privilegio al que acceden las imágenes que nosotros llamamos de arte porque nos comunican el inmemorial estremecimiento (o el sabor de nuestra pérdida que el cerebro «reptiliano» guarda en la memoria).

Detención en la imagen, pues, detención del tiempo válido para todo tiempo. Hay una crónica de los estilos y los procedimientos, de las etnias y de las filiaciones que explica cómo cada cultura procede a la suspensión del flujo. O los secretos de la fabricación del milagro. Pero lo inmutable de la muerte no tiene para los mortales ni principio ni fin. Relacionar el tiempo que pasa con el tiempo que queda, la fábrica y el milagro, la imagen emitida y la imagen recibida, ése sería el reto planteado a la historia de la eternidad que un día debería producir una mediología del arte.

* * *

La crónica de lo intemporal no es, sin embargo, nuestro tema. Lo intemporal parte de «la imagen», permanencia reconocible e incontestable; no del «arte», que emana de una decisión revocable y contingente. El estudio de las metamorfosis de lo visible supone un punto fijo en su fase inicial. La imagen sigue siendo a lo largo de los siglos (salvo destrucción material), y en todas las latitudes, lo que era. La «obra de arte» de un día no lo era la víspera, y será descalificada al día siguiente: la orfebrería, por ejemplo, que fue el arte capital de los escitas y de los merovingios, pero también de Micenas y de la alta Edad Media, es excluida de la actual definición legal del objeto de arte en Francia (como lo son la joya y el mobiliario). Pero la foto es incluida, y el tapiz (de edición limitada). ¿Error de este lado, verdad más allá de un siglo o de un océano? Un tapiz persa, una vasija de barro china, una maza de Oceanía, una máscara dogon debían ir, así que llegaban a París, al Museo del Louvre, al Museo del Hombre o al de las Artes y las Tradiciones Populares. Cada época ha tenido su respuesta (como

su jerarquía de artes mayores y menores), pero ninguna ha careci-
do de objetos figurativos.

Durante mucho tiempo, la mirada sólo ha tenido, pues, un revelador incontestable: la imagen fabricada, en dos o tres dimensiones.
Cualquiera que habla de arte en general, ese subproducto de la historia de las ideas, es un ideólogo que se ignora. No siempre evitare-
mos esas trampas de la lengua, pues no se pueden limpiar todas sus
palabras, ni desconstruir de golpe nuestra lengua natural. Pero nuestros hitos-testimonios no serán ya mentales o naturales, imágenes
oníricas o reflejos en el agua, sino todas figuras materiales *producidas* por una actividad humana, manual o mecánica. De la más rara a
la más trivial, de la gruta iniciática al tubo catódico (primera fuente
de imágenes de nuestro tiempo). Sin duda, en cuanto a su sentido y
su empleo, no hay nada más que una simple homonimia entre la
imagen sagrada que salva y la que distrae, lo inmóvil que se bebe y
lo efímero que se sorbe. Pero, aunque de naturaleza diferente, tienen
en común esta propiedad material, vienen a herir la mirada desde el
exterior.

Proyecto más o menos ambicioso que una enésima estética de filósofo. Menos, porque los cascos del concepto destrozarían las pla-
tabandas del gusto, donde sólo se admiten patas de paloma. Pero tal
vez más ambicioso, si más allá del inexorable desencanto de las
imágenes, se vislumbra una mejor inteligencia del ojo moderno, de
sus placeres y de su honor.

Se habrá comprendido que no hay, de un lado, *la* imagen, material único, inerte y estable, y, de otro, *la* mirada, como un rayo de sol
móvil que viniera a animar la página de un libro grande abierto. Mirar no es recibir, sino ordenar lo visible, organizar la experiencia. La
imagen recibe su sentido de la mirada, como lo escrito de la lectura,
y ese sentido no es especulativo sino práctico. Y de la misma manera que, en «el Orden de los Libros» (Roger Chartier), el análisis de
los textos cede el sitio a un examen de las prácticas de lectura, así,
en la Ciudad de las Imágenes, una historia de los usos y las sociabi-
lidades de la mirada debería poder visitar de nuevo, con provecho,
la historia del arte. La mirada ritual no es la mirada conmemorativa
o familiar, que no es la de fuero privado que nosotros practicamos,
por ejemplo, al hojear en casa un álbum de reproducciones. Pero las
culturas de la mirada, a su vez, no son independientes de las revoluciones técnicas que vienen a modificar en cada época el formato, los
materiales, la cantidad de imágenes de que una sociedad se debe hacer cargo. De la misma manera que un libro de horas del siglo XIII,
enorme, raro y pesado, no se leía como un libro de bolsillo del si-

glo XX, un retablo en una iglesia gótica exigiría una mirada diferente de la de un cartel de cine. La evolución conjunta de las técnicas y de las creencias nos va a conducir a señalar tres momentos de la historia de lo visible: la mirada mágica, la mirada estética y, por último, la mirada económica. La primera suscitó el ídolo; la segunda el arte; la tercera lo visual. Más que visiones, ahí hay organizaciones del mundo (véase cuadro págs. 178-179).

2. La transmisión simbólica

Y el pintor, en suma, no dice nada, calla,
y yo lo prefiero así.

VINCENT VAN GOGH

Hablamos en un mundo, vemos en otro. La imagen es simbólica, pero no tiene las propiedades semánticas de la lengua: es la infancia del signo. Esa originalidad le da una fuerza de transmisión sin igual. La imagen sirve porque hace de vínculo. Pero sin comunidad no hay vitalidad simbólica. La privatización de la mirada moderna es para el universo de las imágenes un factor de anemia.

La estela funeraria egipcia colocada en vertical sobre el sarcófago enterrado mira a poniente, pues los muertos viajan con el sol. La estela tiene la forma de una puerta abierta, pues ésa es su finalidad: *hacer que se comuniquen los vivos y los muertos.* Puerta falsa pero comunicación verdadera y verificable, toda vez que la losa está provista de una boquilla por la que el agua de las libaciones puede fluir hasta la cámara del difunto. Esta escenificación se puede ver como la expresión de un deseo inscrito desde el origen en el núcleo de la imagen: abrir un paso entre lo invisible y lo visible, lo temible y lo tranquilizador. Conmutador del cielo y la tierra, intermediario entre el hombre y sus dioses, la imagen cumple una función de relación. Pone en contacto términos opuestos. Al asegurar una transición (de sentido, de gracia o de energía), sirve de enlace. Esta función, llamada simbólica o, en su sentido primero, religiosa, no es propia de la imagen ni su única propiedad, pero es la que la mediología explora con prioridad.

LA PALABRA MUDA

Reinsertar la imagen en la panoplia de las transmisiones simbólicas no dejará de contrariar a los artistas, los estetas y los demás.
¿No rechazamos por instinto, como una trivialidad profanadora, la
idea de que las formas puedan servir para vehicular un significado?
Lo que vale es lo que no sirve para nada; así lo dice la vulgata. *La
negativa a comunicar* es el abecé de las estéticas fuertes, como re-
calcó Paul Valéry en su «poiética» con fórmulas célebres. Si el artista, se nos dice, ha optado precisamente por no hacerse periodista,
escritor o filósofo, es que no tenía vocación para difundir mensajes.
«Yo no he querido decir, escribe el poeta, yo he querido hacer.»

Por obtuso que sea, un mediólogo no ignora que «una obra de
arte no debe ser ni descrita ni explicada de acuerdo con las categorías de la comunicación», como recuerda Adorno. A diferencia del
arte, en vez de comunicar, siempre ha puesto mucho cuidado en comunicar*se* (el poeta en publicar, el pintor en exponer, el arquitecto
en construir); en primer lugar hagamos observar a los centinelas del
misterio estético que no hace falta *verbalizar* para *simbolizar*. En el
amplio espectro de los medios de transmisión, el lenguaje articulado ocupa una franja corta (tardía).

Los que quieren atacar la tutela de la idea sobre la imagen y de
los intelectuales sobre los artistas se dedican, no sin razón, a defender la idea del don gratuito, de la donación sensible exigiendo del
entendido que acoja una pura presencia. Pero, ¿no serán víctimas de
la ilusión que denuncian? Nos tememos que confunden función mediúmnica y uso mediático, sometiendo la transmisión simbólica al
pálido modelo de la comunicación telefónica, con sus esquemas uti-
litaristas del tipo «emisor-mensaje-receptor», o «codificación-men-
saje-descodificación». Engañados por el malhadado halo sonoro,
leen *media* como *medium* (llegando incluso a tomar la mediología
por una sociología de los *mass media*). Correos y Telecomunicaciones no tienen el monopolio del transporte del significado; tampoco
la palabra y la escritura. ¿Cree alguien que sólo las palabras sirven
de signo? El hombre transmite y recibe por su cuerpo, por sus gestos, por su mirada; el olfato, el grito, el baile, las mímicas y todos
sus órganos físicos pueden servir como órganos de transmisión. ¿No
edificó Freud una mitología harto fecunda confiando como mínimo
en que el sueño fuera el objeto de una ciencia experimental, sobre la
idea de que quien sueña piensa en imágenes y de que esas imágenes
no están exentas de significado, hipótesis que desde hace tiempo parece disparatada a los hombres de ideas? De acuerdo con Simonide,

para quien la pintura era como «una poesía muda» y la poesía como una «pintura sonora», Poussin definía su oficio como «arte que hace profesión de cosas mudas». ¿No se podría decir otro tanto del inconsciente freudiano, cuyo mutismo hablador reclama esa inestable mezcla de intérprete y ventrílocuo a la que llamamos psicoanalista? No es verdad que el animal hablante queda «mudo de admiración» ante una bella imagen, y que nunca conseguirá transmitir en palabras su percepción tal como es, ni articular su emoción inmediata. Pero si no le hubiera sido transmitido nada por esa imagen, no se habría quedado inmóvil ante ella. Paradójicamente, manteniendo la especificidad de lo visible en relación a lo legible, de la imagen en relación al signo es como mejor se salvará su función de transmisión. Como en el artista, el oficio no es enemigo de la inteligencia, la profundidad del sentido y la intensidad sensorial no están en razón inversa.

Pensar la imagen supone en primer lugar no confundir pensamiento y lenguaje, pues la imagen hace pensar por medios que no son una combinatoria de signos.

Entonces, ¿por qué, según las palabras de Valéry sobre Corot, hay que «disculparse por hablar de pintura»?

Porque no hay equivalente verbal de una sensación coloreada. Sentimos en un mundo, nombramos en otro, lamentaba Proust. El color tiene un tiempo de ventaja sobre la palabra, varios centenares de miles de años sin duda. ¿Cuánto pesa un «grito escrito» frente a un grito proferido, angustia o alegría brutal, inmediata y plena? Frente a un obrero de las palabras, el artesano de las alucinaciones verdaderas trabaja la misma carne del mundo. Disfruta de este privilegio único: *fabricar del natural*. Haga lo que haga, alineando fragmentos de cosas, seguirá del lado bueno del mundo, su inefable matinal. Naturaleza contra artificio, *mimesis* contra *diégesis*, sensación contra símbolo. El más acá del signo es el más allá del escritor, su Paraíso Perdido más que su Tierra Prometida. La magia a discreción determina la infinita superioridad del hombre de la imagen sobre el hombre de la palabra, ese disminuido de la emoción, el eterno perdedor en la carrera de la *plasmación*. La desgracia congénita de los lisiados del arte bruto que son los escritores ha sido condensada, metaforizada, eternizada por Proust en un *flash* célebre: la muerte de Bergotte, su doble en su obra *En busca del tiempo perdido*.

La pintura holandesa: Bergotte ha muerto por ella. El precioso trozo de pared amarilla la ha acogido en el estómago, en el Museo del Jeu de Paume, una mañana de primavera, en 1921. La «Vista de Delft», en el espejo de Vermeer, hace desfilar en unos segundos, bajo los párpados del bondadoso vate de cabellos blancos, su vida entera, la inanidad de su trabajo personal, y más allá, tal vez, la patética ineptitud de las palabras para restituir un cielo, el agua, el silencio de una ciudad en la mañana. «Así habría debido escribir yo...» Frente a ese aéreo camafeo rosa salmón y azul pizarra, que le fulmina como un Juicio Final, tiene esta revelación: su literatura, en definitiva, no ha dado el peso. «Rodó del sofá a tierra, donde acudieron todos los visitantes y guardianes.» Hace siglos que las hormigas de la palabra ruedan bajo el carro de los inventores visuales, que tienen, por así decir, el triunfo innato. Frente a la muda eternidad del «más bello cuadro del mundo», Bergotte estaba vencido de antemano, y su muerte era una confesión de impotencia para transmitirnos «en directo» un estado sensible del mundo.

Van Gogh: «Es interesante oír a Zola hablar de arte; es tan interesante, por ejemplo, como un paisaje realizado por un retratista». Van Gogh es muy bueno, y Zola escritor. Para recuperar, al margen de razonamientos y filiaciones, el reino siempre secreto y huidizo de la emoción visual, el escritor está, a pesar de todo, mejor situado que el teórico. Sin duda porque el primero cultiva la metáfora (o el arte de transportar un mundo hasta el otro) y el segundo la elude. Los artistas plásticos siempre se han entendido mejor con los poetas que con los filósofos, esos espías de diligencia. Apollinaire y Picasso, Char y sus «aliados sustanciales», Breton y su espléndida escolta de videntes, Aragon y Matisse han hecho, en resumidas cuentas, bastante buenas migas en telepatía. Pero Delacroix y Ravaisson, Renoir y Bergson, Vlaminck y Brunschvicg han mantenido diálogos de sordos. El cerebro derecho habla con el cerebro derecho, pero no está en simpatía natural con el otro hemisferio. El comentario y la emoción no movilizan las mismas neuronas. Símbolo e indicio se miran con hostilidad. Tanto es así que la emoción comienza donde termina el discurso.

Entonces, ¿tenemos que creer a pies juntillas a los defensores de la carne con su orgullosa y regocijada *negativa a decir*? Ellos toman el universo como testigo de su completa inocencia significativa y reivindican la factura contra el mensaje. El objeto se mofa del projecto. Contra el intelectual, el artista se erige en artesano, esgrime la obra contra el lenguaje. Para ese hombre, un cuadro no expresa, es. Aterciopelado, granuloso o aéreo. El cuadro no es vehículo, soporte o instrumento de nada que no sea él mismo. No remite sino a sus colores, sus medidas, sus materias. «Una buena pintura, señala Clé-

ment Rosset a propósito de Soulages, sólo pide que se la vea.»[1] Y el
mismo Maestro de los negros y de las luces insiste, con su predilección por los sabores exactos, palabra cálida y precisa: «La pintura
no transmite un sentido sino que tiene sentido en sí misma, para el
observador, según lo que él es.» ¿Cómo no abundar, a primera vista, en el sentido de Soulages, si «el observador hace el cuadro»? Según lo que él es: el artista no tiene las llaves, soy yo en definitiva, espectador al final de la cadena, el que abre o cierra las puertas. Lo que
le ha incitado a hacer *esta* tela puede serme comunicado por ella *al
revés*. Al pintar su habitación de Arles, Van Gogh quería expresar su
serenidad. Yo la capto como pura angustia. Y me callo. Una imagen
venida del fondo del cuerpo comienza siempre por imponerme silencio. Un buen cuadro, en un primer tiempo, nos arrebata la palabra y nos enseña nuevamente a ver. A sopesar, a colocar, a distinguir
a simple vista lo granulado de lo fibroso, lo mate de lo semimate, lo
deslustrado de lo traslúcido; a hacer resonar en el fondo de sí mismo
la silenciosa intensidad de un azul ultramar, el juego cambiante de
los rayos luminosos sobre una superficie barnizada, y la veladura
flamenca hecha para la semioscuridad de un interior de invierno no
es el satinado veneciano de esos palacios con los ventanales abiertos
al ancho verano. A Bonnard le divertía, y se comprende por qué, que
«la pintura nunca haya inspirado a los hombres de letras». Negli-
gencia, defecto de quienes no leen. *Negloptencia*, defecto de quienes, por demasiado leer y escribir, descuidan el ver. Hay algo profundamente subversivo en no querer expresar nada. Y, de ahí, en
arrancar a todo quisque de su sueño sensorial desestabilizando sus
costumbres y sus esperas. Se comprende la alegría de Soulages al
callarse. Esa alegría nos obliga a reflexionar, y a limpiar nuestros espejos.
    El primer momento... El segundo: la subida en nosotros de las
palabras. En nosotros y en los artistas: Delacroix, Matisse, Van
Gogh, Kandinsky, Klee y cien más, que han escrito de su arte y sobre el arte. Es raro que el artista, a diferencia del imaginero medieval, o del fotomontador en la Heartfield, se sirva de una imagen para
«hacer pasar» una idea. Esta premeditación caracteriza hoy al propagandista o al publicitario, y ayer, a los autores de alegorías. Muchos cuadros clásicos —el Orión ciego de Poussin, por ejemplo, salido de un texto de Lucien— son plasmaciones pictóricas de obras
literarias o de mitos escritos, preexistentes. Sin duda ahí no radica el

---

1. Clément ROSSET, *L'Objet pictural. Notes sur Pierre Soulages [El objeto pictórico. Notas sobre Pierre Soulages]*. Lyon, Musée Saint-Pierre, 1987.

valor plástico de un Poussin, de un Botticelli o de un Tiziano. Ese valor no procede de una transcripción sino de una transfiguración en la que la imagen se impone a la idea, la cubre y la disuelve a la vez en una armonía visual autónoma suscitada estrictamente por los medios plásticos. Es preferible que el artista plástico esté poseído por el mito, pues, por conocer demasiado lo que tiene que hacer, destruiría el valor de lo que hace. El inconsciente que funciona por imágenes, en asociaciones libres, transmite bastante mejor que la consciencia que elige sus palabras. El sentido de un cuadro vivo no existe antes que él, salvo en el arte académico. Los dos se hacen conjuntamente, y cuando el segundo descubre al primero, la imagen alcanza su grado óptimo de eficacia. El pintor, en ese sentido, no tiene nada que decir. La prueba: él pinta, en vez de hablar o de escribir. Pero lo que nos muestra nos «habla», y a nosotros, balbucientes, nos da envidia expresarnos. De lo sensible a lo inteligible hay emulación. Las palabras pueden esforzarse, si no en recrear el encantamiento, al menos en transcribir la imagen y sus efectos, sus ecos, sus derivas en nosotros. Eso es lo que hicieron los escritores o los poetas griegos, latinos, clásicos, con los frescos y los cuadros en una época en la que la descripción de paisajes o de decorados naturales aún no tenía curso en literatura.

El ojo se educa por las palabras; los nombres de colores, una buena paleta de sustantivos, nos enseñan a diferenciar mejor los tonos. Los buenos poetas nos enseñan a ver mejor, y, sin embargo, sus palabras son ciegas. Un rojo amapola es incoloro, el concepto de perro no ladra. Y, no obstante, ¿por qué Bergotte, aquejado de uremia, ha salido de su casa para ir al Museo de Luxemburgo? Porque la víspera ha leído el artículo, muy detallado, de un crítico de arte sobre Vermeer. Sin ese texto, él nunca habría *visto* la pared amarilla, que, por otra parte, no recordaba. ¿Y miraríamos hoy a Vermeer con los mismos ojos sin el relato proustiano? Como la inteligencia «desarrolla» las sensaciones, la lengua puede aspirar a «desarrollar» la imagen a modo de negativo, aunque no tenga el mismo poder de sugestión. Lo visible entonces se realiza en lo legible. Eso se llama literatura.

La factura de un pintor es todavía una confesión involuntaria. Un latoso le llama a usted por teléfono. Usted no quiere decirle nada, porque no tiene nada que decirle. Pero su lengua hablará por usted y le dirá lo esencial: el sentido de esa nada. Usted no ha codificado nada, pero ha comunicado. Transmitir sin decir es traicionarse, o el mensaje a pesar suyo. *Expresivo* o *sugestivo* son los nombres dados generalmente al efecto de sentido no intencionado, cuando una conducta se hace información o una Carne, toda entera, Palabra. Es posible que un artista quiera rechazar la anécdota y que la psicología quiera mantenerse lejos de ella, pero, lo admita o no, el artista se deposita, sin saberlo, sobre la tela. La pintura de Cézanne se ha querido presentar como impersonal, pero su personalidad está íntegramente en su castidad óptica, la rigidez un tanto grave de sus cuadros. Sin haberse metido, está todo entero en ellos.

Está claro que el artista se opone al ideólogo. Pero, ¿puede en verdad afirmarse que «el arte es hostil a toda ideología» (Marc Le Bot), si uno recuerda que mitologías y religiones reveladas han sido las formas primeras y sin duda las más reveladoras de eso que llamamos «ideología» sólo desde el último siglo? Antes de Destutt de Tracy, inventor de la palabra «ideología», y antes de Marx, su vulgarizador, ¿no tenía el arte ninguna relación con las leyendas y las Sagradas Escrituras, las jerarquías y las relaciones sociales? ¿Con los monarcas, los santos, los ángeles y los papas? ¿Se puede declarar en verdad que «el arte es la destrucción simbólica de los poderes» si se recuerda que el primero y posiblemente más resistente de todos es el poder simbólico, del que el arte fue durante mucho tiempo una de las más altas, si no la única encarnación? El único arte que ha decidido no contar sino su propia historia material, el arte de nuestro tiempo, no tiene todavía un siglo de edad, y no parece disfrutar de buena salud.

Durante milenios, las imágenes hicieron entrar a los hombres en un sistema de correspondencias simbólicas, orden cósmico y orden social, mucho antes de que la escritura lineal viniera a peinar las sensaciones y las cabezas. Así, los mitogramas y los pictogramas del Paleolítico, cuando nadie sabía «leer y escribir». Así, los egipcios y los griegos, después de la invención de la escritura. Los vitrales, los bajorrelieves y la estatuaria han transmitido el cristianismo a comunidades de iletrados. Éstos no tenían necesidad de un código de lectura iconológica para captar los «significados secundarios», los «valores simbólicos» de la genuflexión, de la Crucifixión o del triángulo trinitario. Estas imágenes, y los rituales a los que están asociadas, han afectado a las representaciones subjetivas de sus espectadores y, en consecuencia, han contribuido a formar, a mantener o a transformar su situación en el mundo, pues transmitir un *ismo* no es sólo popularizar valores, es también modelar comportamientos, instaurar un estilo de existencia. Esas imágenes piadosas no eran mensajes lingüísticos, pero ejercieron una acción en los hombres. En rigor fueron, pues, *operaciones simbólicas*.

LO VISIBLE NO ES LEGIBLE

Para un pintor, un cineasta, un fotógrafo contemporáneo tiene su
mérito hacer el beocio, el obrero manual, el artesano; declinar la insistente demanda de profundidad refugiándose en el espesor material de su «trabajo». Esto es ir contra corriente. Tal es en la actualidad el prestigio del signo, en efecto, que todas las imágenes quieren
serlo. Ni dignidad, ni redención, ni elevación para el que quiere dar
a ver, artista, videasta o saltimbanqui, si no articula al menos *signi-
ficantes*, una *escritura*, una *gramática*. En el siglo XII, en París, la
ciencia noble era la teología, y a su sombra el discurso trataba de ennoblecer al «imaginero». A finales del siglo XX, nuestra teología se
llama semiología, y la lingüística, ciencia piloto, tiene autoridad a
los ojos de la comunidad especular y especulativa. Tanto para el
pintor reconocido como para el más modesto fabricante de tapices.
Claude Viallat, mostrando sus superficies de esponjas azules sobre
fondo naranja: «El pintor ya no tiene que justificar un saber. Él no es
un ilusionista, un presentador de fantasmas, un fabricante de imágenes. Lo que tiene que hacer es, en el interior de una lengua específica, hablar otra lengua, establecer el vocabulario inmediatamente
específico y las posibilidades de comunicación» (catálogo Sup-
port/Surface 1970). Y ese creador de «tapices contemporáneos» se
deshonraría si no expresara «una cultura hecha de signos creando un
lenguaje cromático de tonos raros y poéticos». ¿Qué artista plástico
no se precia, o, mejor dicho, no es apreciado por sus exégetas, de
«formar sintagmas visuales» e inventar «un lenguaje plástico» que
exige «una lectura rigurosa»? Ciertamente, cuanto menos se impone la imagen por sus propios medios, tanto mayor es su necesidad de
intérpretes que la hagan hablar. «Para hacerle decir lo que no dice y
lo que no puede ni debe decir» (Anne-Marie Karlen). *The less you
have to see, the more you have to say* (Cuanto menos tienes que ver,
tanto más tienes que decir) se dice certeramente en América. La crítica de arte moderna, literaria y poética a principios de siglo, ha pasado a ser, a finales de éste, conceptual y filosófica. Los espíritus lógicos pero tristes se explicarán así esta evolución: una época más
fecunda en museos que en obras de arte lo es también, y por las mismas razones, en semiólogos, sociólogos y mediólogos que en zaho-
ríes. Limitémonos a esta constatación: la moda del símbolo total en
las ciencias sociales ha coincidido con una desimbolización profunda de las artes visuales. *Lo uno compensa a lo otro.* El prurito se-
miológico, la penuria semántica. La crítica de arte nunca ha hablado
tanto de vocabulario, de gramática, de sintaxis, de código, de escri-

tura, etc., como desde el momento en el que estas palabras comodín perdieron todo sentido asignable. Cuando, con la desaparición de los repertorios míticos precisamente localizables y codificados de nuestro imaginario colectivo, la imagen pintada completó su paso de lo motivado a lo arbitrario (en el sentido que el lingüista da a estos términos), se puso de manifiesto la necesidad de organizar lo arbitrario figurativo de acuerdo con el modelo de lo arbitrario lingüístico.

A esa ilusión, pues lo es, no le faltan excusas; la primera de ellas es de tipo vehicular: el modo de difusión de las imágenes por las reproducciones ha *desmaterializado* en gran medida a la escultura, ha desencarnado a la pintura e incluso a la fotografía. Álbumes, catálogos y libros de arte separan formas y colores de sus soportes, de sus vistas, de su entorno, a la vez que eliminan el espesor, las proporciones reales, los valores táctiles. La reunión o yuxtaposición de las obras más alejadas unas de otras en una amable y fluctuante indistinción fotográfica iguala las diferencias de materiales, las relaciones de tamaño y territorio, facilitando así la constitución de conjuntos ficticios y clasificaciones a voluntad. Esas imágenes de papel, de un manejo fácil, permiten manipular no ya objetos sino unidades abstractas que se integran sin dificultad en otros tantos sistemas de equivalencias y de oposiciones. Así se ha introducido en la imaginaria Ciudad Mundial de las imágenes «como una nomenclatura universal, una lógica de las identidades, algo parecido al anonimato de los signos matemáticos. Única, la obra era una cosa totalmente singular por su realidad material; multiplicada, se convierte en signo».[2] El convertirse en signo de la imagen estaba incluido en el convertirse en espíritu de la mano artesana. ¿Se atrevería hoy Focillon a hacer un *Elogio de la mano*? El aligeramiento de las materialidades del objeto es una carrera sin fin. En la época de la foto en papel glaseado, con Élie Faure y Malraux, el conocimiento del gesto, lo azaroso de una fabricación, el trabajo de un material siempre singular, eran evacuados en beneficio de una uniforme dramaturgia espiritual. La confección de la imagen sensible se convertía en un acto intelectual, una decisión del espíritu. En la edad del multimedia interactivo y de las colecciones numerizadas en pantalla, la evaporación de las texturas, de los relieves y de las paletas promete un porvenir aún mejor a la transformación de las figuras en ideogramas.

Metáfora, no obstante, sin rigor, y metamorfosis sin sustancia. El nuevo academicismo del significante, como la antigua asimila-

2. Raoul ERGMANN, «Le Miroir en miettes», *Diogène*, n. 68, 1969.

ción de lo visible a lo legible, de la foto a una escritura, del cine a un lenguaje universal, ignoran las propiedades inherentes al sistema formal que es toda lengua. Las tentativas, por ejemplo, de sistematizar la imagen cinematográfica sobre el modelo lingüístico no han dado nunca resultados convincentes, tanto si se ha tratado de asimilar el plano a la palabra y la secuencia a la frase, como en Eisenstein, o de inventar, como Pasolini, elementos *cinemas* y planos monemas.[3] El cuadro no es un texto.

Una lengua fonética es un sistema hablado de doble articulación que produce sentido por el valor diferencial adherido a cada una de sus unidades. Las unidades de la primera articulación, o monemas, desprovistas de significados, se organizan en secuencias. La imagen animada y *a fortiori* la imagen fija eluden esos rasgos constitutivos del orden lingüístico: la doble articulación y la oposición paradigma/sintagma. No tienen el equivalente de unidades *discretas* y *enumerables*, *preexistentes* en su composición. Un cuadro, una foto, un plano no se descomponen en fragmentos, trocitos o rasgos comparables a palabras o sonidos y que pudieran cobrar sentido por el juego de sus oposiciones. Las variaciones de la «materia prima» espacio, al margen de las imágenes codificadas (paneles de señalización, insignias, banderas y otros descendientes de la heráldica medieval), son continuas, contiguas e infinitas.

Los colores, es cierto, valen los unos en relación con los otros. Su composición puede establecer relaciones y contrastes entre ellos, según un código aproximativo (caliente/frío, claro/oscuro). Kandinsky, después de conferir a los colores cualidades musicales, intentó analizarlos como gamas de sonidos asignándoles un principio de Necesidad Interior. Se convendrá conmigo en que la «lógica» que emparenta el triángulo con el amarillo, el círculo con el azul y el cuadrado con el rojo procede de lo arbitrario individual, de una sensibilidad íntima, no falsificable y no universalizable. No es, pues, una lógica.

Si la imagen fuera una lengua, sería traducible en palabras, y esas palabras a su vez en otras imágenes, pues lo propio de un lenguaje es ser susceptible de traducción.

Si la imagen fuera una lengua, sería «hablada» por una comunidad, pues para que haya lengua hace falta que haya grupo (y para que haya grupo hace falta que haya símbolo). Precisamente, la indi-

---

3. En este punto remito a la impecable argumentación de Pierre LÉVY en *L'Idéographie dynamique. Vers une imagination artificielle [La ideografía dinámica. Hacia una imaginación artificial]*, París, La Découverte, 1991.

vidualización de la producción artística (y de su clientela, de sus destinatarios más todavía que de su producción) demuestra el debilitamiento de la función significativa de las obras visuales. «La pintura tiene sentido para el contemplador, decía Soulages, según lo que él es.» Sería mejor decir: «para los contempladores, según lo que ellos son», pues el sentido no se conjuga en singular. Y ahí hay otro drama muy distinto: ¿cómo conjugar individualismo y significación? ¿Soledad y superación? Significar es expresar la identidad de un grupo humano, de manera que haya una relación entre el carácter circular o exclusivo de un sistema de signos y su valor expresivo. Comunicar por signos es excluir tácitamente de la comunicación viva al grupo vecino para el que esos signos son letra muerta o juego de imágenes gratuito.

Ante un icono bizantino uno no estaba solo, ni pasivo, sino inscrito en un espacio eclesiástico y una práctica colectiva: la función litúrgica tenía una esencia comunitaria. Ante un cuadro contemporáneo uno está solo, o, mejor dicho, uno ya no tiene necesidad de pasar por una historia colectiva, un depósito mitológico compartido, para apropiarse su sustancia. ¿No es lo propio del arte moderno «hablar» exclusivamente a individuos? «Es en la medida, escribe Lévi-Strauss, en la que un elemento de individualización se introduce en la producción artística que, necesaria y automáticamente, la función semántica de la obra tiende a desaparecer y desaparece en beneficio de una aproximación cada vez mayor del modelo, que se pretende imitar y no sólo significar.»[4] Sin ir tan lejos como el antropólogo, que concluye que el arte «ha perdido el contacto con su función significativa en la estatuaria griega, y que vuelve a perder en la pintura italiana con el Renacimiento», es cierto que la secesión individualista de los fabricantes de imágenes, tanto manuales como industriales, ha alcanzado su punto culminante en la Baja Modernidad.

Sin duda se podrá hablar siempre del «lenguaje de los colores» como se habla del lenguaje de las flores —por convención y gentileza— por metáfora. Falta aún que la capacidad expresiva y transmisiva de la imagen pase por vías que no sean la de una lengua (natural o artificial). Mostrar nunca será decir.

Precisemos. Una imagen es un signo que presenta la particularidad de que puede y debe ser interpretada, pero no puede ser leída. De toda imagen se puede y se debe hablar; pero la imagen en sí misma no puede. ¿Aprender a «leer una foto» no es, ante todo, aprender

4. Georges CHARBONNIER, *Entretiens con Claude Lévi-Strauss [Conversaciones con Claude Lévi-Strauss]*, París, Les Lettres nouvelles, 1959, pág. 66.

a respetar su mutismo? El lenguaje que habla la imagen ventrílocua es el de su contemplador. Y cada época en Occidente ha tenido su manera de leer las imágenes de la Virgen María y de Jesucristo, como ha tenido su manera de estilizarlas. Esas «lecturas» nos dicen más cosas sobre la época considerada que sobre los cuadros. Son tanto síntomas como análisis.

Las imágenes nos sirven de signos, pero no hay y no puede haber, ni en el cine ni fuera del cine, un «significante imaginario». Una cadena de palabras tiene un sentido, una secuencia de imágenes tiene mil. Una palabra comodín puede tener doble o triple fondo, pero sus ambivalencias son localizables en un diccionario, exhaustivamente enumerables: se puede ir hasta el fondo del enigma. Una imagen es siempre y definitivamente enigmática, sin «buena lección» posible. Tiene cinco mil millones de versiones potenciales (tantas como seres humanos), ninguna de las cuales puede imponer su autoridad (la del autor como cualquier otra). Polisemia inagotable. No se puede hacer decir a un texto todo lo que se quiere; a una imagen, sí. Esto significa que no se le puede acusar —ni gratificar— de un enunciado preciso. Esa inocencia semántica (frente a una formidable fertilidad, la sugestión) vale evidentemente más para la imagen-indicio (foto o película) que para la imagen-icono, la representación elaborada y deliberada, convencional y codificada, culta y reconocible, que es aquella que Panofsky (a pesar de algunas fugaces alusiones al cine mudo) ha convertido en blanco exclusivo de su método, la iconología.

En resumen, necesitamos los dos extremos de la cadena, pasar entre Caribdis y Escila.

No, no hay percepción sin interpretación. No hay grado cero de la mirada (ni, por lo tanto, de la imagen en estado bruto). No hay estrato documental puro sobre el cual vendría a incorporarse, en un segundo tiempo, una lectura simbolizante. Todo documento visual es de entrada una ficción (y Flaherty o Murnau, documentalistas de su Estado, le dan sentido y lo escenifican). En la televisión, el más factual de los reportajes se inscribe en un argumento subjetivo, en la mayoría de casos implícito y no dicho. No se ve nunca como un diario televisado, o como un gran reportaje sobre Irak o Vietnam; se lee un argumento dramático a través de imágenes en directo y en desorden. Argumento que no está ni en la pantalla ni en *off* (donde también puede figurar, llegado el caso), sino en mi cabeza. Al abrigo de lo visible, cada uno aporta lo bueno y lo malo que tiene. Así, pues, incluso en la mínima percepción hay inteligencia. Los paleontólogos tienen todas las razones para suponer que los primeros trazos humanos apoyaban a recitaciones verbales, que la imagen y la palabra aparecieron conjuntamente en la historia de la especie. Y los psicólogos lo han demostrado en la del individuo: la adquisición del lenguaje en el niño se produce al mismo tiempo que la comprensión de la imagen visual.

Y, sin embargo, la imagen no es la lengua hablada de nuestros niños, pues no tiene ni sintaxis ni gramática. Una imagen no es ni verdadera ni falsa, ni contradictoria ni imposible. En cuanto que no es argumentación, no es refutable. Los códigos que puede o no puede movilizar son sólo *lecturas* e interpretaciones. Precisamente, su infancia —*infans*, que no habla— impone toda su fuerza: más «orgánica» que el lenguaje, la imaginería procede de otro *elemento* cósmico, cuya misma alteridad es fascinante. Como Thalassa en torno a los archipiélagos emergidos del sentido, las olas de imágenes lamen las orillas de lo verbal, pero no son verbales.

«La retórica de la imagen», de momento, no es más que una figura retórica (literaria). Siempre se dice de ella que «falta por hacer». Y no sin razón: las tareas imposibles son infinitas.

TRANSMISIÓN Y TRANSCENDENCIA

¿En qué condiciones es posible una transmisión muda? ¿Por qué puede haber símbolos entre los humanos?

El *symbolon*, de *symballein*, reunir, poner junto, acercar, significa en su origen una *tessera* de hospitalidad, un fragmento de copa o escudilla partido en dos y repartido entre huéspedes que transmiten los trozos a sus hijos para que un día puedan establecer las mismas relaciones de confianza juntando y ajustando los dos fragmentos. Era un signo de reconocimiento, destinado a reparar una separación o salvar una distancia. El símbolo es un objeto de convención que tiene como razón de ser el acuerdo de los espíritus y la reunión de los objetos. Más que una cosa, es una operación y una ceremonia: no la del adiós, sino la del reencuentro (entre viejos amigos que se han perdido de vista). *Simbólico* y *fraternal* son sinónimos: no se fraterniza sin tener algo que compartir, no se simboliza sin unir lo que era extraño. En griego, el antónimo exacto del símbolo es el diablo: el que separa. Dia-bólico es todo lo que divide, sim-bólico todo lo que acerca.

La imagen es benéfica porque es simbólica. Es decir, reconcentrante, reconstituyente, por usar equivalentes. Mas, para formar o volver a formar bloque, en virtud del mecanismo de lo incompleto, tiene que incluir en su juego un compañero oculto. Lo que sirve de vínculo de unión hace un bien, pero sólo la referencia a un algo lejano, a un *tercero simbolizante* permite a una imagen establecer una relación con su contemplador, y de paso entre los contempladores.

No hay auténtica transmisión, en otros términos, sin transcendencia. No hay energía sin desnivelación. La estructura *meta* (inherente al grupo por su incompletud) explica y permite la función *inter*. La imagen, como la palabra, sirve de agente de enlace, puesto que por encima del grupo existe una ausencia primordial que hay que reparar. Pero el soporte no crea el efecto de ausencia que se llama sentido, lo supone. Por eso uno no se puede interesar por hechos de transmisión sin interesarse por el hecho religioso.

El error del día consiste en creer que se puede hacer una comunidad con comunicaciones. Como una cultura con «equipamientos culturales». De ahí esas tuberías sin agua, esas carrocerías sin motor, esos medios sin finalidad, que forman la panoplia del ocio contemporáneo. No pongamos el carro delante de los bueyes, pensando en la comunicación al margen de la significación. La mediología prefiere hablar de *transmisión*, teniendo en cuenta que lo esencial, en esta palabra, es la raíz *trans*. O el verdadero motor del desplazamiento. Hay que mirar más lejos, pues eso no ocurre aquí.

Lo simbólico no es un tesoro escondido. Es un viaje. Ciertas imágenes nos hacen viajar, otras no. A las primeras a veces se las llama «sagradas».

Lo sagrado aparece, a nuestros ojos, *dondequiera que la imagen se abre a una cosa distinta de sí misma. La imagen como negación de lo otro*, e incluso de la realidad, aparece profusamente con esa era de lo «visual» que ha desacralizado a la imagen fingiendo que la consagraba. La apertura de la imagen durante la era del arte nos exponía aún a una transcendencia, entendiendo, bajo esta palabra capciosa, nada más y nada menos que la independencia del motivo y su libre reconocimiento por el artista en primer lugar, por el ojo y el espectador después. No, todo no depende de mí. Está el otro, que pasa antes que yo. Está muy lejos delante de mí, yo me doy prisa, pero en el fondo no le alcanzaré nunca. Transcendencia quiere decir simplemente: exterioridad. No el más allá, sino el más acá. El correlato de una intención, el punto de mira, ideal, real o surreal, de la flecha, símbolo del arte según Klee. Éste puede ser, para Bonnard, el instante; para Delacroix, el dolor; para Courbet, el pueblo; para Renoir, la carne; para Van Gogh, la miseria. Para Giacometti, la nada. Para Boltanski, el Holocausto. El silencio de los otros, para Balthus. O simplemente el respeto del reportero fotográfico al ser vivo que *enfoca* con su objetivo. Los príncipes italianos inmovilizados por Feigenbaum en su palacio romano tienen más hieratismo pero menos sacralidad que la instantánea furtiva de un coolí chino en una callejuela de Shanghai por el humilde Cartier-Bresson, pues tenemos la sensación de que el primero se cree superior a su modelo, o su igual en superioridad, no el segundo. Lo divino hace bajar los ojos, lo sagrado hace levantar la cabeza. La mirada sagrada o mágica, que emana de un diferencial, no tiene otra condición que la existencia de dos fuentes distintas, el que mira y lo mirado, sin las cuales no puede «prender» ningua relación. Ningún «ascenso hasta el prototipo». El muy académico debate entre Florencia y Venecia, la línea y el color, lo etéreo y lo sensual, no opuso a espiritualistas y ateos, sino a una familia de fieles con otra. El color también puede ser una devoción, y los cuerpos, y los oros. Del «arte sacro», acerca del cual aún falta saber si es un pleonasmo, el «arte religioso» es sólo una expresión entre otras, no necesariamente la más elevada. ¿Qué imagen intensa no fue sagrada? Lo sagrado desborda lo religioso, como la transcendencia lo sobrenatural. En la pintura de este siglo Giacometti y Matisse podrían pretenderla lo mismo que Chagall y Rouault. Dios no tiene el monopolio de lo Otro.

Delante de toda imagen —foto, cuadro, estampa, plano—, uno se pregunta: ¿a qué ha levantado la cabeza el autor? ¿Lo ha tomado de lo alto, o de un poco más abajo? ¿Ha hecho un esfuerzo para salir a su encuentro, para ir hacia él? ¿De qué tienen ese hombre, esa mujer religión, fervor o respeto? La respuesta «de nada» o «de sí mismo» —es probable que las dos, en última instancia, sean equivalentes— no augura nada bueno para el porvenir de esa imagen. No existirá *per se* sino lo que no era sólo para sí.

Sagrado es una palabra laica y racional, pero tiene mala reputación entre los agnósticos (frente a un bello espectáculo, «lo mágico» nos parece menos comprometedor, menos ridículo que la expresión «ahí dentro hay algo sagrado»). Pero no se escapa de lo sagrado con sólo decidirlo, y con sólo desconfiar de las grandes palabras. Volvedle la espalda y os ocasionará las mayores dificultades.

Esa «aura», cuya fuga a causa de la «reproductibilidad técnica» Walter Benjamin deploraba, no se ha desvanecido como él temía, sino personalizado. Ya no idolatramos las obras sino a los artistas. El mundo simbólico también tiene horror al vacío: cuando su obra se cierra sobre sí misma como una ostra, el artista se convierte en un jeroglífico ambulante, depositario de los grandes secretos de la vida, nunca desvelados con claridad. Beuys, Yves Klein, Warhol, sin hablar siquiera de los imagineros realmente operacionales de nuestro tiempo, Welles, Fellini y los otros: vigilantes que, llaves en mano, recorren, hasta perderse de vista, pasillos de puertas cerradas. Desacralización de la imagen y sacralización del fabricante de imágenes han avanzado al mismo paso, a lo largo de todo el siglo XX. Lo sagrado monstruoso, en ese sentido, es el monstruo sagrado. «El misterio Picasso» era todavía un buen niño, al lado de los chamanes posmodernos, recelosos y sibilinos, que ritualizan sus apariciones y destilan sus fulgores. Vermeer no era una personalidad, ni Rembrandt realmente un gran personaje en su tiempo. A su lado, nuestras superestrellas de la imagen son ídolos planetarios. Constante mediológica: cuanto menos mediúmnica es la imagen tanto más mediática se hace. En líneas generales, cuanto menos transmite un arte tanto más «comunica». La personalización, lo mismo en estética que en política, está en razón creciente de la desimbolización. Un artista cuya obra queda bloqueada tiene tanto más interés en dramatizar su vida. En sentido inverso, cuanto más simboliza una obra tanto mayores son para el artista las posibilidades de ausentarse de la escena. En cambio, cuanto menos nos cautiva la obra tanto más debe hacernos estremecer la persona del artista; y meter en nuestra existencia el esoterismo teatral que ya no emana de su trabajo. Así son los vasos comunicantes del *trans*.

«$I \times C$ = constante» sería la ley de Mariotte del elemento simbólico. Cuanto más pobres son las imágenes tanto más rica debe hacerse la «comunicación» de acompañamiento, pues cuanto menos significa la imagen tanto más se quiere lenguaje. El publicitario: «Si usted no simboliza más, personalice al máximo. Cuanto menos nos hable su obra, tanto más debe usted conversar y hacer conversar». Es cierto que no es tan fácil deshacerse de la idea de genio: cuando no la vemos en los cimacios, la buscamos espontáneamente entre bastidores y en los rumores. Paso del hacer al ser, o sea, vuelta a la cabaña de partida: Hefesto, el brujo de la tribu. Picasso, también aquí ejemplar, fue el primero que comprendió, antes que Dalí, que el eclipse del Mesías y la ascensión de los medios conspiraban para el regreso de los individuos carismáticos, cuyas palabras y gestos recoge cada semana la sección «gentes» de las revistas. «Lo que cuenta no es lo que el artista hace, sino lo que es» (Christian Zervos).

Ocurrencia que hace sonreír a Hegel en su tumba. Él sin duda la ha entendido como el fin burlón, ultrarromántico, de la trayectoria desmaterializante iniciada en Egipto: el espejo del motivo es el motivo mismo; el espíritu reconoce al espíritu en directo; entre ellos ya no hace falta un apoyo coloreado o ponderoso. Picasso inicia aquí una desescalada del hacer hacia el ser, después hacia el decir del ser y el ser del sólo decir, que ha conducido a ciertos herederos del rechazo del objeto visual al nada riguroso de lo «conceptual». Sea, *to make a long story short*, la secuencia Duchamp - Kandinsky - Fontana - Sol Lewitt. Triunfo finalmente humorístico de la ironía romántica: no hagáis nada, sed *alguien*. En una palabra, haced un *statement*, alguien se cuidará del catálogo.

Se puede ver en este mecanismo compensatorio (puesto que un bien nunca llega solo) la respuesta del boom a la depresión, o la advertencia final del comisario-tasador a Walter Benjamin (deprimido hasta el suicidio). Sí, usted tiene razón, la industria lo reproduce todo y tiene clichés para todo. ¿Ha hecho pasar a la imagen de la rareza a la abundancia el invento de Niepce? Esto, en sí, hace bajar el valor y los precios. ¿Cómo, en estas condiciones, restaurar la rareza y el elemento discriminante en un mundo de huellas superabundantes, donde se prostituyen los antiguos valores de unicidad, originalidad y autenticidad, si no es inventando nuevos semidioses, dobles de Miguel Ángel que sean también dobles de Moisés? ¿No es, en la plétora material de los objetos, *el ser* espiritual del sujeto, del artista mismo, la última rareza posible? Todos los marchantes de pintura rechazan la publicidad comercial que comporta el peligro de reducir la obra que se quiere vender a la condición de mercancía, vulgarizando así una profesión aristocrática. ¿Cómo restablecer la desviación de la norma? Ensalzando el carácter único no de este o aquel cuadro sino del pintor mismo. Un buen artista tiene una audiencia, no una clientela. Uno grande tiene apóstoles, sacerdotes y fieles, galeristas, coleccionistas y admiradores, en sentido decreciente. La buena promoción no incita a la compra por la reproducción fotográfica de un objeto original seductor. Propone, mediante dinero, una redención por una promesa de eucaristía. Ved, esa tela es *su* cuerpo, ese monocromo es *su* sangre. Y, al tomar posesión de ellos, usted comulgará con la mirada, en todo momento, con ese Ser irreemplazable. En el fondo es la imagen mental de una persona única, inefable e invisible, la que hace que se desee adquirir las imágenes materiales y contagiosas hechas de su mano y depositarias de su alma. El mercado del arte no sería rentable si no funcionara con la magia.

LA FATAL «AUTONOMÍA DEL ARTE»

Sólo se transmite con fuerza sometiéndose a un valor. Si sagrado quiere decir «subordinado a» y «ordenado por», se comprende que arte *vivo* no sea siempre sinónimo de arte *independiente*. Una imagen que cumple plenamente su función simbólica tiene todas las posibilidades de ser parasitaria y parietal. Es evidente para el arte cristiano en su tiempo, no más separable de su cuerpo místico que el relicario de la reliquia, el retablo del altar, el fresco de la nave lateral. El yacente del sepulcro, el hilo de oro de la casulla. Así era también, a buen seguro, en las artes primitivas, antes del nacimiento de Dios. Un objeto primitivo es a la vez su función y su decoración. En la costa nordeste de América «el vaso, la caja, la pared no son objetos independientes y preexistentes que se trata de decorar después. No adquieren su existencia definitiva sino por la integración del decorado y de la función utilitaria. Así, los cofres no son sólo recipientes adornados con una imagen animal pintada o esculpida. Son el animal mismo...»[5] Klee quería que el artista no fuera ni servidor ni señor: puro intermediario. «Entre la tierra y el universo», dice él. Como lo había sido, ya hemos visto, entre los vivos y los muertos. Pero esa función de intercesor no se produce en el artista, a lo que parece, sin una pérdida, una difusa sensación de insuficiencia. La vanagloria de lo «puro» —la poesía pura, la visualidad pura, el arte puro— no le sienta nada bien, tiene que mezclarse con lo que es más fuerte que él. André Gide afrontaba un serio riesgo al sostener que «la obra de arte debe encontrar en sí su suficiencia, su fin y su razón perfecta» (la supervivencia de su *Diario*, y no de *Corydon*, testificaría, más bien al contrario, a favor de su posteridad en él). Ciertamente él hacía literatura. Pero el examen de las producciones plásticas sugiere en cierta medida el efecto inverso. Como si la aspiración a la autosuficiencia hiciera al arte inhospitalario, frío o huidizo, con el que ya no se puede establecer alianza, desprovisto como está de afecto y de resonancia en nosotros. La tasa de asistencia de las últimas salas de arte contemporáneo —en el MNAM de Beaubourg, por ejemplo— no puede sino alegrar a quienes han decidido defraudar la vieja demanda de complicidad afectiva o intelectual. Allí no hay refugio para lo no codificado, pues no hay fuente más arriba. La asepsia simbólica esteriliza las miradas, facilitando tanto la exposición de obras comodín como la deserción de los paseantes. «Allí donde ya no hay dioses, reinan los espectros» (Novalis). El arte se ha conquistado contra *la alienación*, se ha engrandecido en *la autonomía*, ha muerto *de autorreferencia*. Esto vale también para este o aquel arte particular, cuyo declive se anuncia en la reflexión que él opera sobre sí mismo. Y termina en la desmitificación general de sí

5. Claude LÉVI-STRAUSS, *Anthropologie structurale [Antropología estructural]*, París, Plon, pág. 287.

mismo por sí mismo. El punto de inflexión de la curva, justo entre la autonomía y la autorreferencia, sería tal vez *la autocita*. Hay que proceder con prudencia, pues ella hace justamente pasar cada arte de la madurez al virtuosismo. El espejo en el espejo vacía las salas, a la postre. La pintura de la pintura, como el teatro del teatro, la película de la película, el baile del baile, la publicidad de la publicidad, etc., esto empieza con una sonrisa y termina en una mueca. La imagen es vida y, por lo tanto, ingenuidad. El exceso de ironía la puede matar. Narciso es un ser de crepúsculo, y el narcisismo un vicio fúnebre. Si uno se empeña en meterse en el abismo, caerá en él.

«Usted no es más que el primero en la decrepitud de su propio arte», le espetaba Baudelaire a Manet. En la pintura moderna, la autorreferencia se exalta con el autor de la *Olimpia*, si bien, a pesar de la graciosa ocurrencia de Malraux, él hizo también el retrato *de* Clemenceau, y no el suyo propio.[6] Probablemente ha terminado en el fuego de artificio irónico por el que el caníbal de lo visible, nuestro más grande predador de formas, ha hecho pasar la pintura occidental de la autonomía a *la autofagia*. Con él, los grados segundo y tercero parecen haber asestado un golpe fatal al primero. A la manera del «hombre que consume cada vez mejor, pero de manera irremediable, su propia sustancia, esto es, lo que viene del medio natural» (Leroi-Gourhan), ¿no se ha afanado Picasso, por juego, en consumir el depósito figurativo de Occidente y sus aledaños, extraído de su mismo medio cultural? Deslumbrante vuelta sobre sí mismo de quien se muerde la cola y vuelve a enroscar sobre sí mismo la serpiente del arte, de la misma manera que el Quattrocento florentino había desenrollado los primeros anillos, a la manera del catoblepo de la fábula, animal antiguo que se devoraba a sí mismo.

Un viaje de ida y vuelta al Extremo Oriente, en este punto de agotamiento de las imágenes pintadas de Occidente, no habría sido tal vez inútil. A esos países de humildad sonriente en los que los más grandes pintores —pienso en los japoneses— tenían la pintura por un pasatiempo, un simple vector de ensoñaciones indisolublemente espirituales y materiales. Tessai, por ejemplo, en sus paisajes caligrafiaba poemas o alusiones búdicas (como los artesanos griegos embadurnaban con *graffiti* sus estatuas). Un viaje a Bizancio habría

---

6. «Para que Manet pueda pintar el *Retrato de Clemenceau*, es necesario que antes tome una decisión y se atreva a ser todo, y Clemenceau nada.» Véase *Le Musée imaginaire [Museo imaginario]*, París, Gallimard, edición de 1965, pág. 38.

7. Jean-Luc MARION, *La Croisée de l'invisible [La cruzada de lo invisible]*, París, La Différence, 1991.

bastado para recordar que, como el Dios de Jean-Luc Marion, el arte «se adelanta en su retraso» y, en su gloria, busca el retiro.[7] Pero, ¿quién se preocupa de Bizancio en el Occidente latino ciego para sus propias fuentes? El arte japonés nos ha estado históricamente más cerca que la patria de los iconos. ¿Se ha perdido su enseñanza? Si así fuera, se podría encontrar de nuevo su gozosa sustancia en la admirable *Digresión sobre el arte del Japón* de Maurice Pinguet, donde el autor relata su lenta domesticación por la atmósfera silenciosa, púdica, furtiva, de los retratos, biombos, jardines, esculturas, casas japonesas.[8] Su naturalidad sin énfasis, su reserva. Ese arte «no se despliega en las calles en monumentos públicos, reclama un retiro umbroso, la intimidad de las colinas o de la casa, la protección de un paraje o de un tejado». Y concluye: «Nada, en efecto, amenaza tanto al arte como una conciencia de sí mismo exclusiva. Debe permanecer indiferente a su fuerza, no estar atento a impresionar o seducir, misteriosamente despreocupado incluso de la obra, como Orfeo de Eurídice que le sigue. Es bueno que una disciplina o una fidelidad le separe de su propia esencia, donde correría el peligro de hundirse, y le proporcione algo que amar distinto de él mismo. De ahí la eterna grandeza de las obras religiosas, más poderosas contra el tiempo que los dioses a los que servían».

Ciertamente, si en un arte genial hay siempre algo más que un simple genio formal, éste *también* hace falta. Y de la misma manera que el virtuosismo no basta para producir emoción, una mitología ferviente, como la que tienen las sociedades en fusión, no hace por sí sola imágenes simbólicas o vivas. Una obra se convierte en arte en el momento en el que sobrepasa a su obrador; de ahí no se desprende que su capacidad de sobrepasar baste para asegurar su validez plástica. Entonces se podría objetar fácilmente que como «flechas», vectores de elevación y arrebatamiento, las imágenes de la Sixtina y San Sulpicio cumplen también su función. Todo el mundo sabe que, a igualdad de valor cultural, esas imágenes no son equivalentes, ni siquiera a la mirada del cristiano menos entendido. Digamos entonces del arte que surge en el cruce de una actividad profesional y una fe. De una superioridad técnica y de una humildad moral. La belleza no sería sino el encuentro, en un punto cualquiera de una cadena artesanal, de un gran orgullo y de una gran sumisión.

---

8. *France-Asie [Francia-Asia]*, n. 182, enero-marzo 1964.

EL SENTIDO Y EL GRUPO

Un deseo constante de nuestra edad posmoderna consiste en
«abolir las fronteras entre el arte y la vida». Suprimir la *re* de la representación, hacer la realidad o la vida autoimaginantes. A través
del *ready-made* y del *happening* el artista se esfuerza en remontarse
hasta la bifurcación salvaje/civilizado. Superar el «corte semiótico»
(Daniel Bougnoux) es lo que consigue la voluntad de suprimir, por
ejemplo, la oposición dentro/fuera. Eliminar la rampa para poner al
espectador en el escenario o el teatro en la sala, hacer que el observador entre *en* la escultura penetrable (Dubuffet o Soto). Pintar con
su cuerpo, o producir la impronta bruta (*action-painting* y *body-art*).
Disponer piedras o montículos de tierra sobre el mismísimo suelo
(*arte povera*). Bailar con los pies desnudos, sin ocultar el esfuerzo y
la transpiración, los pasos en falso y las caídas. Filmar en la calle,
cámara al hombro, o bien sin actores, ni guión, ni diálogo escrito, el
síntoma en vivo, «nueva ola» y «cine-verdad». Inventar un teatro
que se anticipe a la palabra, crueldad de Artaud. Reemplazar la
puesta en escena por la puesta en espacio, como, en las galerías, el
acto de colgar los cuadros cede a la instalación. Abolir el marco del
cuadro, e incluso el cuadro mismo como superficie diferenciada. Salir del museo para meterlo en la ciudad, y el artista en la calle. Está
claro que el museo ya no es un recinto de exposición, sino un «lugar
de vida» (donde cada uno se manifiesta, «de 7 a 77 años»).

En pintura, el deseo de entrar *en* las cosas, en vez de represen-
tarlas, ha empezado por el alojamiento del indicio en el icono. Primer collage, 1907. Encolar un trozo de un objeto real bruto —caje-
tilla de tabaco, periódico o pedazo de gasa— sobre un simulacro,
como quien metiera un trocito de un sueño en un discurso. Sí, esto
es una pipa. Eso ni se le parece ni lo parece. Lo es. Se pretende fu-
sionar la cosa y su marca. El mapa y el territorio. El espectador y el
espectáculo (*happening*). El paisaje y el cuadro (*land-art*). El objeto que está ahí y el objeto de arte (el embalaje de Christo). La tela-
signo y el bastidor-cosa (Support/Surface).

La batida a la vez espasmódica y sistemática de inmediatez alu-
cina inmediatamente una especie de vuelta a la matriz. Al océano
primordial. Un ascenso de lo frío a lo caliente, de lo lamido al len-
güetazo, del signo al gesto, pues en la magia primitiva es donde no
hay distinción entre la parte y el todo, la imagen y la cosa, el sujeto
y el objeto. ¿Opera nuestra magia con retardo? En verdad que no, re-
conozcámoslo. ¿Por qué esas «obras» contemporáneas, que se que-
rrían más gritos o caricias que cosas, nos dejan ordinariamente bas-

tante fríos? Tal vez porque persiguen ese sueño imposible que es la autoinstitución de lo imaginario (el análogo estético de ese otro ilogismo, la autoinstitución de la sociedad).

En la actualidad, muchos artistas plásticos corren hacia los dos extremos técnicos de la comunicación, los unos hacia el *indicio*, fragmento separado de la cosa (Pollock o Dubuffet), los otros hacia el *símbolo*, signo arbitrario sin relación natural con la cosa (Mondrian o Malevitch). Pero a menudo negándose a elegir. Lo malo es que se anulan uno a otro. ¿Se puede ganar en los dos cuadros, el del menor esfuerzo intelectual, el indicio magnético, y el del mayor esfuerzo intelectual, el símbolo esotérico? ¿Tener la irradiación, y el desciframiento en prima, la pantalla más el escrito? Ahí hay un primitivismo de lujo, como el «comer» y el «beber» en las playas del Club Med. Y ello porque el primitivo se ve forzado a significar el mundo en sus imágenes, al no poder reproducirlo. No tiene otra elección que la del sentido, pues la resistencia de los materiales y su propia imperfección técnica no le permiten «representar lo sensible» por una figuración realista. El espíritu contemporáneo quiere que «el ojo exista en estado salvaje» (André Breton), pero, al mismo tiempo, que sepa descodificar la imagen bruta como fragmento de un discurso sobre los fines últimos. Maravilloso tema: la impronta se muestra —salpicadura, *frottage*, mancha, tatuaje o collage—; en una palabra, la infancia muda del signo, haciendo que esos primeros suspiros funcionen también como palabras, unidades discretas de un sistema articulado. Bajo su proyecto confesado, «el arte iguala a la vida», se oculta esa ambición contradictoria, desmesurada: acumular los prestigios de la sensación y los del lenguaje, el retorno a la textura y la exégesis textual. Nuestros viejos bebés —pues todo artista es un niño— sueñan con alcanzar la emoción del grito primordial y la interpretación conceptual de su grito. El choque y el chic, el contacto físico y la interpretación teórica, el rapto de éxtasis en la galería y el prefacio de Derrida en el catálogo. Proyecto de niños malogrados por algo más que asignar a los *ready-made* la función de un «alfabeto formal». Ese arte regresivo-progresivo puede considerarse como una realidad de mala fe en el sentido sartreano: es lo que no es y no es lo que es. Si usted le dice «oficio», él le responde «sentido». Si usted habla su lengua y su significado, él le responde material y técnica. «Su dibujo es muy sucinto.» – «Lo que cuenta es el concepto, vaya. Sólo los imbéciles se aferran a las superficies...» – «¿No es su concepto un tanto pobre?» – «Yo no soy filósofo sino artista. Yo trabajo en las sensaciones y las sustancias, señor.»

Diálogo imposible, contenido, inhibido como está no sólo por las conveniencias sino también por una situación de oro. La plástica del día, la más elíptica, la más sucinta, no es sólo preservada de ese género de impertinencias por una crítica de arte que conjura todo reproche posible de incomprensión por parte de una posteridad burlona a causa de una supercomprensión instantánea y devota. Es en principio inatacable, por falta de criterio exterior, paradigma o canon que autorice una apreciación particular. Cada individualidad de la creación visual tiene ya su referencia normativa propia. Cada una acuña su moneda, y todas pretenden tener curso legal. A cada uno su código, y todos los códigos vienen a ser lo mismo. Pero por definición no hay más *idiocódigos* que *idiolectos*. Una lengua se habla a varios o no es una lengua. Un código totalmente subjetivo o privativo no es ya un código. El juego simbólico es un deporte de equipo.

Klee: «Es necesario que exista un terreno común al artista y al profano, un punto de encuentro donde el artista no aparezca ya, fatalmente, como un caso marginal, sino como tu semejante, lanzado, sin haber sido consultado, a un mundo multiforme y como tú obligado a salir adelante bien o mal.»

Ya no hay encuentro. Los avatares de la creación artística contemporánea sin duda no son imputables a los artistas mismos. Todos somos corresponsables de ello, por así decir. Nuestras imágenes se han desvitalizado y desimbolizado —términos sinonímicos—, pues nuestra mirada se ha *privatizado* (individualización que remite a su vez al conjunto del devenir social). Ya no encontramos más terreno común entre esos artistas y nosotros, los profanos; ellos se viven como «casos marginales». Ya no somos semejantes, los unos a los otros, a falta de un sentido que compartir. Del no-encuentro, es cierto, se puede hacer también un principio de connivencia entre *happy few*, un esnobismo de lo arbitrario, secuencia de convenciones cada año revocadas y reemplazadas sin razón aparente. Pero la completa privatización de la mirada, evidentemente mortal para la magia de las imágenes, acaso lo sea también, a la postre, para el arte como tal.

3. El genio del cristianismo

Si se suprime la imagen, no es Jesucristo
quien desaparece sino el universo entero.

NICÉFORO, PATRIARCA

*El Occidente monoteísta recibió de Bizancio, a través del
dogma de la Encarnación, el permiso de la imagen. Instruida
por el dogma de la doble naturaleza de Jesucristo y por su
propia experiencia misionera, la Iglesia cristiana estaba en
buenas condiciones para comprender la ambigüedad de la
imagen, a la vez suplemento de poder y desviación del espíritu. De ahí su ambivalencia respecto del icono, de la pintura,
como hoy de lo audiovisual. ¿No es una muestra de sabiduría
esa oscilación? Delante de una imagen, el agnóstico nunca
será bastante cristiano.*

Occidente tiene el genio de las imágenes porque hace veinte siglos apareció en Palestina una secta herética judía que tenía el genio
de los intermediarios. Entre Dios y los pecadores, esa secta interca-
la un término medio: el dogma de la Encarnación. Así, una carne podía ser, ¡oh escándalo!, el «tabernáculo del Espíritu Santo». Por consiguiente, un cuerpo divino, también él materia, podía tener imagen
material. De ahí viene Hollywood, por el icono y el barroco.

Todos los monoteísmos son iconófobos por naturaleza, e iconoclastas por momentos. La imagen es para ellos un accesorio decorativo, alusivo en el mejor de los casos, y siempre exterior a lo esencial. Pero el patrón de los pintores tiene el santo nombre de Lucas.
El cristianismo ha trazado el único área monoteísta donde el proyecto de poner las imágenes al servicio de la vida interior no era en
su principio estúpido o sacrílego. El único donde la imagen toca directamente la esencia de Dios y de los hombres. El milagro ha tenido su lado negativo, y sigue siendo ambiguo. Ha faltado poco para
que el iconoclasmo bizantino (y en menor medida, calvinista, ocho

siglos después) no devolviera la oveja descarriada al rebaño y la co-
locara de nuevo bajo la norma. Si «la vieja manera griega», con toda
ligereza menospreciada por Vasari el Latino como «dura, grosera y
roma», hubiera sucumbido, ni Cimabue ni Giotto habrían sido posibles. Y, sin su descendencia, Occidente no habría conquistado el
mundo.

LA PROHIBICIÓN ESCRITURARIA

YHWH se dijo un día: «Hagamos el hombre a nuestra imagen»
(*selem* en hebreo, del *salmu* acadio, que quiere decir estatua, efigie).
Pero, hecho esto, le dice al Hombre: «Tú no harás ídolos» (Éxodo
20,4). Y a Moisés le dice además: «Tú no podrás contemplar mi faz,
pues no hay mortal que pueda contemplarme y seguir con vida»
(Éxodo 33, 20). El verdadero Dios de las Escrituras se escribe con
consonantes, el impronunciable tetragrama no se contempla. «Ben-
dito sea su Nombre», y no sus imágenes. Cuando Yahvé se aparece
a su pueblo, es detrás de nubes y humos. O se sueña, en las visiones
nocturnas, con Abraham, Isaac o Balaam. Él fue la luz y la vista de
los hombres. La teología bíblica no es una teofanía, y «la era de los
ídolos» evita al judaísmo, admirable en su aislamiento. El Dios judío se mediatiza por la palabra y las visiones oníricas del Antiguo
Testamento son como su banda sonora, mientras que son más bien
mudas en el Nuevo Testamento, donde la imagen sin palabra tiene
sentido en sí misma. Para un monoteísta ortodoxo sólo hay visión de
las cosas pasajeras y corruptibles, y por lo tanto de ídolos que son
sólo falsos dioses. Estos últimos se reconocen en que se los puede
ver y tocar, como trozos de madera. El colmo del ridículo: la estatua
sagrada. ¿Qué decir de un Dios que se rompe en pedazos, que se
puede tirar a tierra? ¿Qué ser infinito puede dejarse circunscribir en
un volumen? El Templo está vacío, como el Arca. Los falsos profetas lo llenan de fruslerías, los verdaderos anuncian sin mostrar. Sólo
la palabra puede decir la verdad, la visión falsea con facilidad. El
ojo griego es alegre, el ojo judío no es un órgano fasto, lleva consigo la desgracia y no augura nada bueno (el ojo estaba en la tumba y
miraba a Caín). Un ciego en el desierto monoteísta puede ser rey,
pero un rey griego que pierde la vista pierde su corona. El ojo es el
órgano bíblico del engaño y de la falsa certeza; su falta hace que se
adore a la criatura en lugar del Creador, que se ignore la alteridad radical de Dios, relegado a la condición común de lo corruptible: pájaro, hombre, cuadrúpedo o reptil. El descreído se anexiona el mun-

do por el ojo, pero por el ojo es poseído el hombre de Dios. ¿No fueron las visiones parte de las plagas enviadas a los egipcios por el Protector del pueblo elegido?

«Están confundidos todos aquellos que sirven a las imágenes» (Ps. 97,7). «Maldito sea el hombre que haga una imagen tallada» (Deut. 27, 15). «Destruiréis con fuego las imágenes talladas» (Deut. 7, 25). Tanta insistencia en la imprecación hace sentir la omnipresencia del peligro. Hay como una pasión de autocastigo. Lo que no se practica no necesita ser prohibido. Sabemos que había estatuas de toros y de leones en el Templo de Salomón (su fachada se puede ver en ciertas monedas de la segunda guerra judía). Aparte de los motivos geométricos y ornamentales autorizados, se ha encontrado una iconografía judaica, de influencia griega y oriental, en los primeros siglos de nuestra era, transgrediendo la prohibición.[1] ¿Una Biblia hebraica en imágenes, Esther y Mardoqueo en B.D.? Sugestión sacrílega, pero de la que los frescos casi ilusionistas de la sinagoga de Dura-Europos, junto al Éufrates, ofrecen testimonio (ésta data del siglo III, pero se conocen Biblias manuscritas con miniaturas del siglo XIII). Prueba de que leer y escuchar la Torah sin ver las figuras no era una tarea fácil. Además, los rollos están alojados físicamente en el muro, en el centro de la sinagoga, como testimonio de presencia.

No obstante, la Biblia asocia claramente la vista con el pecado. «La mujer *vio* que el fruto era bueno de comer, agradable a la *vista...*» (Génesis 3). Eva ha creído a sus ojos, la serpiente la ha fascinado, y ella ha sucumbido a la tentación. ¡Cuidado, trampa! *Vagina dentata*. Pecado de imagen, pecado de carne: se escapa del orden por los ojos, sed todo oídos para obedecer. La óptica es pecadora: seducción y codicia, maldición de los embrutecidos. No os arrodilléis delante de la impulsiva, la turbulenta, la demasiado febril. Babilonia, la puta, rebosa de provocaciones audiovisuales contra la Verdad fría de las Escrituras. El mago hechiza enviscando, aspira como una ventosa, ceba y envenena el signo viril y abstracto en una dulce declividad. La Imagen es el Mal y la Materia, como Eva. Loca de la casa y Virgen Loca. Señora del error y la falsedad. Diablesa a exorcizar. Canto de sirena. «La idea de hacer ídolos ha estado en el origen de la fornicación», se decía en los ambientes judíos helenizados del primer siglo.

El tándem apariencia/concupiscencia tendrá una vida dura, incluso en pleno cristianismo. Tertuliano, el cartaginés que veía en la

---

1. Pierre PRIGENT, *L'Image dans le judaïsme, du IIe au VIe siècle [La imagen en el judaísmo, del siglo segundo al sexto]*, Ginebra, Labor et Fides, 1991.

idolatría «el más grande crimen del género humano», el gran enemigo cristiano de las imágenes, fustigará con insistencia la coquete-
ría femenina. Maquillaje, cabellos, rojo de labios, perfume, vestido,
todo es controlado por él. Hasta la longitud del velo que debe llevar
la joven cristiana en las reuniones litúrgicas. Calvino, otro iconoma-
co militante, se hará eco de todo ello en la *Institución cristiana*: «El
hombre nunca se pone a adorar las imágenes en las que él no haya
concebido una fantasía carnal y perversa».

No es que *Materia* venga de *Mater*, etimología fantasista, pero
hay mucho de femenino en la imagen material. Las Madonnas cató-
licas superponen los dos misterios. «El icono, como el Mar, sirve de
mediador visible entre lo divino y lo humano, entre el Verbo y la
carne, entre la mirada de Dios y la visión de los hombres.»[2] La per-
secución puritana de las imágenes, tras la negativa a adorarlas, va
acompañada siempre por una represión sexual más o menos confe-
sada, y por la relegación social de las mujeres. La palabra separa, la
imagen une. A un hogar, un lugar, una costumbre. Y el nómada monoteísta que se detiene en su camino destruye su pureza, se deja atrapar de nuevo por el ídolo, imagen fija y pesada, regresión a la Madre sedentaria. Los monoteísmos del Libro son religiones de padres
y hermanos, que quieren hijas y hermanas para mejor resistir a la
captura por la impura imagen. Sería audaz ver en la prohibición judía «una forma radical de condena del incesto» y en la indignación
de Moisés contra los idólatras «la amenaza de castración que acom-
paña al amor prohibido de la madre».[3] Pero no hay que descubrir ahí
detrás la persistente obsesión de una recaída viril en el regazo, el gi-
neceo, el matriarcado de lo imaginario.

Espejismos de la imagen, espejos de Eros. Se comprende entonces con qué efectos había sido cargado el ídolo por las religiones del
Libro. Como ese vaivén de fascinación y rechazo, esa alternancia de
incienso y hogueras, a lo largo de todas las disputas cristianas con la
escandalosa. El amor-odio de la mujer (bruja y sirvienta, crédula y
creyente, diabólica y divina) se remite al ídolo. Y quien la quiere dominar quiere dominar sus pulsiones. Abatir al animal en él, al demonio. El iconoclasta es por regla general un asceta investido de
una misión purificadora, o sea, todo lo contrario de un hombre de
paz. La violencia preside la teología de la imagen, y los polemistas

    2. Marie-José Baudinet, «L'incarnation, l'image, la voix», *Esprit [Espíritu]*,
julio/agosto 1982, pág. 188.
    3. Como hace J.-J. Goux, a partir de Freud, en su notable libro *Les Iconoclastes
[Los iconoclastas]*, París, Éditions du Seuil, 1978, pág. 13.

sacan rápidamente la espada. De ahí viene el concepto «ajuste de cuentas» y «crimen pasional» de las llamadas iconolastas. A través de su enemigo íntimo, el fanático se fustiga y expía. Es un ser magro. Percibe el fuego, pero en él. Lo quiere en propia carne. Los Savonarolas y todos los sadomasoquistas de la vieja proscripción judeo-cristiana recitan a golpes de hacha: «Mi libido no pasará». La Voz, la Vista. El Sentido y los sentidos. El lenguaje es del padre como la Ley: digital, consonántica, distanciada. El Dios abstracto de Israel, decantado de las apariencias, pura Palabra. Y la Sinagoga con pórticos góticos será una mujer con los ojos vendados. La imagen, más bárbara, nos viene de la Diosa-Madre: analógica, vocálica, táctil. El cristiano va al Hijo del Hombre por la Madre, al Sentido por la Vista. Al Logos por el Icono, si se prefiere. Yahvé se oculta, todo él, tras el Libro, cámara oscura de lo simbólico. Jesús y la Virgen María resplandecen al fondo del establo, acariciados por una vela, expuestos en claroscuro a las miradas de los vecinos, y los reyes *magos* se inclinan sobre el divino niño, Verbo ya expuesto a todos los sortilegios de la imaginería.

UN MONOTEÍSTA DISIDENTE

La legitimidad de las imágenes en el cristianismo ha sido cercenada sobre el fondo, en pleno ambiente de la sangrienta disputa de las imágenes, en el segundo Concilio de Nicea, en el año 787. Esta decisión no marcó el fin de la guerra civil, que duró hasta el 843, «triunfo de la Ortodoxia». Dos partidos se enfrentaban desde hacía más de un siglo en el mundo bizantino: los enemigos de las imágenes, «iconomacos» o «iconoclastas», más numerosos en el clero secular, la corte y el ejército. Los partidarios, «iconófilos» e «iconódulos», más numerosos en el clero regular, monjes y obispos. El decreto u Horos adoptado por los Padres conciliares estipula que no sólo no es idólatra aquel que venera los iconos de Jesucristo, de la Virgen, de los ángeles y de los santos, puesto que el «homenaje rendido al icono va al prototipo», sino que rechazar ese homenaje «llevaría a negar la Encarnación del Verbo de Dios».[4] Este séptimo y último concilio ecuménico fue el último en el que participaron juntos el Occidente y el Oriente cristianos. El concilio invirtió la primacía

4. Véase F. BOESPFLUG y N. LOSSKY, *Nicée II, 787-1987. Douze siècles d'images religieuses [Niceano II, 787-1987. Doce siglos de imágenes religiosas].* París, Éditions du Cerf, 1987, pág. 8, y la traducción del decreto pág. 33.

absoluta de la Palabra sobre la Imagen propia del judaísmo, poniendo de manifiesto la influencia de la cultura visual de los griegos en los cristianos. La primera decisión conciliar legitimando la figuración de la Gracia y de la Verdad a través de la imagen de Jesucristo, en el año 692, había fundado el dogma de las imágenes sobre el de la Encarnación (para ello Juan Damasceno se inspiró en los neoplatónicos). El hecho de que hayan tenido que transcurrir siete siglos, y de que haya tenido que correr mucha sangre, para ratificar teológicamente las implicaciones del dogma fundador demuestra a qué fuerza de inercia se enfrentó esa penetración de la carne en lo Divino. La decisión del año 787 está vigente aún hoy en la Iglesia, y sobre esos fundamentos ha podido desbaratar los asaltos de los «sin imágenes». Ateos o creyentes, si hemos escapado de los filtros repetitivos de la celebración caligráfica de Dios, al modo islámico, se lo debemos a esos «bizantinos» de los que con excesiva ligereza se dice que discutían sobre el sexo de los ángeles. Gracias a su sutileza, la llama ascética no se ha apagado en Occidente.

La Encarnación, «imaginación de Dios», había preparado el camino. Preside la distribución de lo divino en el mundo, la economía de la providencia. «Quien rechaza la imagen, rechaza la economía», dice Nicéforo.[5] La imagen es a su prototipo lo que Jesucristo es a Dios. Y como el Hijo tiende a Dios, yo debo tender a la imagen del Hijo, con la misma intención de parecerme a él y de asimilarme a él. De ahí el concepto de *per visibilia ad invisibilia* de los descendientes del segundo concilio de Nicea, análogo al futuro de *ad augusta per angusta* de los jesuitas. La proposición «el Hijo es el icono vivo del Dios invisible» estaba contenida en «el que me ve, ve también al Padre» (Juan 14, 9). La teología de la imagen no es más que una cristología consecuente (como lo es, a su nivel, la mediología misma, esa cristología con retardo, reflejada en la esfera profana). La oleada iconoclasta lanzada por León III en Bizancio a principios del siglo VIII fue la última gran herejía tocante al tema de la Encarnación. No la negaba, ciertamente, pero le daba una interpretación limitativa (no admitiendo, por ejemplo, como traducción autorizada del Misterio nada más que el símbolo de la Cruz, la eucaristía y el gobierno).

Cuerpo e imagen, responde la ortodoxia, constituyen un pleonasmo. O se acepta o se rechaza todo a la vez. Mediación de un mediador único, y racional como él, la imagen se deduce de la encar-

---

5. Marie-José BAUDINET, «La relation iconique à Byzance au IXᵉ siècle d'après Nicéphore le Patriarche», en *Les études philosophiques*, n. 1, 1978.

nación sin degradar. Es una argucia de Dios, como su Hijo, por el cual el Padre se da a ver a sus desdichados videntes. La bondad de Dios es como el judo, la de la imagen también: servirse de la mirada de los hombres, de su debilidad, para mejor salvarlos. Lo que hace al Dios cristiano más generoso y fecundo que su *alter ego* judaico. No existe una imagen de Jesucristo cuando aún vivía: puro sujeto y por lo tanto nunca objeto de una composición cualquiera, sólo podía representarse a sí mismo depositando su huella sobre un lienzo. Todas las imágenes de Jesucristo vivo son *acheiro-poietes* (no hechas por mano de hombre). Pero, después de la Resurrección, cada uno ha sido libre, siguiendo la corriente, de prolongar por su cuenta la cadena imitativa de las imágenes y los cuerpos. Matriz primera de las mediaciones de lo invisible en lo visible, la Encarnación funda una génesis hasta el infinito de imágenes por imágenes, nunca tautológicas o redundantes sino emuladoras e iniciadoras: la Madre engendra a Jesucristo, «imagen de Dios» (expresión aplicada en sentido propio a la segunda persona de la Trinidad); Jesucristo engendra a la Iglesia, imagen suya; la Iglesia engendra los iconos, esas imágenes que alumbran a su vez la imagen interior del Hijo de Dios en aquel al que iluminan.

Lo divino, objeto iconoclasta, es indescriptible; por eso toda imagen de ello no puede ser sino «seudo» y no «homo», engañosa y no fiel. Espiritual e invisible serían, pues, sinónimos. Este par inmemorial quebranta el cristianismo, revolución en la Revelación. La materia sustituye a las energías divinas en lugar de eliminarlas. Lejos de haberse soltado de él, la liberación del alma pasa por el cuerpo, su vieja tumba, y por esos cuerpos del cuerpo que son las imágenes santificantes y vivificantes del Salvador. Lo exterior es también lo interior. Trastorno del «cuerpo espiritual». Redención de lo vergonzoso: el vientre sirve para cantar, la garganta para hablar, y el aliento de Dios pasa por la boca. No hay más incompatibilidad entre el goce de lo sensible y la ascesis de la salvación. No toda gloria es vanagloria, se puede acceder a lo invisible con nuestros ojos de carne, la salvación se desarrolla en la mismísima historia. El don que tiene el católico para el militantismo no es sino uno con su don para las imágenes, su fabricación y su comprensión. La rehabilitación de la carne funda su activismo sin tregua ni riberas.

Bajo el lejano impulso de Bizancio, el cismático, la Iglesia apostólica y romana ha podido abrirse a las técnicas más profanas de la imagen, desde el viejo espectáculo de sombras hasta el cine holográfico. La ilusión óptica no da miedo a los hijos de san Atanasio y san Cirilo (los doctores de la Encarnación), que saben que esa ilusión entra en los planes de Dios. Él la cultiva. En el siglo XII, pide al vitral y a los colores cambiantes proyectados por los rosetones en el claroscuro de las catedrales —nuestros primeros espacios audiovisuales (órgano, canto y campana)— que «prefiguren la Jerusalén celestial» (Duby). Los jesuitas, en el siglo XVII, no se contentan con estimular a los pintores, ni con dar a la imagen un sitio destacado en la retórica; se ocupan activamente de catóptrica y de las maravillas permitidas por el espejo, sin desdeñar las anamorfosis ni las proyecciones luminosas. La linterna mágica no ha sido la invención directa de un Padre; fue un jesuita alemán, Athanase Kircher, el primero en hacer su primera exégesis técnica y teológica con su *Ars magna lucis et umbrae* de 1646.[6] El padre Athanase, ingeniero y sabio, ponía las placas de vidrio al servicio de la fe, evocando la muerte y los resucitados, sin olvidar las tareas de educación. Lejos de huir de los efectos de la magia y los más dudosos juegos de espejo, la Iglesia ha tratado de sacar de ellos el mejor partido para enseñar a los catecúmenos.

El más antiguo y el más potente entre los aparatos de transmisión de Occidente, la Iglesia del Señor, impulsada por «una verdadera saga de la imagen» (Baudinet), no ha sido cogida desprevenida por las nuevas tecnologías. En 1936, el papa Pío XI dedica una encíclica al cine, *Vigilanti cura*; su sucesor, otra a la televisión, *Miranda prorsus*, en 1957: «Esperamos de la televisión consecuencias del mayor alcance para la revelación, cada vez más clamorosa, de la Verdad a las inteligencias leales. Se ha dicho al mundo que la religión estaba en decadencia, y con la ayuda de esta nueva maravilla el mundo verá el grandioso triunfo de la Eucaristía y de María» (Pío XII). La Iglesia ha aceptado el siglo de lo visual con una facilidad en modo alguno desconcertante para quien conoce lo que la separa en este plano de sus hermanas reformadas. Sin hablar del Vaticano II, de Juan Pablo II superstar, y del prodigioso equipamiento audiovisual de la Santa Sede —temas fáciles—, algunos detalles significativos puramente franceses. La única revista intelectual no especializada que toma en serio y descifra regularmente las obras de pintura, cine y televisión es *Esprit*, fundada por Mounier en 1932; sus dos últimos directores han dedicado excelentes estudios a la cosa audiovisual, tanto antigua como contemporánea.[7] La colección

6. Léase a este fin, de Jacques PERRIAULT, *La Logique de l'usage. Essai sur les machines à communiquer [La lógica del uso. Ensayo sobre las máquinas de comunicar]*, París, Flammarion, 1989.
7. Paul THIBAUD, «L'enseigne de Gersaint», *Esprit*, septiembre 1984. Olivier MONGIN, *La peur du vide [El miedo al vacío]*, París, Éditions du Seuil, 1991.

«Séptimo Arte», que reagrupa los textos de reflexión más profundos sobre el cine, es publicada por Le Cerf, empresa editora de los padres dominicos. El mejor magasín de televisión, último refugio de una moral de la imagen, es *Télérama*. La crítica de cine (en su tiempo), con André Bazin en cabeza, tenía un fuerte tono no cristiano sino propiamente católico. Larga vida al II de Nicea.

EL MODELO DE LA ENCARNACIÓN

¿Por qué la persona de Jesucristo es el emblema de toda representación? Porque es dos: Hombre-Dios. Verbo y carne. Así también la imagen pintada: carne deificada o materia sublimada. Lo Eterno se ha hecho Acontecimiento, como a través de un vitral. Dios se ha hecho color. El acontecimiento primero, año cero de nuestra era, es único, pero se refleja en todos los juegos de la luz y de los materiales. Del concilio de Calcedonia, que fija el código de la Encarnación (451), hasta el Museo de Arte Moderno de Beaubourg. La fórmula teológica de la pintura no ha cambiado: «la unión hipostática» o «dos naturalezas distintas, una sola persona». Jesucristo tiene todas las características del Hombre y todas las de Dios, las cuales se fusionan sin alterarse. Un cuadro tiene todas las propiedades de la materia y todas las del espíritu. De ahí un centelleo siempre irritante. Yo soy materia, basta con ver mi soporte y mis superficies. Yo soy espíritu, y con ello aludo a mis pigmentos. ¿En qué lado nos quedamos? ¿Y qué dirección tomamos en el arte: la material o la espiritual?

Focillon compara al artista con un centauro. Se puede decir también con un mediador indeciso, oscilando entre un devenir Verbo y un devenir carne. *Psyché* y *Hulè*. En la atracción psíquica, el artista plástico tratará de asimilarse al escritor, al mago, al pensador; en la atracción física, al artesano, todo él a la escucha de la naturaleza y la luz. La pintura en todo su arco de vida es un híbrido y, como la figura de Jesucristo en la historia del cristianismo, se ha bifurcado a la izquierda, hacia la línea de la Palabra, y a la derecha, hacia la línea de la carne. Matta es palabra; Soulages es carne. Y esa horquilla recoge la historia del arte occidental, cuyos avatares reproducen las líneas de separación seculares del gran debate sobre la Encarnación. Entre los que pintan lo que saben y los que pintan lo que sienten, la figuración ha conocido las mismas herejías opuestas que la Iglesia. Están los *monofisitas*, que maximizan a Dios en Jesús, el Espíritu en las Formas. Esto produce un arte de distanciación, donde la exuberancia visual se desvanece detrás del sentido, el geométrico, el minimal, el conceptual. No es la mano la que pinta, sino el espíritu: visión interior. Objeto: el funcionamiento de la mente. Están también los *nestorianos*, que maximizan al Hombre en Jesús, y a la Materia en las Formas. Esto produce un arte de encarnación, con prioridad de los valores táctiles, de los efectos de la pasta, de la gestualidad, dirigido a la naturaleza y la luz. La retina manda: desnudos y paisajes. Objeto: el grano de las cosas. Línea Calvino, puritana, nórdica. Línea Loyola, sensual, meridional.

Las dos se excomulgan. Videntes contra *voyeurs*, la guerra continúa. Es de cada día.

Ese estatuto de intermediario entre la materia y la idea, que Hegel atribuye a la obra de arte en general —que «equidista de lo sensible inmediato y el pensamiento puro»—, podría definir el cuerpo del Hijo de Dios. «Aún no es el pensamiento puro, pero, a pesar de su carácter sensible, no es tampoco una realidad puramente material, como son las piedras, las plantas y la vida orgánica.»[8] Como Jesucristo, la imagen fabricada es una paradoja. Una realidad física que ocupa un espacio, que se limpia, se transporta, se almacena, se protege; y también, como decía Vasari (mucho antes que Maurice Denis), un «piano cubierto de campos de colores en superficie, o mesa o pared o tela». Pero su ser no se reduce a una suma de elementos materiales: un cuadro es más que una tela coloreada. Como una hostia es más que un trocito de pan. Y la operación estética es tan misteriosa como la Eucaristía: la transubstanciación de una materia en espíritu. No es un trozo de madera trabajado a la encáustica y cubierto de pigmentos, es una Crucifixión. Carne y sangre. *Speculum est Christus* (Gaspar Schott, 1657). El espejo hace resplandecer la luz eterna, y sus reflejos son como hostias.[9]

Metáfora efectiva, que hace criterio. Las confesiones cristianas que admiten o no la presencia real de Jesús en el pan del altar admiten o no la pintura sagrada. La línea de separación se encuentra en el seno de la Reforma. Lutero admite el sacramento de la Cena, aunque es cierto que reemplaza la transubstanciación por la consubstanciación; condena también a los iconoclastas, como su émulo Carlstadt

8. *Esthétique [Estética]*, tomo 1, traducción de S. Jankélévitch, París, Aubier, 1945, pág. 63.
9. Véase, de Jurgis BALTRUSAITIS, *Le Miroir. Révélations, science-fiction et fallacies [El espejo. Revelaciones, ciencia ficción y falacias]*, París, Elmayan-Le Seuil, 1978.

que, rechazando totalmente el sacrificio de la misa, rechaza totalmente el acceso al templo incluso de la imagen más pequeña. Calvino, que hace de la Cena un puro símbolo, una simple metáfora, tiene la transubstanciación católica por un vergonzoso juego de manos, y su condena de las imágenes es mucho más rigurosa que la de Lutero. Detesta las reliquias de los santos y compara las Vírgenes a «libertinas de burdel». Toda imagen carnal de Jesucristo es a sus ojos un ídolo y el arte, dice él, no puede enseñar nada que se refiera a lo invisible. Sólo puede y debe mostrar «las cosas que se ven con los ojos».

La distancia respecto de la Encarnación da una mayor o menor inclinación a los goces visuales. Es mínima en países católicos y máxima en países protestantes. Cuanto más desconfía del cuerpo una cultura, tanto más le repugna la figuración. El purismo geométrico, el funcionalismo tipo Bauhaus, el arte abstracto, se han desarrollado en los países nórdicos en la prolongación del puritanismo reformado. En Occidente, allí donde mayor es la distancia entre Dios y el hombre, la obsesión de lo impuro y del pecado de la carne mantiene a raya al arte iconográfico. Inglaterra, Holanda, Alemania septentrional, Estados Unidos, Escandinavia: alimento insulso, paredes blancas, cuerpos sin olor, carne hervida. Jean Clair ha situado en ese espacio moralista la prohibición de recoger la seta silvestre, sobre todo faloide, y el rechazo de lo fermentado. Él descubre un nexo de unión entre el empleo de las levaduras naturales en la masa y el pan, común en Italia y en la Alemania meridional católica, y la actual recuperación en estos países de las tradiciones figurativas.[10] Ampliemos la argumentación. El barroco se engendra en la viña y el trigo, o sea, en el perímetro mediterráneo. Como el concilio de Calcedonia lleva a Bernini, y Atanasio a Fellini, se va en línea recta de la hostia a los *tagliatelli* (y a la barra de pan). La larga memoria de las religiones se expresa en el genio inseparablemente plástico y gastronómico de los pueblos. Maneras de ver, maneras de creer y maneras de mesa son todo uno.

¿Por qué no subrayar que los pintores son en general buenos cocineros y probablemente mejores amantes que los compositores? Sensualismo de la pintura, intelectualismo de la música sabia. La vista está más intelectualizada que el tacto, pero menos que el oído. Un escultor será, pues, menos «intello» que un pintor, y un pintor

---

10. Jean CLAIR, *De l'invention simultanée de la Pénicilline et de l'Action Painting [De la invención simultánea de la penicilina y la action-painting]*, París, L'Échoppe, 1990.

más «manual» que un músico. En la ascensión espiritual, el ojo se libera del tacto, más «bajo», pero este órgano aún animal, sujeto a la materia, es superado por el oído, el órgano del espíritu que se eleva. En el último plano se encuentran los ángeles, más dados a coger el laúd y la viola que el pincel o el buril. Ordinariamente músicos, pueden ayudar a los pintores en su trabajo pero no se los ve a menudo junto al caballete y no se conocen escultores entre ellos. En suma, es mejor que a uno le invite a cenar un pintor que un músico, es mejor cenar con el Demonio que con un arcángel, pues éstos no se ensucian las manos.

La pintura se acerca al espíritu cuando es dibujo y al cuerpo cuando es color. Si se hace espíritu puro, el arte ya no es una plástica sino una estética. Cuando se cansa de ser manual y obrera, la pintura, totalmente «mental», se convierte en cálculo o discurso. Y el pintor, en crítico de arte. La apoteosis espiritual es la desaparición física, de la obra y eventualmente del artista. Suicidio, mutismo o conferencia. Aquí como en cualquier otro sitio, la materia salva y la carne redime al Verbo.

LA TENTACIÓN DEL PODER

Era tan fuerte entre ellos la tradición mosaica que los inventores de la Encarnación, durante mucho tiempo, han censurado la imagen: hasta principios del siglo III, se contentan con un repertorio muy reducido de símbolos gráficos, análogos a las rosetas, la fronda y las vides judías (símbolos de fecundidad). Estos símbolos impulsan la metáfora hasta el reino animal. El pez (en el que la letra se hace imagen); el pavo real, símbolo de inmortalidad; el cordero, de fidelidad. La Iglesia primitiva es hostil por principio a la representación de animales, al realismo figurativo y, absolutamente, a la estatuaria. Los cultos imperiales habían mancillado, cuando no diabolizado, la escultura. Deificado y esculturizado eran sinónimos. La estatua, para un emperador, es la división territorial ideal: desmultiplica la presencia, permite tener ojos en todas partes y hacerse adorar en todos los lugares, Sin embargo, por ser cristianos, los emperadores bizantinos mantendrán durante un milenio la prohibición de la estatuaria (y del teatro). La exclusividad de la imagen en dos dimensiones (mosaico incluido) coincide con la sacralidad exclusiva de la representación.

Preocupado por las primeras muestras de relación, el africano Tertuliano (160-240) condena las profesiones de escultor y astrólogo, exige la reconversión del artista pintor en pintor de brocha gorda. Las *Constituciones apostólicas* que fijan la liturgia cristiana en el 380 excluyen de la Iglesia a las prostitutas, los propietarios de burdeles, los pintores y los fabricantes de ídolos. Todavía en el siglo IV, el obispo Eusebio se sorprende, como de una reminiscencia pagana de que en Cesarea, Palestina, se pueda levantar una estatua milagrosa de Jesús. Y, sin embargo, la imagen se va a infiltrar poco a poco en el pueblo cristiano por abajo —la piedad inhumante— y por arriba —el interés político. Entra por la puerta pequeña: decoración funeraria privada, orfebrería, vidriería. Al principio es más una imbibición que una decisión. El medio ambiente influye: la huella del Emperador coincide con la del Señor, como Hermes «crióforo» (portador de corderos) se metamorfosea en la imagen del Buen Pastor. Gestos espontáneos vienen a honrar a los mártires en los altares. La prohibición monoteísta es superada por la simbolización.

Cuanto más ha contemporizado la Iglesia con el siglo, en tanta mayor medida ha establecido compromisos con la imagen. A medida que va ganando el Imperio, se deja ganar por ella y por él. Como si no hubiera podido por menos, para inculcar y seducir. Como si no se pudiera responder a la imagen nada más que por la imagen, por no ser suficiente el discurso oral y escrito para destruir las murallas de la cultura antigua. Como si no se pudiera, después de diez siglos de idolatría triunfante, organizar aparatos de autoridad, unificar territorios y naciones sin fianza de un mínimo visual, el mínimo vital de la institucionalización. Una casuística se organiza pronto. San Basilio admite, en defensa propia, que una imagen de Jesucristo puede llevar al cristiano a coger la senda de la virtud, siempre que vaya «junto a la elocuencia del predicador». Se empieza a distinguir buenos usos de la imagen (que las doctrinas escolásticas sistematizarán en la Edad Media en didáctica, conmemorativa y devota). Para ejercer influencia en los ingenuos y los crédulos. Para hacer que los fieles participen en las liturgias. Aparece el tema de la *Biblia idiotarum*, que el año 600 hizo célebre Gregorio Magno en su epístola al obispo iconoclasta de Marsella: la pintura es a los iletrados lo que la Escritura a los clérigos, el Evangelio del pobre en suma. Así responde a una doble exigencia: la de los clérigos y la de los niños. ¿No son las muñecas los ídolos de los pequeños y los ídolos las muñecas de los adultos? Solución cómoda: la imagen como rueda de recambio de las pastorales: «pues es más fácil ver pinturas que comprender las doctrinas, y formar piedras a imagen del hombre que reformar al hombre a imagen de Dios» (Du Moulin).

Finalmente, al antiesteticismo de los orígenes le ocurrió lo mis-

mo que al antimilitarismo. Uno y otro decaen sobremanera con la
«toma del poder». Un cristiano de los dos primeros siglos no debía
ni verter sangre ni mirar a las imágenes: hacia el 220, Tertuliano
condena a la vez a los que abrazan la vida militar y a los que asisten
al espectáculo. Pero en el siglo IV, el Estado, una vez ocupado, pasó
de «toda guerra es injusta» a «hay guerras justas», así como de «toda
imagen es ídolo» a «hay imágenes venerables». Teodosio y Justi-
niano, en los siglos V y VI, acentúan, so capa de antijudaísmo, el recurso a la iconografía paganizante, todos los viejos trucos de la captación imaginaria de las masas, pues había que hacer la guerra
contra los paganos y, para hacer bien la guerra, se necesitaban soldados e imágenes. *Labarum* de Constantino, que ha visto una cruz
luminosa en el cielo antes de su victoria sobre Majencio. Entonces
sólo era un monograma. Al cobrar fuerzas y ambición política, el
cristianismo regresa, en el sentido de Peirce, del «símbolo» al «índice» y el *palladium* imperial se convierte en el San Mandilio de
Édessa, la Santa Faz de Jesús depositada sobre un lienzo. Llevado a
Constantinopla, en el 574 sirvió para hacer la guerra contra los persas. Asimismo, al hilo de los siglos, la *imagen* material del crucifijo, en tres dimensiones, ricamente adornada, con la figura del cruci-
ficado, que sufre y sangra, se convierte en objeto de devociones
apasionadas. Indicio emocional, centro de peregrinación, llevado en
procesión pública: un ídolo en realidad, pero soporte de un culto popular que va más allá de la *veneración* recomendada para caer en la
adoración taumatúrgica.

El cambio cristiano, subversión en la subversión iconófoba de los
orígenes, posiblemente da testimonio de una fatalidad (como se llaman las necesidades que no nos gustan): la victoria de la Iglesia
como cuerpo sobre el Evangelio como espíritu, o las inevitables concesiones de lo espiritual a lo temporal. Los sacramentos y los fetiches
han terminado por apoderarse de los mismos que habían querido des-
pojar al hombre viejo, bamboleándose como un grisgrís, de filacte-
rias y amuletos. ¿No habría ahí una constante de corporeización y de
institucionalización? Como si fuéramos dueños de los instrumentos
de soberanía. Como si nuestro medio de control nos pusiera antes o
después bajo *su* control. Proselitismo obliga, exceptuado el judaísmo
por ser una religión identificadora, sin vocación misionera en cuanto
que no persigue la universalidad. El Dios del Antiguo Testamento
fulminaba al hombre imaginario, pero, finalmente, los adeptos del
Nuevo no han podido prescindir de los ídolos a la antigua para inculcar a los idólatras la idea nueva del creador único. También Dios empieza en la mística y termina en la política, es decir, en las imágenes.

Los primeros que anuncian el Reino de los Cielos se remiten a la Palabra. Se expresan con símbolos, enigmas y parábolas porque sólo la Voz puede insuflar lo Absoluto, sólo la lengua puede extraer un sentido del universo visible; pero los mediadores del Mesías que vienen después, papas y obispos, reinyectan la imagen en la idea porque sólo ella da cuerpo al Espíritu, carne a la promesa, y a las masas un banderín de enganche. Los difusores dan color al blanco y negro de los profetas para agrandar el campo de audiencia. Como lava que, una vez fría, se convierte en roca, el impulso de la predicación milenarista se vuelve figuración material. ¿Pierde ahí su alma? Toda vez que un alma sin cuerpo nunca ha salvado a nadie, el dilema no es fácil de resolver.

Es un hecho recurrente de las transmisiones doctrinales: cuando la Palabra o el texto de verdad engendra la institución correspondiente, Iglesia, Estado o Partido, cuando el mensaje de Salvación o de Revolución (equivalente profano del milenio) se propaga fuera de su perímetro intelectual de nacimiento, las prácticas de imaginería vuelven a entrar en escena y proliferan. Como si el paso a la práctica obligara a los depositarios de la doctrina a satisfacer la libido óptica del vulgo. A aumentar la parte de los hombres en lo divino, de la tradición en la innovación, de la pesantez de las imágenes en la gracia de los signos. Contra el clero ilustrado, las órdenes mendicantes en el siglo XIII utilizan la imagen, y ganan. Franciscanos y dominicos movilizan a la cristiandad.

Todas las grandes conmociones populares en la historia de Occidente —desde las Cruzadas a la Revolución— se presentan como deflagraciones iconográficas. Revoluciones de la imagen y por la imagen. Irrupciones más o menos incontrolables. La Revolución francesa va acompañada de una gavilla, de un diluvio de producciones espontáneas —carteles, aguafuertes, caricaturas, piezas de loza, decoraciones, acuarelas, juegos de naipes—, pero David y sus compañeros también son requeridos por el gobierno. En 1793, el Comité de Salud Pública moviliza a pintores y escultores, hace distribuir estampas y caricaturas para alentar el espíritu público, «galvanizar al pueblo ingenuo e iletrado». La misma fiebre de imágenes se registra en Rusia después de 1917 (el comunismo está formado por las palabras de Marx más la electricidad de las imágenes); en París, en 1968, en las paredes y en el taller de Bellas Artes (en la actualidad, esas imágenes se coleccionan).

Liturgia, *agit-prop* o *marketing*, la imagen reaparece en cada una de las épocas de propaganda social, en la función kantiana del esquematismo transcendental. Al traducir la idea abstracta en dato sensible, la imagen plasma el concepto motor, el principio dinámico. La imaginería es el recurso amoroso del mito movilizador. Incluso una decisión tan simbolizante, elitista y «judaizante» como el culto de la Razón o del Ser Supremo, en 1793, tiene que recurrir, para que surta efecto, a personificar la entidad bajo los rasgos de una joven ciudadana paseada en una carroza, escenificación y corporeización incluidas. La fuerza lírica de la imagen no escapa a los más cerebrales de entre los jacobinos. Volver a la arena, practicar el juego de las fuerzas, es movilizar el viejo ejército del deseo, la eterna panoplia del delirio: alegorías, prosopopeyas, emblemas y retratos. De ahí, los autos de fe y la guerra de los arsenales de gloria. Los ídolos del régimen anterior se destruyen para imponer los propios. Los *leninoclastas* de 1989 en Moscú son los *basilatras* de 1992: en Occidente, los zócalos de las estatuas derribadas no permanecen mucho tiempo vacíos.

LA REVOLUCIÓN DE LA FE

La imagen es más contagiosa, más virulenta que el escrito. Pero más allá de sus reconocidas virtudes en la propagación de las sacralidades, que en última instancia sólo harían de ella un expediente recreativo, nemotécnico y didáctico, la imagen tiene el don capital de *unir* a la comunidad creyente. Por identificación de los miembros con la Imago central del grupo. No hay masas organizadas sin soportes visuales de adhesión. Cruz, Pastor, Bandera roja, Mariana. Siempre que las multitudes se ponen en movimiento, en Occidente, procesiones, desfiles, mítines, llevan delante el icono del santo o el retrato del jefe, Jesucristo o Karl Marx. Algunos clérigos, devotos de la Letra perdida, se sobresaltan ante la vuelta de las supersticiones primitivas. No comprenden que un texto sin imágenes sería una teoría sin práctica. La carta sin correo. Una doctrina de la liberación sin catequesis ni pastoral, o una utopía social sin «trabajo de organización» social. O sea, un hecho intelectual, no un hecho político.

La seca escatología judaica se puede explicar por la certeza de pertenencia, transmitida por la madre y los lazos de consanguinidad. Los cristianos, por su parte, no forman un pueblo. Aquí no hay génesis étnica de Dios. Todo se tiene que propulsar, inculcar a pulso, a fuerza de sermones y de imágenes. La escritura no basta. Hace falta una propaganda.

La letra puede matar al espíritu, pero la imagen vivifica la letra, como la ilustración la enseñanza y la mitología la ideología. ¿Qué fuerza de expansión habría tenido la doctrina cristiana sin lo maravilloso y sin lo milagroso (del latino *miror*, veo, admiro)? ¿Sin folclore, sin Ascensiones, Anunciaciones, Coronaciones, sin hadas, licornios, sirenas, ángeles y dragones? ¿Cómo hacer creer en el Infierno, en el Paraíso, en la resurrección, sin mostrarlos? Sin hacer reír, llorar o temblar. Veamos, por ejemplo, la «Balada para rezar a Nuestra Señora», donde la madre ignorante del poeta Villon toma la palabra: «Veo en el monasterio, del que soy feligresa / Paraíso pintado donde hay arpas y laúdes / Y un infierno donde los condenados son castigados / Lo uno me da miedo, lo otro alegría y alborozo». La demanda de emociones es popular. Y la imagen es una e-moción. La imagen, más que la idea, pone a las muchedumbres en movimiento. La imagen de Jerusalén y del Santo Sepulcro es la que atrae a Tierra Santa. Y son los *mirabilia* cristianos los que han hecho amar al Jesús de los iletrados. En la Biblia hay poco de índole maravillosa, pero el judaísmo no ha tenido que ser ni expansivo ni expansionista. El cristianismo debe propagarse, catequizar, organizar a sus fieles fuera del perímetro original. No es fácil gobernar a las almas sin imágenes, signos externos de la investidura, insignias públicas del poder.

El advenimiento de la *fe* personal en el universo etnológico del *mito*, donde uno hereda solidariamente los dioses de su ciudad, de su tribu o de sus valles, puso en la orden del día de Occidente un problema sin precedente: la acreditación. ¿Cómo se puede hacer creer en un credo? Ni el griego ni el judío creían en sus dioses. Sus dioses están ahí. Como el ciprés, la duna, el clan y el aire que respiran. Ellos no plantean una cuestión de fe sino de identidad. Tanto Yahvé como Zeus son memorias. Jesús es una apuesta. La cuestión de saber si los griegos o los romanos creían en sus mitos no tiene gran importancia y cabe preguntarse incluso si tal cuestión es pertinente. Si no es una extrapolación cristiana proyectada sobre el mundo antiguo. Zeus o Juno, Aquiles e Ulises estaban «en el aire», en la herencia, lejos del patrimonio natural, y en cierto sentido, para existir, no tenían más necesidad de desarrollarse que el monte Vesubio, el agua del Mediterráneo o la lengua griega. Esos dioses y esos héroes, sin un «antes», habían existido siempre. No habían tenido que quitar el sitio a otras divinidades más antiguas, más populares o más acreditadas. Jesús es un recién llegado. Ha causado escándalo. No es algo evidente. Nada material habla en favor suyo. Está constituido por mi adhesión, mi fidelidad, mi fe. Si fallan éstas, él desaparece. Aquí, la cuestión de la fe es constitutiva, y no especulativa. Pero desde el momento en el que nada está resuelto de antemano, en que es necesario convertirse y convertir —adherirse a una hipótesis—, hay que convencer. Y, por lo tanto, seducir. La «Congregatio de propaganda fide» es una innovación en la historia de lo religioso: tan extravagante como la irrupción de un aria en una melopea o de una turbina en un curso de agua.

Hasta el cristianismo, la doctrina precedía a la propaganda, y existía independientemente de ella. Con él, la propaganda es la condición y el motor de la doctrina, no a la inversa. *Medium is message* es propiamente la revolución católica. No se trata de adorar a Dios allí donde uno se encuentra, sino de transmitir su nombre dondequiera que un hombre puede ir. «De los confines a los confines.» De un apóstol a un pagano. De un obispo a un penitente. De un fiel a un infiel. Puerta a puerta. Boca a oído. No tiene nada de sorprendente que esta confesión haya sido la primera en reflejar la transmisión, en problematizar su función misionera. Y el sociólogo o el investigador modernos que hablan de «comunicación» sin referirse a esa técnica y a esa teología se privan de una decisiva luz.

La luz de una sabiduría de medias tintas. Varios siglos de controversias y rectificaciones han generado a la larga, en la práctica cristiana de la imagen, un punto mediano (aunque mal resuelto y móvil, por ser como es función del paralelogramo de las fuerzas en presencia). Ese punto podría inspirar un «tratado del buen uso de las imágenes para uso de las jóvenes generaciones». Es una especie de estrecho entre el desierto iconoclasta y el cafarnaún idólatra que habrían abierto, cada uno a su manera y sucesivamente, después del Niceno II, y si es posible ponerlos en línea, los clérigos del entorno de Carlomagno, iconoclastas moderados cuyos *Libros carolingios* servirán durante mucho tiempo de referencia a la Iglesia latina de Occidente; santo Tomás de Aquino; los «mediadores» del siglo XVI; y los cinéfilos católicos del siglo XX. Esa postura «centrista» rechaza la adoración, que es idolatría, y condena la execración, que sería el rechazo fanático del mundo (*contemptus mundi*), y acoge la imagen como *mediación* indispensable, a la vez pedagógica y litúrgica. La *forma* como *transitus* hacia lo divino. ¿Restricción jansenista o abandono manierista? Un mesianismo de la Letra pura de rendimiento político débil y un esteticismo paganizante que, por así decir, «marcha demasiado bien», tales serían los dos extremos, o al menos los dos polos a los que se podrían vincular, de un lado, los nombres de Tertuliano y san Bernardo y, de otro, los de Juan Damasceno e Ignacio de Loyola. La austeridad cisterciense, vitrales monocromos y hábito blanco, y el gótico flamígero (incluso en el barroco excesivo y en el exceso churrigueresco). Entre los dos hay una doble y permanente postulación. Vigilar a Eros —sea— y no ceder a la tentación carnal. Pero tampoco cortar los puentes con Economía y Praxis. La imagen es económica porque acorta las demostraciones y abrevia las explicaciones: «un buen croquis vale más que un largo discurso». Menos pérdidas en línea. Y práctica», pues inculca la idea del menor gasto. La fuerza amorosa de las imágenes es, pues, perjudicial y útil. Es a la vez un peligro libidinal y un instrumento de expansión. Hay que reprimir el primero sin privarse del segundo: amansar la magia de las imágenes sin dejarse atrapar. Es más fácil decirlo que hacerlo. Tanto más cuanto que los antiguos cristianos habían heredado de los griegos un respeto supersticioso a la eficiencia de los ídolos, que explica concretamente su larga crispación ante el sueño y todo lo que tiene que ver con el onirismo, íncubos, súcubos y otras visiones nocturnas.[11] Como todo exceso, «izquierdista» en el rechazo o «derechista» en la aceptación, está sancionado por un divorcio o un cisma de signo contrario, el magisterio ha tenido que zigzaguear entre males. Demasiada devoción equivale al retorno de las supersticiones mágicas y de los ídolos milagrosos, intemperancia que suscita el rechazo de la Reforma y de sus extremistas. Una devoción insuficiente es como un reducto eremítico de tipo maniqueo o cátaro y, en consecuencia, un campo que queda al alcance, más abajo, de brujerías incontroladas. La prudencia aconseja, pues, alertar los sentidos sin excitarlos, propagar sin edulcorar; y, para hacerlo, no separar predicación y figuración. Temperar la Imagen por la Palabra. Si se ha podido proyectar las decisiones sibilinas del Concilio de Trento en los dos sentidos, no se puede y, sin duda, *no se debe* eliminar la ambigüedad. Roma delante, al fondo, su dinamismo prosélito en esta incertidumbre teológica. El Vaticano II presentaba no ha mucho a la Iglesia como «amiga de las imágenes y las artes». Amiga, sin duda. Amante y virgen loca, ciertamente no. El derecho a la imagen, sí; todos los poderes a la imagen, no. Sabiduría griega una vez más, vía Bizancio: *méden agan*, «nada en demasía».

Incertidumbre íntima y tal vez indispensable que explica, a pesar de una milenaria adicción a la imagen, las convulsiones del catolicismo romano ante la aparición del cine en 1895, como han podido demostrar dos investigadores en el caso de Francia.[12] A la pregunta «¿hay que dejar la exclusiva de las proyecciones luminosas anima-

11. Véase, en Jacques LE GOFF, *L'Imaginaire médiéval [El imaginario medieval]*, París, Gallimard, 1985, «Le christianisme et les rêves (IIe-VIIe siècle)».

12. Jacques y Marie ANDRÉ, *Le Rôle des projections lumineuses dans la pastorale catholique française (1895-1914) [El papel de las proyecciones luminosas en la*

das a los anticlericales de la Ligue de l'Enseignement o puede utilizarlas la Bonne Presse Assomptionniste en su apostolado popular?», la respuesta fue aparentemente una mezcla de audacia, en la base, y de temor, en la cúpula de la jerarquía eclesiástica.

En 1881, el protestante Jean Macé, fundador de la Ligue de l'Enseignement, había integrado en sus conferencias populares la linterna mágica, «aparato moderno que permite proyecciones a toda una asamblea de un tamaño y una calidad nunca alcanzados» (J. y M. André). Así, entregados a la «rehabilitación del alma popular», los instauradores de la futura laica se convirtieron en «conferenciantes-proyeccionistas». ¿Habría cobrado entidad la República si la Iglesia se hubiera hecho con el control del nuevo medio visual? En 1907, la Liga laica se asociaba con Pathé para integrar el cine en la educación popular. Pero el padre Bailly, asuncionista y politécnico, fundador del periódico *La Croix* (1883), había comprendido, ya antes de esta fecha, la necesidad de combinar la fuerza de lo impreso con el poder de la imagen, fotograbado y cromolitografía. En 1897, este militante católico inventa incluso un proyector de cine al que bautiza con el nombre de *Inmortal*. «¿Por qué, escribe Bailly en este periódico, en 1903, las grandes verdades cristianas no habrían de ser publicadas, divulgadas, glorificadas, como lo son en los vitrales, los cuadros, las estatuas y los frescos?» Por entonces, ya había lanzado el «departamento de la Imaginería», el *Gran catecismo ilustrado*, y había confiado a un experto en óptica, Coissac, la dirección del Servicio de Proyecciones, así como la primera revista mensual dedicada enteramente a las proyecciones: *Le Fascinateur*.

Así nació la controversia sobre «el sermón luminoso» que entonces llenaba las iglesias. ¿Tenía derecho a utilizar vistas cinematográficas del lugar de culto el sacerdote que hablaba desde el púlpito? Donde lo hacía, el éxito era enorme. En algunas diócesis incluso se ven, con la *Pasión* rodada en 1897, «Cuaresmas luminosas». En 1912 Roma, a través de la Sagrada Congregación Consistorial y sus Padres Eminentísimos, decreta la prohibición de realizar proyecciones en las iglesias. Entonces, las catedrales, nuestras primeras salas de cine, tuvieron que ceder el sitio a los locales Rex. Y los cines de barrio se convirtieron en iglesias parroquiales, en lugar de lo contrario. Esto no fue óbice para que a la pregunta, entonces obligada, «¿es moral el cine?», católicos franceses ilustrados res-

---

pastoral católica francesa (1895-1914)], Universidad de Laval-Québec, París, junio 1990. De esta obra hemos tomado la información que sigue. Consúltense también, sobre el mismo tema, las obras ya citadas de Jacques Perriault.

pondieran inmediatamente sí, contra el consenso de toda la buena sociedad del momento. Y añadían: «si no lo es, debe serlo y nosotros nos encargaremos de ello». En 1909, la Bonne Presse fundaba una productora; enviaba sus cámaras a Lourdes, rodaba y distribuía *La Pasión de Nuestro Señor*. «Un pedazo de cine, un filme con programa, es como una sacudida eléctrica, la afluencia aumenta inmediatamente, llega a ser enorme» (*Le Fascinateur*, 1912). En cuanto al muy piadoso Michel Coissac, sabemos que abandonó *Le Fascinateur* para fundar en 1919 *Le Cinéopse*, órgano mensual de la industria cinematográfica. En 1925, publica la primera *Historia del Cine*.

LA APUESTA ESTRATÉGICA

La iconoclasia viene de Oriente. Prende en Alejandría y Antioquía, gana el imperio griego, pero apenas consigue penetrar en Occidente, en Roma y en el reino franco. El gran cisma entre Roma y Constantinopla no tendrá como disparador aparente el icono sino el *Filioque* (¿procede el Espíritu Santo del Padre *y* del Hijo o *por* el Hijo?). Pero las posturas figurativas trazaban ya una línea divisoria entre un Oeste más político, ágil y por lo tanto deseoso de demostrarlo y un Este más místico, inmóvil, no tan preocupado de hacer como de ser. Vicio o virtud, la preocupación del occidental es transformar un estado en acto, y ese dinamismo pasa por la imagen, a la vez fuente de energía y medio de acción. Las herejías del icono apostaban por la preeminencia temporal. El Niceno II, en el 787, especifica aún que la concepción y la transmisión de las imágenes pertenecían a la Iglesia, pues «sólo el arte (esto es, la ejecución) procede de los pintores». En Bizancio, la imagen no era libre: tenía demasiado poder para cederla a cualquiera (habida cuenta de que la tolerancia del príncipe era en función de la mayor o menor impotencia del tolerado). Mejor que cualquier texto, la aparición coloreada deja boquiabiertos a villanos y fieles. Así, pues, la oposición teológica era también una rebelión del clero secular contra el regular, toda vez que este último tenía competencia exclusiva en la autorización de las imágenes. La institución eclesiástica no transigió fácilmente en su derecho a vigilar la imagen, a codificar y controlar la iconografía. Con buenas razones como: ¿no hay que canalizar las fuerzas sobrenaturales, garantizar el parecido con los modelos? ¿No es verdad que no poner al servicio de la verdadera fe esa reserva de poder es tanto como entregársela al demonio? Hacerse con el control de los

talleres era para el Imperio, como más tarde para los primeros poderes de Occidente, disponer de una decisiva palanca de hegemonía.
Política y teología se enmarañan inexorablemente.

   ¿Qué hay en ello de sorprendente si la celebración del poderoso
pasa siempre, en nuestras latitudes, por su presentación como imagen? Monedas y medallas con la efigie del príncipe. Estatuas del
emperador, acrecentando, difundiendo su aura hasta los confines.
Prestigios y sumisiones. ¿Estaban los destructores de ídolos del siglo IX bizantino y del siglo XVI francés en contra del principio sacrílego de la representación de lo divino o contra los succionadores de
plusvalías y los recaudadores de impuestos? Los miembros de la
Comuna que atacaron a la Columna Vendôme no pretendían ajustar
cuentas con la estatuaria sino con Bonaparte. ¿Y quién pensaría en
tratar de iconoclastas a los que derribaron la estatua de Dzerjinski
ante la sede del KGB en Moscú?

   Digámoslo de otra manera. El espiritualismo absoluto es el que
liquida las imágenes, y Occidente se ha mostrado bastante refractario a los extremismos espirituales. Como explicaba hacia el año 820
el autor de los *Antirréticos*, Nicéforo, patriarca de Constantinopla,
Padre de la Iglesia iconódulo exiliado por León V, el emperador iconoclasta quería en cierto modo asumir plenos poderes, ignorando así
una distinción entre lo temporal y lo espiritual, del Imperio y de la
Iglesia. Nicéforo veía, pues, en la iconoclasia eso a lo que hoy llamamos una «tentación totalitaria», unida a un enmascaramiento de
la empresa divina de la redención. Como mediación entre el cielo y
la tierra, la imagen nos guarda a la vez del monolitismo y de la anar-
quía. Garantiza la unidad de los poderes porque actúa como nexo de
unión; pero impide que se los confunda, pues deja un espacio entre
ellos. En ese caso, la mediación de la imagen habría sido un factor
de laicidad en el seno de nuestro mundo y, a la vez, una garantía
contra el exceso de fanatismo. No hay nada tan sofocante como una
religión del Libro que quiera aplicar el Espíritu a la letra, sin metáforas ni márgenes de interpretación. La imagen procura un interva-
lo entre la ley y la fe, pequeño espacio de fantasía individual que
permite respirar. Representar lo absoluto es ya atenuarlo poniéndo-
lo a distancia. Allí donde hay imágenes de lo divino, algo se ha ne-
gociado entre el hombre y su Dios.

   ¿No será una particular voluntad de poder la que ha inclinado a
los occidentales, más que a los otros, a la imaginería? ¿Podía tal voluntad no anexionarse esa fuerza de combate? El jefe de la «célula
de comunicación» se acercó esta mañana al presidente para sermo-
nearle enfáticamente: «Ha llegado la hora, le dice mostrando los úl-

timos sondeos, de elaborar seriamente una estrategia de imagen».
Hace más de dos mil años que sonó esa hora. ¿Qué principículo nacido del desmembramiento de las provincias del Imperio latino no
se preocupó de regular en su beneficio la circulación de las imágenes, sobre todo cuando eran raras, y de multiplicar la propia? ¿Cuando los reyes, después de Carlomagno, no han querido organizar, in-
fluir o controlar esa palanca de influencia? Cada semana hay un
coloquio gubernamental en curso en un castillo de los alrededores
«sobre el paisaje audiovisual». Lo que busca ese fin de semana
nuestro ministro de la Comunicación sólo corre el peligro de no ser
tan serio y rico como «el coloquio» sobre las imágenes convocado
en 1562 por la Regente de Francia en Saint-Germain-en-Laye: varios días de discusiones metódicas oponiendo a reformados y teólogos de la Sorbona, bajo el arbitraje real, con real despacho en conclusión.

Romper totalmente con las imágenes es un lujo que ningún hombre de autoridad se puede permitir, aunque sea un adepto del *scrip-
ta sola*. Lutero es un político demasiado fino, y demasiado respe-
tuoso del orden establecido, para caer en la iconoclasia de su
extrema izquierda. Da un rodeo, insiste en la pedagogía de la imagen como complemento necesario de la Palabra de Dios, distingue
sutilmente entre Jesucristo y Crucifijo. Procura seguir siendo amigo
de Cranach (que ilustra su traducción del Nuevo Testamento) y de
Durero. Sabe demasiado bien, frente al pontificado, que el poder se
conquista por la izquierda pero se ejerce en el centro, por mediación
de los grabados piadosos. Cansado de amonestar en su propio campo a los iluminados, los puristas, los fanáticos destructores de imágenes, ordena a las autoridades establecidas que los hagan exter-
minar sin ambages. Aunque más riguroso en el fondo, Calvino
mantiene una prudente ambigüedad: aparte de las imágenes de los
santos y de los lugares de culto, está permitido el uso privado y profano. Un fundador del Estado no podía actuar de otro modo. Asunto
de pintura, asunto de gobierno. Recordemos, anécdota u ocurrencia,
que hasta 1378, en Florencia, pintores, médicos y boticarios pertenecían al mismo gremio en razón de que «su trabajo afectaba a la
vida del Estado».

El que transmite una imagen somete a un inocente. Las primeras
teocracias usaron y abusaron de esta medida. Más sociodegradable,
ligada al comercio de bienes tanto como al sometimiento de los
hombres, la escritura sirve para contar, intercambiar, almacenar. La
revolución del alfabeto estalla en sociedades abiertas, predemocrá-
ticas, Fenicia y Grecia. La escritura jeroglífica deriva en escritura

demótica, pero el fresco egipcio sigue siendo hierático. Primera en la genealogía de la dominación, la imagen, por un momento atacada en la edad clásica por «la orden de los libros», ¿encontraría su legitimidad perdida en nuestra videoesfera? Después de la «guerra literal», ¿no se convierte la imagen, hija mayor del icono y de la pantalla, en la baza más importante de las batallas por el poder? Más rápida de captar, más emotiva y mejor de memorizar que un texto, libre de las barreras de la lengua, liberada por la desmaterialización de los soportes, dinamizada por la antena y la estación espacial, la imagen inunda el planeta día y noche, hace gritar de alegría y apretar los puños. «Los blancos han sometido a los indios más por el alcohol que por las armas» dice el cherokee. La metrópoli de las metrópolis, sin saberlo ni ella ni ellos, ha hipnotizado a sus alógenos y se ha hecho querer por ellos, más que con el dólar, con la pantalla. La conexión simbólica pasa de nuevo por la captura imaginaria, y tanto, si no más, que la información CNN y el *magazine* de actualidad, el serial, el *soap* y el *chip* trabajan masivamente los afectos y desafectos mayores de los pueblos. Las soberanías monetarias se esfuman en beneficio de las soberanías imaginativas. Hoy en día hacer imagen es acuñar moneda. ¿Cuántos países guardan, si no su antiguo privilegio, al menos cierta capacidad de emisión?

En el curso de los años treinta, en una América atormentada por la imagen y la depresión económica, la Administración del New-Deal, a través de una secretaría de Asuntos Agrarios, promovió una vasta encuesta fotográfica sobre la miseria del país profundo, ennoblecido, heroico. La documentación «se ha de dirigir, entre otros, a los agricultores», a quienes se les ha de enviar un mensaje que anuncia su desaparición. La documentación mezcla figuras de la modernidad y de la tradición, combinando así visualmente la idea del progreso inexorable y «la esencia de una América eterna».[13]

Medio siglo después de esa trampa al liberalismo, el reto de nuestras guerras de imágenes no es ya el consenso interior en los Estados Unidos, sino la esencia americana de la subjetividad mundial. Rebasa la alternativa y las alternancias periódicas de intervencionismo y de aislacionismo en la patria del Tío Sam. Es tanto un mecanismo como una estrategia. La exclusividad del *entertainment* mundial es una obligación del liderazgo. El pequeño «plus» que permite

---

13. Intervención de Jean Kempf (Universidad de Ruán) en el coloquio «Communication et Photographie» (École Estienne, marzo 1991). Véase *Amérique. Les années noires [América. Los años negros]*. Photo poche, París, 1983. (Prefacio de Charles Hagen.)

la transformación de una preponderancia económica en hegemonía política es una fuerza militar susceptible de empleo, de una parte, y la artillería de las imágenes, de otra. Mientras llega la primera, Japón se ha puesto ya a trabajar, en el suelo de su rival, en la logística de las percepciones planetarias. ¿Quién sabe si hoy el frontispicio del «Leviatán 2000» de un Hobbes mundialista no sería, en lugar del castillo —catedral y espada—, sello de la edición de 1651, el tándem cohete-Disney?

De la misma manera que la grafosfera europea ya ha democratizado lo escrito —proceso que ha requerido varios siglos, hasta la *alfabetización general* de Europa—, la videosfera americana ha democratizado la imagen, esta vez en algunas décadas, hasta la *visualización general* de la tierra, pronto totalmente electronizada (lo que no excluye, aquí, casos de *iletrismo* y, allí, de *avisualismo*). Todos, pobres y ricos, han tenido finalmente acceso al libro; todos, dominantes y dominados, tienen ahora acceso a la imagen. Pero su control *de facto* por estudios y control del otro lado del Atlántico ha modificado el mapa de las dominaciones y ha redefinido los territorios de adhesión. Como el paso de la cultura oral a la cultura escrita ha marcado un salto en la *unificación nacional de las tierras* a través de la liquidación de los dialectos y hablas regionales, el paso a la nueva cultura visual marca un salto en *la unificación mundial de las miradas* mediante la liquidación de las industrias nacionales de lo imaginario. En los tiempos en los que el primer vector de influencia era la lengua, París se esforzó en privar a las etnias del reino de Francia de las palabras propias de ellas para que todas ellas hablaran la lengua del rey. Cuando la influencia traiciona a la letra, las naciones se ven privadas de su mirada para que todas ellas vean el mundo con ojos americanos. Primer Renacimiento: un solo diccionario para todos, la lengua nacional. Segundo Renacimiento: un solo espejo para todos, el cine del Imperio, nuestra «lingua franca».

4. Hacia un materialismo religioso

Apenas puedo sostener el peso de oro de los museos
Esa inmensa nave
Cuánto más que sus bocas debilitadas me dice
La obra de Picasso

JEAN COCTEAU

*Tradicionalmente, estética y técnica se vuelven la espalda,
divorcio fundador al que Kant dio sus cartas de nobleza. Para
apretar las tijeras entre lo material y lo espiritual de la imagen es necesaria una disciplina: la mediología. Al eliminar el
obstáculo del humanismo, que no admite que el sujeto es tanto la prolongación de sus objetos como lo contrario, la mediología permite tener una visión coherente de las variables de la
eficacia icónica.*

EL DESAFÍO MEDIOLÓGICO

Mezclamos excesivamente los géneros, los lugares y las épocas.
Estábamos en la teología, esto es, en política; y hablábamos constantemente de arte y de estilo: ¿cómo es ese discurso? Impuro, sí,
pues está en la intersección de campos múltiples. Pero no incohe-
rente. La mediología desearía incluso hacer sistema de la mezcla de
géneros: transformar un *patchwork* en razón. Tal vez, constreñida
por el uso, la mediología debería hacer algo nuevo con lo viejo, al
hablar de categorías preconstruidas y abusivamente aisladas («el
arte», «la política», «la teología», etc.).

No es culpa nuestra que las prácticas de la imagen planteen, al
mismo tiempo, una cuestión *técnica*: ¿cómo se fabrica la imagen?
¿Con qué soportes, con qué materiales, de qué tamaño? ¿Dónde se
expone, dónde se aprende a hacer una imagen? Una cuestión *simbólica*: ¿qué sentido transmite? ¿Entre qué y qué actúa como elemento de unión? Y una cuestión *política*: ¿con qué autoridad, bajo la su-

pervisión de quién y con qué destino? Las grandes disputas de la imagen en Occidente han tenido esas tres dimensiones; arrojan, revueltos, a la arena a clérigos, artesanos y soldados, pues la imagen fabricada es a la vez un producto, un medio de acción y un significado. El Veronés comparece bien escoltado ante el tribunal de la Inquisición, al que debe explicar la presencia sacrílega al lado de Jesucristo, en *Las bodas de Caná*, de saltimbanquis y pillos. ¿Se debe hablar, al referirse a él, de «síntesis precipitada»? Una historia de la mirada debe estar indisolublemente unida a las diferentes vertientes, cada una de ellas objeto de una especialidad separada y separadora: *la historia del arte* se ocupa de las técnicas de fabricación, de los efectos de estilo y de escuela; *la iconología* o la *semiología* se ocupa del aspecto simbólico de las obras (ya sea explicando la imagen por su dimensión intelectual o mediante un análisis interno de las formas); *la historia de las mentalidades* tratará de las influencias y del sitio de las imágenes en la sociedad. Así se realiza la división del trabajo académico: por abstracción y delimitación de planos de realidad, desarticulación científicamente necesaria pero que tiene el inconveniente de ocultar los puntos que los unen.

De hecho, cada uno de los polos actúa a su vez sobre los otros dos: al cambiar de naturaleza (técnica), la imagen ya no tiene los mismos efectos (políticos) ni la misma función (simbólica). La historia de la espiritualidad es militar, la de los imperios es religiosa y las dos poseen una base técnica. Ese triedro, en el que la dimensión y las propiedades de cada cara dependen de las otras dos, constituye el *complejo mediológico*. La activación de las estaciones de enlace se realiza por conexión de los polos. Nuestro deseo sería poder proyectar en el espacio, en relieve y en transparencia como sobre la pantalla del ordenador, nuestros tres planos de referencia modificando las perspectivas y los ángulos de vista, pero sin romper la unidad de la figura. Sólo las limitaciones de la escritura lineal nos impiden que contemplemos por separado, capítulo tras capítulo, las variables de la mirada.

Lo que languidece (en el trabajo simbólico) rara vez es honrado (en el informe filosófico). ¿No se podrían invertir los prestigios y mostrar sobre todo lo que transforma una realidad dada *mediatizando* sus polaridades contradictorias? Transversal a los nacionalismos disciplinarios y a las divisiones actuales del saber, lejos del pensamiento binario que campa en un infecundo enfrentamiento alma y cuerpo, espíritu y materia, signos y cosas, dentro y fuera, etc., nuestro enfoque pone el acento en el *inter*. Se instala en los intervalos, interroga a intérpretes e intermediarios. En el llamado campo de las «ideas», escritos e impresos, ya se ha intentado cruzar el análisis material de los aparatos religiosos e ideológicos, objeto tradicional de las «ciencias morales», con un análisis moral de los aparatos de transmisión, objeto tradicional de «la historia de las técnicas». De igual manera, en el campo de las imágenes, manuales e industriales, nosotros desearíamos cruzar el examen de las *mutaciones técnicas*, de los *medios sociológicos* y de las *permanencias míticas* de lo imaginario.

Ejercicio ingrato, pues las máquinas y los mitos no hacen buen maridaje. La historia feliz, móvil, evolutiva, de nuestras relaciones con las cosas («los fabulosos progresos de las ciencias y de las técnicas») vuelve la espalda a la historia vacilante, neurótica, desdichada, de esa parte oscura de nosotros mismos que precisamente no dominamos como una cosa. Y que no cesamos de querer elucidar hasta perder el aliento, interrogando sin descanso a todas las imágenes de la tierra. Asimismo, esa investigación únicamente puede entrar en alguna de las «casillas» universitariamente vinculadas al mundo de las imágenes: filosofía, historia, crítica, psicología, sociología, semiología. Amiga de cada una de ellas, no se casa con ninguna y se defiende de todas.

Técnica, política, mística: nosotros hemos llamado «mediología» a la detección de los elementos de unión. Al margen de los aparatos técnicos de la mirada, esa interdisciplina podrá abordar finalmente las *tecnologías de lo sagrado* (despojando a este último término, digámoslo de nuevo, de toda connotación sobrenatural o confesional), pues el sentimiento de lo sagrado no está a salvo de la evolución de las técnicas.

Aunque la expresión suene en nuestros oídos taponados por un dualismo dos veces milenario como «la ciudad y el campo», aquí hemos cogido el camino de un *materialismo religioso* (ya sabemos que las religiones son mucho más materialistas de lo que se cree, y de lo que ellas mismas suponen). «Materialista», porque está claro para quienquiera que observe las condiciones de una transmisión simbólica que lo inferior «salva» a lo superior y la materia al espíritu. Si se le privara de los soportes, ¿no se vería condenado a la volatilidad del instante, a la localidad intransmisible de la voz y del gesto? «Religioso», porque lo simbólico, por etimología y función, es lo que religa al hombre con el hombre. Es, pues, imposible comprender las imágenes sin mezclar los registros del alma y el cuerpo. (Es sintomático que un marxista confeso como Walter Benjamin tuviera que recurrir a un vocabulario «espiritualista» para delimitar la obra de arte. ¿Qué es su famosa *aura* sino la materia palpable de un

alma, a menos que no sea el alma impalpable de un cuerpo, habida
cuenta de que la palabra latina significa hálito, exhalación o expira-
ción?)

Se hacía bien en distinguir conceptualmente entre la acción del
hombre sobre el hombre, o *praxis*, y la acción del hombre sobre las
cosas, o *techné*. Una y otra no responden a las mismas leyes, y se desarrollan en tiempos diferentes. Pero no podemos *realmente* ubicar-
las en dos casillas herméticas. Como quiera que un símbolo sólo
puede actuar si es transmitido, los modos y los soportes materiales
de la *transmisión* de signos nos han aparecido, no hace mucho,
como la variación decisiva de la invariante «eficacia». Esto quiere
decir que el acto simbólico supone una operación técnica. Articulación sonora, secuencia de gestos, inscripción visible, medios de publicación todos ellos, que impiden un trabajo material sobre una materia.

Religio tiene dos etimologías irresolubles. *Religare*, religar, y
relegere, recoger. ¿No sería posible reconciliarlas admitiendo que el
nexo simbólico que se establece entre los miembros de una sociedad
varía con el sistema material de recogida de sus huellas? Cultura
oral, manuscrita, impresa, audiovisual, informática: y otras tantas
conexiones sociales. El tejido conjuntivo de las sociedades humanas
no es el mismo si sus *mirabilia* y *memorabilia* son confiadas a una
memoria colectiva, a un soporte vegetal raro o abundante, a una cinta magnética o a un medio electrónico. ¿Y si se articula además en
memorias materiales (en las que se inscriben las cadenas de huellas)
y mentalidades colectivas? ¿Comunidades y comunicaciones? ¿El
alma de las sociedades y su cuerpo? Ese «y» aún opaco es lo que desearíamos abrir como si se tratara de una caja negra.

«LA EFICACIA SIMBÓLICA»

Volvamos a nuestro punto de partida, el estudio de las vías y los
medios de la eficacia simbólica. Una intención de sentido puede efec-
tuarse ya sea en las palabras, habladas o escritas, ya sea en las imágenes, pintadas, esculpidas o grabadas. Después de fijar, con el *Curso de
mediología general*,[1] una pragmática de la idea, en el campo del lenguaje, hemos pasado a una pragmática de la imagen, en el campo de
lo sensible. ¿Después de las ideas-fuerzas, las imágenes-fuerzas?

1. Régis DEBRAY, *Cours de médiologie générale [Curso de mediología general]*,
París, Gallimard, Bibliothèque des Idées, 1991.

«Poder de las imágenes.» En primer lugar hay que captar el sentido físico de: «tener efectos» o «modificar una conducta». De la misma manera que hay palabras que hieren, matan, entusiasman, alivian, etc., hay imágenes que producen náuseas, que ponen la carne de gallina, que hacen temblar, salivar, llorar, vendar, agavillar, decidir, comprar un coche concreto, votar a un candidato y no a otro, etc. Enigmática trivialidad. La publicidad comercial es criticada por su acción, que se describirá como seducción, perversión, intimidación, contaminación, ocupación, condicionamiento, etc., basándose en una petición de principio raramente explicada, a saber, que la publicidad ejerce realmente una acción sobre el público. Publífobos y publífilos comparten al menos este supuesto. Y cada uno de ellos hace «como si». Ningún sociólogo puede medir científicamente la influencia, tan manida, de «la violencia en la televisión» en la delincuencia de los adolescentes. Pero todos están de acuerdo en decir que la imagen transmitida por la tele de los guetos negros americanos ha inducido un nuevo comportamiento en las bandas de los suburbios franceses. Misteriosa y anodina eficacia: y un granuja deseoso de hacerse el grande en el Kremlin-Bicetre, después de haber aplastado a un peatón al saltarse un semáforo en una carrera infernal, pregunta al magistrado por qué los «polis» de California tienen derecho a matar y él no. Esto aparece en el periódico, en la crónica «Varios». De ahí no se deduce que la imagen es perniciosa por naturaleza. Pero impulsa, hoy y siempre, a los pequeños y grandes gastos, una tendencia mimética inconsciente. El problema de los modelos imaginarios de identificación no es ciertamente ni nuevo ni occidental. Cabe suponer que los jóvenes cazadores de bisontes de la era glaciar asumían riesgos inútiles en aras del grabado rupestre. Pero la antigüedad de un enigma no lo disipa.

Se ha estudiado más la eficacia de las palabras que la de las imágenes. El psicoanalista o el brujo atraen la atención de los antropólogos, más que los pintores, los cartelistas y los cineastas. En esta materia, el análisis por parte de Lévi-Strauss del chamán que opera entre los indios Cuna de Panamá ha adquirido valor canónico. Una parturienta tiene dificultades, se llama al brujo. El partero acude a su choza, canta, salmodia en la cabecera de la muchacha ciertas palabras que tienen la virtud de hacerle explorar y dilatar su vagina. «El paso a la expresión verbal desbloquea el proceso fisiológico.»[2] Relación de significante a significado, con toda seguridad, no de causa

2. Claude LÉVI-STRAUSS, *Anthropologie structurale [Antropología estructural]*, París, Plon, 1958, pág. 184.

a efecto. Es la fe conjunta del brujo, de la parturienta y de toda la comunidad en la magia la que determina la eficacia del acto mágico. Y si no creemos en las virtudes del psicoanálisis antes de tendernos en el diván, ¿qué puede curarnos? ¿Desbloquea la visión los conductos en el acto por medios análogos? ¿Se puede comparar la operación de poner en imagen, consistente en visualizar y, por lo tanto, ordenar el caos, con la *talking-cure*, consistente en convertir una amalgama de sensaciones oscuras en una secuencia narrativa de mitos identificables? Es cierto que la reliquia que cura, el exvoto que da gracia, la ilusión óptica que refresca, la Verónica que salva al pecador con sólo verla, suponen igualmente en el contemplador un acto de confianza, una adhesión previa y no expresada.

No olvidemos las versiones, menos afortunadas, de la eficacia simbólica que pueblan nuestros periódicos.

En Haití se llama «le Père Lebrun» al suplicio del collar practicado durante las grandes revueltas populares de 1990. ¿De dónde vino la horrible idea de quemar vivos a los *macoutes* poniéndoles un neumático ardiendo alrededor del cuello? De una desviación espontánea de un *spot* publicitario. Un notable de Puerto Príncipe, el padre Lebrun, había aparecido poco antes con un neumático alrededor del cuello en un anuncio de la pequeña pantalla. El buen hombre, que no era un eclesiástico sino un negociante, sólo quería vender sus productos con una imagen llamativa. Sus telespectadores se sirvieron de ella para satisfacer una vieja venganza. Las vías de la eficacia icónica no son menos impenetrables que las de la Providencia. Ninguna imagen es inocente. Pero alguna, a buen seguro, no es culpable, pues somos nosotros que nos complacemos a nosotros mismos a través de ellas. Asimismo, toda vez que ninguna representación visual tiene eficacia en y por sí misma, el principio de eficacia no se debe buscar en el ojo humano, simple captador de rayos luminosos, sino en el cerebro que está detrás. La mirada no es la retina.

Los halcones ven mejor que nosotros, pero no tienen mirada. El perro no reconoce a su amo en una foto. El animal sólo es sensible a los códigos. No separa el estímulo y el objeto representado (un tigre sólo reconoce a su domador cuando éste está de pie). El hombre es el único mamífero que ve doble. Su retina le transmite una forma que el cerebro analiza en razón de su significado. Y, por lo tanto, cuando tiene delante un icono, puede ver a la vez la madera, recubierta con una mezcla de cal, yema de huevo, encáustica y pigmentos, y, a través de ella, la presencia santificante de Jesucristo. Un icono es una profesión de fe, pero la mínima percepción es ya una,

a su nivel: una mirada es siempre una apuesta. La *transducción* neu-
robiológica de un estímulo en información sigue una explicación.
Sólo sabemos que el ojo no es más que un sensor. Nuestro cerebro
es el que «trata» las señales luminosas. La imagen óptica es el resultado de un trabajo mental en el que la retina se cuida de la logística y las neuronas de la estrategia. Ellas son las que seleccionan la
información de modo que *nosotros proyectemos lo visible a medida
que lo recibamos.* Y de la misma manera que no hay dualismo entre
lo físico externo (los rayos luminosos y las formas percibidas) y lo
cognitivo interno (la estructuración cualitativa de las formas), no
hay, de un lado, «una superficie plana recubierta de colores dispuestos con cierto orden» (Maurice Denis) y, de otra, «una mujer
desnuda». Las dos aparecen en el mismo momento, sin antes ni después, y forman un solo cuadro. Superficie plana y «máquina semió-
tica» no son separables. Tampoco lo son, en el pintor, la mano y el
cerebro.

Todo ello nos demuestra que penetrar más allá de la retina proporciona una vía real a la elucidación de lo más oscuro, nuestra «mitad sumida en sombras». Vía de tinieblas que es también retorno *ad
uterum.*

EL TELESCOPIO DEL TIEMPO

Las dinámicas de la imagen y la palabra no son de la misma naturaleza ni están dirigidas en el mismo sentido. Las palabras nos
proyectan adelante, las imágenes atrás, y ese retroceso en el tiempo
del individuo y de la especie es un acelerador de potencia. El escrito es crítico, la imagen narcisista; el uno despierta, la otra puede reducir la vigilancia e incluso hipnotizar suavemente. La letra endere-
za, la imagen invita a tenderse (nuestras más bellas imágenes las
vemos acostados, y tenderse en un sillón es un placer cinefílico). No
se lee un libro a varias personas, ni medio dormido. Pero varias personas pueden ver juntas un cuadro, una película o una obra de teatro, de la misma manera que pueden escuchar música en una sala. La
atención fluctuante y vaga interrumpe la lectura, no la emisión de la
televisión, de la radio o del tocadiscos. Como la voz o la música,
pero al contrario que el texto, la imagen va dirigida al cuerpo. La mirada palpa o acaricia, cala o resbala, roza o penetra. Captura, ata,
retiene-amasa y hace masa (el *nosotros* está más sujeto al *aquí* que
el yo, y el inconsciente colectivo, aún más pegado a las imágenes
que el otro, es religioso). En toda contemplación hay una regresión

gozosa. Como si el Origen, la Madre, la Prehistoria nos cogiera en sus brazos. El secreto de la fuerza de las imágenes es sin duda la fuerza del inconsciente en nosotros (desestructurante como una imagen antes que estructurado como un lenguaje). Interiorizamos las imágenes-cosas y exteriorizamos las imágenes mentales, de manera que imaginería e imaginario se inducen una a otro. Ensoñación, fantasma y deseo dan a la imagen-objeto algo de pleno y suculento, que se mama como un pecho y desaparece súbitamente en nosotros. Fuerza dionisíaca, se dijo hace un siglo (pero Dionisos estaba de acuerdo con lo auditivo y Nietzsche era más oído que mirada). Los audiovisuales protegen como un capullo y adormecen, se dice hoy. La imagen-sonido nos devuelve a ese Thalassa revivificante que duerme en el fondo de la cuba de los signos, estrato de contigüidad dichosa y cálida donde todo es posible, donde la distancia y el tiempo se desvanecen sin esfuerzo. Ver es abreviar. Poner fin a la lógica lineal de las palabras, escapar de los corredores de la sintaxis y abarcar de una vez toda su vida anterior. Maravilloso cortocircuito: velocidad más infancia. Divina ganga que yuxtapone sin jerarquizar, sin acortar la línea ni pasar la página. Es un golpe de vista, un segundo de juventud, de síntesis y de eternidad. Un Rembrandt es un apocalipsis interior: nuestro limbo puesto al día.

La imagen está siempre *delante*, y el individuo víctima de las imágenes no es contemporáneo de aquel que razona sobre las palabras. Es el mismo hombre pero súbitamente desfasado, escindido, de nuevo mágico. Ya no es un individuo, forma parte de la masa. Ya no es un ser razonable, desata su conciencia y libera sus delirios. El desfase atraviesa cada uno de los momentos de la historia de las ciencias o de las sabidurías. Los hugonotes coetáneos de Montaigne, ilustrados y humanistas por lo demás, en el corazón de la gran oleada iconoclasta de 1561, se ensañan con «la imagen del Rey Luis XI y como si lo hubieran tenido vivo entre las manos de los verdugos, le cortaron los brazos, las piernas y, por último, la cabeza».[3] Otros azotan a un crucifijo o decapitan a la Virgen. En el mismo momento, los católicos más cultos no dudan ni un instante de que la imagen del «señor San Antonio» de Soucy, junto a Châtillon-sur-Seine, ha precipitado en el rey a los granujas calvinistas que le han insultado. Los coetáneos de Descartes porfían por propalar la historia de un turco que, tras golpear un crucifijo con su cimitarra, fue atacado inmediatamente por una hemiplejía. Los coetáneos de Newton tenían

3. Citado por Olivier Christin, *Une révolution symbolique [Una revolución simbólica]*, París, Les Éditions de Minuit, 1991, pág. 133.

por sabido que la imagen de Jesucristo era, en cierto modo, el mismo Jesucristo. De ahí la infamia tangible del sacrilegio. El Caballero de la Barra fue decapitado en plena Ilustración, sospechoso de haber asestado un navajazo a un crucifijo y de no haberse descubierto ante el Santísimo. Si a los ojos del legislador la voluntad de matar a Dios en imagen era creíble en principio, y se podía castigar con la muerte, es porque la imagen seguía siendo para el pueblo el ídolo que había sido durante milenios, es decir, una cuasi-persona viva, que vierte lágrimas de sangre cuando se la ofende. O a la que se humilla antes de destruir. Imagen rota, pena de muerte. La destrucción de los ídolos papistas fue presentada por los reformados como una ejecución capital.

Como si la efigie de piedra o de colores, en el seno mismo del tiempo religioso, revelara lo más primitivo en el primitivo, ese nivel rudimentario de lo sagrado que se llama superstición. Como si las conquistas de la Razón no pudieran hacer nada contra los mismos gestos milenarios de adoración y destrucción en los mismos puntos sensibles. Los martillazos que da en el Alto Egipto el copto monofisita del siglo V a los ojos, las manos y los pies de Horos o de Osiris, en el camino de ronda del templo de Edfu, resuenan en el martilleo del hugonote sobre las manos y los ojos de las Vírgenes y los santos de madera y yeso, ya en nuestro humanista siglo XVI. Y los golpes de pico del revolucionario descreído del año II en los medallones de Luis XIV —los ojos en primer lugar— demuestran que, aquí, el tiempo avanza muy lentamente. Pero «la mirada de un pueblo libre no debe fijarse en los símbolos del despotismo». ¿No se han visto los mismos gestos, esto es, las mismas palabras, esta mañana, entre nosotros, en Moscú, en Praga, en Budapest, en los símbolos visuales de otro despotismo? Los reflejos de la idolatría alimentan los de la iconoclasia, pero esta última parece todavía más vivaz que su doble invertido. El vándalo, el iconoclasta o el insurgente de la libertad —según las simpatías— entiende que no se pueden extirpar los recuerdos de una legitimidad sin destruir las imágenes donde está depositada. «El pueblo francés ya no puede ver lo que no existe porque lo acaba de destruir: su mirada no será ofendida ni perturbada por ello.» Pero esa destrucción de trozos de madera, de piedra o de tela no tiene nada de alegórica, es un «sacrificio vengador», un holocausto «expiatorio». Las palabras escritas son inertes, pero las imágenes guardan lo vivo en ellas. Amenazan, provocan, salvaguardan, estimulan o desalientan. Su representación mantiene en vida lo representado y, para hacerlo, ella misma se tiene que alimentar. Cada nuevo año, en Edfu, a orillas del Nilo, las estatuas sagradas

eran tiradas, fuera del «naos», sobre la terraza del templo para que
se «recargaran», se recalentaran al fuego solar, para asegurar la supervivencia de los dioses y de los hombres. «Ritual de la irradiación» que atraviesa año tras año todas las mitologías colectivas. Las
Vírgenes andaluzas deben salir de su nicho cada año, por Semana
Santa, para recuperar fuerzas, regenerarse, recalentarse con las bur-
las de unos y las oraciones de otros.

Ya no es común esperar maleficios y milagros de las imágenes.
Pero, ¿cómo negar la facultad de suscitar en nosotros incongruentes
retornos de lo inhibido? ¿Saltos atrás, un tanto molestos, en la cronología del *sapiens*? La imagen, hemos visto, procede de un tiempo
inmóvil, que es el tiempo de lo afectivo, de lo religioso y de la muerte. Ese tiempo ignora las construcciones de la razón y los progresos
de la técnica. Ciertamente, los impíos ya no se dedican a destruir las
hostias de los tabernáculos para ver si se derrama la sangre de Jesucristo. Pero, ¿han desaparecido los besos, las genuflexiones y los cirios de las peregrinaciones entre los coetáneos de Einstein y Mo-
nod? ¿Se comportan razonablemente delante de la imagen de la
Madre de Dios los millones de seres razonables que van a Lourdes,
a Czestochowa o a Santiago de Compostela? No hay más que fieles
para desgranar la antigua magia. La foto del abuelo encima de la
chimenea no se desplaza como un objeto más. San Cristóbal, patro-
no de los automovilistas, protege de la «mala muerte» y hay que ver
cómo los indios conductores, en las rutas de los Andes, se santiguan
delante del pequeño muñeco suspendido del retrovisor. Muchos in-
crédulos, en una iglesia, inclinan la cabeza ante el crucifijo, algunos
ponen una vela junto a la estampa de san Francisco y nosotros de-
positamos flores en las tumbas.

¿Poderes de la imagen o poderes de lo primitivo? Ya se ha comprendido que habría que incluir el psicoanálisis en nuestras reservas
disciplinarias. Aunque el yacimiento de los afectos se encuentre al
principio de todo, la alusión bastará. En primer lugar, porque esa
falsa ciencia a la que acabamos de llamar verdadera domina totalmente las reflexiones actuales sobre la imagen, y muy bien. Después, porque preferimos la paleontología, que dice lo mismo, en
cuanto al peso insólito de lo olvidado, pero de manera verificable y
menos arbitrariamente literaria.

Tal vez es la especie que a través de nuestras imágenes, esa memoria de antes de la memoria, recurre al buen recuerdo del individuo.
La figura es lo primero del hombre, y su *propiedad*. Sorprendente
verdad paleontológica: el *trazo* como marca específica. Pájaros, abejas y delfines tienen una «lengua», y muchos animales se comunican

con señales sonoras. Los primates, por su parte, pueden servirse de «herramientas». Ninguno de ellos practica incisiones o entalladuras. Sólo el *Homo sapiens* utiliza el trazado: 35.000 años a. C., fin del Musteriense, aparición de las marcas de caza, «marcas gráficas sin ilación descriptiva, soportes de un contexto oral irremediablemente perdido» (Leroi-Gourhan). Con la sepultura, la superficie de piedra o madera, grabada con motivos abstractos (espirales, líneas, puntos), señala la hominización en curso. El hombre desciende del mono, pero el mono desciende del dibujo, por vía del pictograma y el jeroglífico (y no está dicho que no pueda volver un día). No hay, pues, ruptura sino continuidad evolutiva entre el polo «imagen multidimensional» y polo «escritura lineal», campo en el que la extremidad «dibujo» era el punto de partida de un recorrido que termina —al menos provisionalmente, en tanto no haya vuelto a «la ideografía dinámica», nueva escritura por la imagen que nos anuncia Pierre Lévy— en el alfabeto vocálico que anota los sonidos. La imagen fue nuestro primer medio de transmisión; la Razón gráfica, madre de las ciencias y de las leyes, salió lentamente de la Razón icónica. Como la fábula ha precedido al saber, y las epopeyas a las ecuaciones, el glifo se adelanta en decenas de miles de años a la grafía. La anotación fonética por el signo escrito está más ligada al Estado, menos a lo sobrenatural, y es mucho más tardía (3.000 años a. C.). Y no cabe duda de que los milenios que separan a los toros de Lascaux de las primeras transcripciones mesopotámicas descifrables no se han desvanecido en nosotros sin dejar huellas; sin abrir confortables vías de comunicación con los sucesores. Por haber sido niños antes de ser hombres, por haber bailado antes de analizar, rogado antes de pedir, por haber practicado incisiones con sílex en los huesos de reno antes de alinear palabras en un papel, la «imagen estupefacta» corre en nuestras sinapsias más que el concepto. Primer ocupante de lugares, está en nosotros y en él.

¿Por qué Dante es un «poeta de la Edad Media» y Giotto, coetáneo suyo un año más o menos, es ya «un pintor del Renacimiento»? ¿Por qué el espacio continuo, homogéneo e isótropo de Newton se encuentra ya, un siglo antes, en los descubridores de la perspectiva? ¿Por qué el ligero Fragonard anuncia tan profundamente, sólo con desplazar el ángulo de vista de los palacios (captados en sesgo o desde arriba), el declive del «Ancien Régime»? ¿Por qué las ruinas de Hubert Robert anticipan las destrucciones revolucionarias? ¿Por qué Turner prefigura las metáforas del fuego, antes que la termodinámica? ¿Por qué la desintegración del punto de vista en los cubistas presenta la inminente desaparición del sujeto fundador en las ciencias humanas? ¿Por qué el futurismo es un fascismo anticipado?

¿Y por qué en las ciudades ciegas de Max Ernst, pintadas antes de 1939, se perfila la Segunda Guerra Mundial? ¿Por qué la historia del arte, en la puesta al día de las sensibilidades de cada época, se adelanta a la historia de las ideas e incluso a los hechos? ¿Por qué es mejor ir a un museo de arte contemporáneo que a una biblioteca pública para captar los signos precursores de los cambios de mentalidad, de paradigma científico, de clima político? Porque la imagen sensible resuena en el cosmos y se alimenta en fuentes de energía «inferiores» y, por lo tanto, menos vigiladas o más transgresivas, más libres o menos controladas que las actividades espirituales «superiores». La imagen capta más lejos y más bajo, hace de radar. La creación imaginaria de una época, ese archipiélago de arcaísmos anticipadores, no llevaría «históricamente» tanta ventaja a la creación intelectual, coetánea suya, si no extrajera, mucho mejor que esta última, de los dinamismos profundos del psiquismo, procesos primarios del sueño, del juego, de la risa. También de la angustia. La imagen tiene fuerza de precursora y prospectora en la medida misma en la que sintomáticamente participa de lo que es indicio y es primitivo. Más acá y, por lo tanto, más allá. Por ser de *antes*, el arte presenta el *después* mejor que la inteligencia.

EL VICIO HEREDITARIO

El método mediológico acusa de falsedad a un vicio del razonamiento del que la filosofía occidental ha hecho una virtud hereditaria: la separación de la estética y de la técnica.

Se habla mucho de arte y poco de máquinas: tradicional defecto de los hombres de ideas, y sobre todo de los estetas. Desde 1839 hasta esta mañana, por *un* ensayo sobre la foto, hay *cien* disertaciones sobre la pintura. Las máquinas «para ver» de la modernidad están ahí, nos han encadenado a un considerable *silencio conceptual*.[4]

4. Bergson menciona el cine tangencial y peyorativamente; Alain, en sus *Préliminaires à l'Esthétique [Preliminares a la estética]*, opina que el cine «rechaza el pensamiento» y que «la mecánica de la pantalla borra toda poesía»; Sartre escribe *L'Imaginaire [Lo imaginario]* y *L'Imagination [La imaginación]*, entendidas, ciertamente, como estructura de la conciencia, pero hace casi abstracción, en sus ejemplos, de la imagen animada o grabada; Heidegger no dice ni una palabra sobre el cine en sus reflexiones acerca de la obra de arte (*El origen de la obra de arte*, 1935; *Contribución al problema del ser,* 1955, *El arte y el espacio*, 1969). Para Merleau-Ponty, enamorado de la pintura, fugazmente cinéfilo, André Bazin no existe. Ni Benjamin. En la *Teoría estética* de Adorno, publicada en 1970 (trad. francesa 1989, París, Klincksieck) no aparece ni una palabra sobre el cine.

El cuadro sólo es digno del metafísico, el cual debe evitar a Walt
Disney y la B.D. (Michel Serres, con Hergé, confirmando la regla).
En sentido inverso, y hasta ayer, los especialistas de la foto, como
Moholy-Nagy o Gisèle Freund, no hablaban de «bellas artes». Dejando a un lado a Bazin, hay una incompatibilidad de autores entre
la imagen manual y la imagen industrial, como si el que se interesa
por la imagen automática tal como existe desde hace ciento cincuenta años no sirviera para escudriñar quince mil años de imágenes
pintadas o grabadas. Daney elude la pintura, Jean Clair el vídeo, y
Chastel ignora el cine. Esta misma mañana, Barthes y *la cámara
clara*, Deleuze y *la imagen-movimiento*, Lyotard y sus inmateriales
han dado dignidad de objeto del pensamiento al álbum de familia, al
thriller americano y al holograma. ¿Habríamos abandonado a Platón? En verdad que no, pues todavía hoy se puede «intentar delimitar lo que hay del ser de la imagen y de su eficacia», ignorando todo
lo que ese ser ha experimentado en sí mismo desde 1839.[5] Lapsus
inadvertido a fuer de *natural* (el descuido del técnico siempre ha
sido «un pequeño olvido técnico»). Estamos demasiado acostumbrados a situar la metafísica de la imagen en un planeta y su física en
otro.

Cuanta más técnica entra en un arte contemporáneo tanto más
tardan en abrirse las puertas del Reino. El hecho de que el «séptimo
arte», cada década más o menos, se haya visto sujeto a conmociones
tales como el diálogo hablado, el color, el cinemascope, etc., ha contribuido considerablemente, con su aspecto comercial, a diferir la
intronización. El acto del bautismo, como séptimo de nombre, tuvo
lugar en 1927 (Ricciotto Canudo, en *L'Usine aux images*). El reconocimiento social tuvo que esperar a los años sesenta, en los que
contaron con la ayuda de Langlois y Godard. Promoción que no es
necesariamente un buen signo, como veremos, en la medida en que
la entrada en el museo puede significar la marginación (habida
cuenta de que prestigio y uso están en relación inversa).

5. En los dos excelentes números dedicados por la *Nouvelle Revue de psychanalyse* a lo imaginario, *Destins de l'image [Destinos de la imagen]* (1991) y *Le
Champ du visuel [El campo de lo visual]* (1987), sobre diez artículos dedicados a la
pintura, clásica o moderna, al icono y al ídolo no hay *ninguno* al cine y a lo audiovisual, lo mismo que a las «nuevas imágenes» numéricas. Tal vez necesitamos una psi-
copatología de la vida cotidiana de los psicoanalistas para remediar sus lagunas o sus
puntos negros. Hay que tener en cuenta que si la infancia del signo es la imagen, las
imágenes de nuesra infancia son las de las salas oscuras, y no las del Museo del Louvre. Chaplin, Tati y Hitchcock, así como, para los más jóvenes, Woody Allen, Spielberg y Coppola, han modelado lo imaginario de nuestra época al menos tanto como
Tiziano, Manet o Picasso.

Se comprende que el *Homo aestheticus* deteste la mecánica: la estética ha nacido, tardíamente, de la filosofía (Baumgarten, Kant, Hegel, Schopenhauer, Nietzsche, Croce y otros pertenecen al gremio), y la filosofía ha nacido, en Jonia, del rechazo de las máquinas. Desde Platón narra la odisea del Espíritu enfrentado a la Materia, desembarazándose de la Materia. La técnica figurativa no tiene buena imagen cuando ha hecho suyo el prejuicio helénico: sólo la forma vivifica. Plotino, después de Platón, incluso ha diabolizado el lado carnal de la imagen, a la que disculpa pues, por otro lado, ofrece en simpatía un fragmento del alma del mundo. La verdadera imagen, dice Plotino, es inteligible. Por eso hay que contemplarla no con los ojos del cuerpo sino con «el ojo de dentro» (*hendon blepei*). Lo maléfico de la imagen, en cambio, es todo lo que puede contener o sugerir en concepto de espacio, sombra o profundidad; materia bruta que se interpone entre el modelo ideal y su emanación visual. «El reflejo del *nous*, ese elemento espiritual, es lo único real que hay. El resto es materia pura, esto es, no-ser vacío.»[6] Al teorizar sobre la belleza ideal, el Renacimiento, a la sombra altiva de la *idea*, ha continuado haciendo de la materia el polo negativo y pasivo del trabajo de las formas. De obstáculo, la materia ha pasado a ser, en el mejor caso, receptáculo. Miguel Ángel, al esculpir *La noche*, ha «extraído la forma pura de la masa de piedra bruta». Forma que no reside ya en el cielo de las Ideas o en el Entendimiento divino —ahí está la revolución— sino en el alma del artista.

Esa separación de cuerpos debía revelarse propicia a las generalidades filosóficas: la exaltación de la forma ha engendrado la Estética, que globaliza su objeto por invención de un género único, el Arte con mayúscula. La Estética de los filósofos, como es sabido, presta poca atención a la especificidad de las artes y de las obras. La disociación artes/oficios legitima el formalismo de la reflexión sobre el Arte. Cuanto más se separa a las formas de sus soportes, tanto más se las puede someter a una lógica espiritual interna, cuyo enunciado pertenece por derecho al filósofo. *De minimis non curat homo aestheticus.*

La «cosa mentale» de Leonardo da Vinci —o más bien el contrasentido, tan popular, a que da lugar— ha hecho mucho daño a la causa de los hallazgos materiales y espirituales en arte. Se ha inscrito la famosa fórmula en una psicología del arte, cuando en realidad proviene de una historia de la ambición. ¿Definición de la pintura? No.

6. PLOTINO, Cuarta Enéada (4,3,II). Véase a este fin GRABAR, «Plotin et les origines de l'esthétique médiévale», *Cahiers archéologiques*, I, 1945.

Estrategia de carrera de un gran pintor, que está harto de que se le tome por obrero especializado. Reivindicación de honorabilidad de un cuello blanco cansado de que se le siga mezclando con los cuellos azules de los talleres (los escultores se ensucian las manos, como el pobre Miguel Ángel, pero yo, pintor, no soy el artesano que vosotros creéis, trabajo en casa; cambiadme, pues, de gremio). Ghiberti, en sus *Comentarii* escritos en lengua noble, ya había insistido en la suma de conocimientos requeridos por su arte. Como Alberti había impulsado, también él en latín, la pintura hacia lo alto al insistir en la geometría, una de las siete artes liberales. Da Vinci y su tiempo quieren tender un puente, mediante la geometría y las matemáticas, ciencias nobles, entre ejecución material y especulación intelectual, para escapar de la indignidad de las artes mecánicas. Ingeniero poco familiarizado con las lenguas antiguas, blanco del desprecio de los humanistas y los letrados, Leonardo se sirve de todos los medios para ponerse del lado bueno, con escritores y músicos, en la otra orilla («la escultura no es una ciencia sino un arte absolutamente mecánico que produce sudor y cansancio corporal en el operador»).

¿Se estaba más cerca de la «verdad efectiva de las cosas» en los tratados prerrenacentistas (como el de Teófilo, el monje alemán del siglo XII, o de Cennino Cennini, el pintor toscano del Trecento), donde fórmulas y modelos unen a la técnica la piedad, la moral y la estética»?[7] Esa ingenuidad instruida es la de Auguste Renoir cuando dice: «La pintura no es una ensoñación. Es ante todo un oficio manual y hay que practicarlo como un buen obrero.» O la de los viejos manuales que enumeran «el material necesario para hacer acuarelas», a saber, papel, plafón o tablero de dibujo, cola, esponja, lápices, gomas, pinceles, cubiletes, paletas y colores, donde se aprende que «las sombras de los tonos «carne» se hacen con una mezcla de tinte neutro y laca carmínea; pero no las carnes de blondas, que se hacen con un compuesto de amarillo de cromo claro y vermellón».

LA EXCEPCIÓN DE LOS TÍOS ABUELOS

La Revolución industrial no ha modificado ni la división ni la distribución de los estudios. Si ha dado pleno impulso a las artes in-

7. Anne-Marie KARLEN, *Le Discours sur l'art. De l'économie objective à l'économie subjective de la création* [*El discurso sobre el arte. De la economía objetiva a la economía subjetiva de la creación*], tesis universitaria, Facultad de Letras y Ciencias humanas, Besançon, 1984.

dustriales, si después, en 1910, ha inventado «la estética industrial» para celebrar el enlace de la creación y la producción, de lo bello y lo útil, ha dejado como estaba la ancestral fractura. El campo de los discursos nobles sobre la imagen ha continuado distribuyéndose, en el siglo XIX, entre el encantamiento literario y la interpretación especulativa, mientras crítica de arte y filosofía del arte relegaban a los márgenes la curiosidad por los procedimientos materiales de fabricación, de exposición y de transmisión.

Todo ello hace aún más meritorias las exploraciones, las premoniciones de Valéry y Benjamin, grandes tíos abuelos de nuestra especialidad, ya presentes en su cuadro de honor. El primero, célebre, en textos marginales. El segundo, marginal, en un texto que se ha hecho célebre.

Comentando *La conquista de la ubicuidad*, y hablando de lo que la radio había aportado a la música, Valéry ha anunciado, en 1934, el reino de la pequeña pantalla. Describe el día cercano en el que Tiziano, que está en Madrid, vendría a «pintarse en la pared de nuestra habitación tan fuerte y engañosamente como si recibiéramos una sinfonía». Incluso proponía un nombre para nuestras empresas de televisión, que desgraciadamente no se ha tenido en cuenta: «sociedad para la distribución de la realidad sensible a domicilio». Y esperaba mucho del *zapping*: «Como el agua, como el gas, como la corriente eléctrica vienen de lejos a nuestras moradas para responder a nuestras necesidades con un esfuerzo casi nulo, así nosotros seremos alimentados con imágenes visuales o auditivas, apareciendo y desapareciendo al menor gesto, casi a una señal».[8]

El mismo año, decididamente fasto para nuestra ciencia, aparecía en alemán *La obra de arte en la era de su reproducción técnica*.[9] Walter Benjamin se mostraba mucho menos triunfalista que el académico («el aspecto destructivo del cine»). Reproducible gracias a los procedimientos fotosensibles, mecánicos e industriales, la obra de arte, decía él, va a perder su valor cultural, sacrificado en aras de sus valores de exposición. Las técnicas de reproducción profanan lo sagrado artístico porque las creaciones del espíritu tienen una cualidad de presencia única, ligada al «aquí y ahora» de una aparición original. «Al multiplicar los ejemplares, esas técnicas sustituyen un acontecimiento que sólo se ha producido una vez por un fenómeno

8. «Pièces sur l'art», en *OEuvres complètes [Obras completas]*, tomo 2, Bibliothèque de la Pléiade, París, Gallimard, pág. 1285.

9. En *L'Homme, le langage et la culture [El hombre, el lenguaje y la cultura]*, París, Denoël-Gonthier, 1971.

de masas.» La inaccesible belleza se va a hundir en la promiscuidad del producto mediático; el *aura* del arte, que es «la única aparición de una lejanía», se perderá con la unicidad de la obra. Al acercarse demasiado a los hombres, las imágenes perderán toda autoridad.

Sobre este oscuro librito, otro pionero de la mediología, el autor del *Esbozo de una psicología del cine*, debía componer, diez años más tarde, la ópera optimista del *Museo imaginario*, sin mencionar excesivamente a sus predecesores.[10] Al genio le repugnan las genealogías (la ingratitud contribuye al aura personal). El Malraux de los años cuarenta fue en muchos aspectos un Benjamin sonorizado y recuperado. Cuando el primero ve salir de la reproducción de las imágenes un humanismo planetario, el segundo pronosticaba una selección darwiniana al revés. «De esa selección ante el aparato de reproducción, los que salen vencedores son la estrella y el dictador» (W. Benjamin). Curiosamente, el alemán progresista veía en negro el mañana cantor de la era de los *mass media* que el francés «reaccionario» pintaba democráticamente de color rosa. Diferencia de estilo: el uno declamaba, el otro analizaba. Diferencia de cuerpo, de temperamento entre dos grandes espíritus: Benjamin se marginaliza y se suicida, Malraux se mediatiza y llega a ser ministro. No a todos les es dada la vocación del fracaso.

A pesar de la laxa facilidad del procedimiento, no sería demasiado impertinente, en este punto, negar la razón a uno y otro. Benjamin ha tenido el inmenso mérito de hacer retroactuar las condiciones de transmisión sobre la creación estética, como lo muestra su *Pequeña historia de la fotografía* de 1931. Pero, al prestar poca atención a los orígenes de las «bellas artes», parece haber hecho suya la ilusión continuista de la historia oficial del arte. Así ha podido confundir dos épocas, dos regímenes de mirada: la era de los ídolos y la era del arte (véase cuadro págs.178-179). Su *aura*, de hecho, sólo pertenece a la primera. Las cualidades de presencia real, de autoridad y de inmediata encarnación, que teme o la perversión industrial, son las mismas de las que se ha despojado la obra de arte en el Renacimiento, sin esperar a la «reproducción mecanizada». La foto sólo añade un tercer grado a un segundo. Lo que es aparición y «presentificación de lo invisible» no es el arte sino el ídolo (o el icono). Este último es el único que proviene de la teología, cuya estética, desde el principio, *es* el duelo. La secularización de las imágenes no

10. El nombre de Walter Benjamin es mencionado, no obstante, en una nota en *Esquisse d'une psychologie du cinéma [Esbozo de una psicología del cine]*, París, Gallimard, 1939.

habría comenzado, pues, en el siglo XIX sino en el XV. ¿Se deben a un error de cronología muchos de los arrebatos de Malraux y de los lamentos de Benjamin? Tal vez una más precisa periodización del tiempo de las imágenes habría evitado un hermoso suicidio alemán, un bello delirio francés. No lo lamentamos: la belleza del siglo lo habría perdido.

APRETAR LAS TIJERAS

La dualidad crística de la imagen sustenta la separación tradicional de los estudios de arte en dos ideales: la unión mística en el objeto único y el rodeo escéptico por contexto social; el discurso intuitivo del conocedor y el discurso explicativo del profesor; el esteticismo y el historicismo; el sentir y el saber. El escarpín y el zueco, si se prefiere, pues todo ejercicio está socialmente connotado.

Las dos aproximaciones, la interna y la externa, son igualmente heréticas o igualmente legítimas, pues el objeto depositado y expuesto en nuestros museos es un ser mixto: a la vez cosa y signo, causa y producto, dado y construido. Por esa doble condición forma parte de los «cuasiobjetos» (recientemente analizados por Serres, Latour y Hennion). Es un híbrido. Como *cosa*, escapa de la sociedad que en su tiempo se ha reconocido en él: merecedor, pues, de un disfrute privado, en un cara a cara estetizante. Es cierto que las figuras plásticas (como las obras musicales) sobreviven a la cultura que las han engendrado y les han dado sentido. Autonomía de la vida de las formas que nos permite, por ejemplo, «descubrir», doscientos años después, a Vermeer y Georges de la Tour, pintores menores en vida. Pero como *signo*, el objeto de arte ha sido seleccionado o reconocido por un interés social, arbitrariamente extraído del ruido de fondo visual como «objeto de gusto» por los mecanismos sociales del buen gusto, como los que Bourdieu y sus discípulos pusieron al día: merecedor, pues, de una desconfianza crítica, sociológica, histórica, o de las dos.

Se conoce el diálogo de sordos entre la proliferación carismática del «efecto de arte», sin valor de conocimiento, y el conocimiento, sin gracia ni sensibilidad, de sus causas y factores objetivos. Conocedores y artistas recusan como zotes e ignorantes a los que reconducen la obra de arte a sus condiciones *exteriores*, en nombre de una experiencia intuitiva, incomunicable e intimista, que, según aseguran, constituye la verdad del arte. Cada obra, dicen, es única. Reino de lo particular, el arte excluye toda generalización, sólo admite la monografía, y el juicio caso por caso. Nada se puede explicar, todo se debe interpretar. Sociólogos e historiadores, por su parte, acogen las efusiones a menudo verbosas de lo inefable como los síntomas de lo que denuncian. La obra de arte, dicen, es un artefacto social, y la denegación estetizante de ese condicionamiento social es también un hecho social. Detrás de ese juego de desprecios mutuos, detrás de esas acusaciones mutuas de terrorismo, tal vez hay una antinomia de la Razón estética, un problema sin solución análogo al dilema del etnólogo atrapado entre el deseo de participar y la necesidad de distanciarse. ¿Hace falta, para comprenderla, observar una etnia de Nueva Guinea con ojo frío, a distancia, o bien experimentar desde dentro, por empatía, cómo viven sus miembros? El proyecto mediológico consistiría en no tener ya que elegir, digamos, entre Bourdieu y Wölfflin. Deseamos que ese proyecto no haga pensar en un físico que quisiera determinar simultáneamente la posición y la trayectoria de una partícula.[11]

Contentémonos, mientras esperamos la improbable reconciliación, con no separar nunca concepto y dispositivo, la esencia y la técnica de un arte visual. En este punto, «el arte» es un tema demasiado serio y, al mismo tiempo, nada serio para los profesionales de la cosa. Demasiado, todos lo hemos visto, porque, surgiendo en la vertical de la muerte, la imagen sólo cobra todo su sentido en el tiempo casi inmóvil de las religiones, muy lejos de la dramaturgia corta de los estilos y las escuelas. Nada serio, porque su devenir se esclarece en una modestísima historia de los materiales, mecanismos y procedimientos de creación, de exposición y de difusión, indigno de un esteta. Basta, en efecto, con cambiar de dispositivo para cambiar de concepto. Benjamin: «Se había caído en vanas sutilezas para decidir si la fotografía debía ser o no un arte, pero nadie se preguntaba si esa invención no transformaba el carácter general del arte».

Enderezar una estaca es inclinarla del otro lado. El peligro sería evidentemente querer corregir un formalismo con un materialismo, un esteticismo a la antigua usanza con un tecnicismo muy al día. No se ganaría nada intercambiando a Kant por Toffler. La técnica es necesaria, no suficiente. Es verdad que la evolución de los materiales —y el declive de las fundiciones— ha arruinado a la escultura clásica de la piedra, el mármol y el bronce, que llega hasta Rodin. Desde

11. Léase a propósito de las mediaciones artísticas, de Antoine HENNION, *De la fusion du groupe à l'amour d'un objet : pour une anthropologie de la médiation musicale [De la fusión del grupo al amor del objeto: por una antropología de la mediación musical]*, Centre de sociologie de l'Innovation, École des Mines de París, 1990.

el fin del siglo pasado, digamos desde Brancusi, la plástica, el hierro, el acero, el vidrio, salidos del maquinismo, engendran esa forma de expresión contemporánea de la que se ha dicho con mucho acierto que «toma los materiales como fundamento». Pero esos materiales habitan toda la tierra, y la escultura moderna sólo su norte occidental. En las tierras del Islam había tierra gredosa, pero no ha habido una estatuaria islámica. En torno al Bósforo hay arcilla y alabastro, pero Bizancio sólo conoció el bajorrelieve. La cristiandad del primer milenio disponía de los mismos materiales y adquisiciones que la Antigüedad tardía. Admite, tímidamente, el bulto redondo, pero renuncia a la estatuaria. Prueba de que lo que es técnicamente factible no siempre es culturalmente viable.

EL OBSTÁCULO HUMANISTA

¿Por qué el estudio de la imagen se ha retrasado tanto con respecto al de la lengua? Todos estarán de acuerdo en que, en términos de conocimiento, la estética hace de pariente pobre al lado de la lingüística. Síntoma revelador. ¿De qué?

En primer lugar, de la sobrevaloración de la lengua por el hombre de palabra. La historia vivida por la especie humana sugiere un: «Al principio era la Imagen». La historia escrita estipula: «Al principio era el Verbo». Logocentrismo lógico: la lengua honra a la lengua. Tautología narcisista y publicidad corporativa que han desequilibrado nuestra conciencia del hecho humano. No le es fácil al hombre de cabeza admitir que «el hombre ha empezado por los pies» (Leroi-Gourhan), bipedia y movilidad del Sinántropo; y que la aparición del sujeto es inseparable de la del objeto. La hominización evidencia una génesis tecnológica y, más exactamente, una «tecnicidad de dos polos»: el sistema mano-herramienta, de una parte, y el sistema cara-lenguaje, de otra. Los dos se desarrollan conjuntamente y el uno por el otro, pero pagar tributo al *otro* sistema no es nada gratificante. De ahí el desprecio humanista de lo técnico. Y nuestra repugnancia, aún treinta mil años después de las primeras imágenes, a *concebir la invención estética en la prolongación de la tendencia técnica* inherente a la evolución del ser vivo. De la misma manera que el esqueleto se ha prolongado en la herramienta, las funciones humanas se prolongan con la añadidura de una serie de prótesis, hasta, e incluido, el sistema nervioso central de las máquinas electrónicas. La motricidad es así exteriorizada en la domesticación animal y la máquina simple, la memoria en soportes materiales (nuestras memorias artificiales), el cálculo en las máquinas de calcular, y, por último, la imaginación en las diversas imaginerías mecánicas. Todo lo interior «sale», músculo y sistema nervioso central, pero sucesivamente. Y la máquina que proyecta al hombre al exterior de sí mismo, facultad tras facultad, le modifica inexorablemente. Lo artificial retroactúa sobre lo natural. Cada nueva técnica crea un nuevo sujeto al renovar sus objetos. La foto ha cambiado nuestra percepción del espacio, y el cine nuestra percepción del tiempo (a través del montaje, y hasta el *collage* de los tiempos en «la imagen-cristal», cara a Deleuze). La cámara de los hermanos Lumière ha construido un mundo visible que ya no era el de la perspectiva (y es en tan escasa medida el del vídeo como él lo será del mundo numérico). El blanco y negro, por ejemplo, fue saludado unánimemente como «la vida misma», calco de la realidad, hasta la aparición del technicolor, que nos ha hecho descubrir que también había colores en nuestro campo visual, y concebir el blanco y negro como un código expresivo entre otros. Pero la historia técnica de lo visible no empieza con las cámaras, como tampoco empiezan las tecnologías de la inteligencia con los ordenadores. El bisonte grabado en Altamira es ya un artefacto, como una tabla de multiplicar es ya una máquina. Si «la evolución de la vida continúa con medios diferentes de la vida» (Stiegler), la evolución del mundo sensible ya no la deciden nuestros sentidos naturales, como tampoco la evolución del mundo intelectual es promovida en lo sucesivo por la suma de las inteligencias individuales. Nosotros no tenemos el mismo ojo que en el Quattrocento, pues tenemos miles de máquinas para ver lo que aquel siglo no podía imaginar, desde el microscopio al telescopio orbital, pasando por nuestra cámara de 24×36. Stiegler, resumiendo lo que dice Leroi-Gourhan, declara: «La técnica ha inventado al hombre en la misma medida que el hombre ha inventado la técnica».[12] *El sujeto humano es tanto la prolongación de sus objetos como lo contrario*. Bucle decisivo y sorprendente. Una consideración: posiblemente aquí se acaba ese humanismo tradicional que ve en la herramienta exclusivamente la instrumentación de una facultad, y *no su transformación*.[13] Y, no obstante, si la herramienta humana se *despega*

---

12. Bernard STIEGLER, *La programmatologie de Leroi-Gourhan*, y *Leroi-Gourhan, part maudite de l'anthropologie* [*La programatología de Leroi-Gourhan y Leroi-Gourhan, parte maldita de la antropología*], fotocopias, París, 1991.

13. Así MERLEAU-PONTY en *L'Œil et l'Esprit* [*El ojo y el espíritu*], París, Gallimard, 1964: «Toda técnica es técnica del cuerpo. Simboliza y amplía la estructura metafísica de nuestra carne».

del órgano físico es para vivir una vida propia. La suya, más que la nuestra. Separación fecunda, aventurera, innovadora, peligrosa también, pero que nos empuja *a salir del hombre para comprender al hombre. Nosotros no tenemos*, y cada vez menos, *la libre disposición de nuestras herramientas* (de producción, de representación y de transmisión). ¿No ha llegado el momento de tomar ese escándalo con la seriedad de una teoría?

No hay un ojo dentro y un ojo fuera, como quería Plotino, ni dos historias de la mirada, una para la retina y otra para los códigos, sino una sola que fusiona el cúmulo de nuestras obsesiones y la construcción de nuestras imaginerías. Cada vez más, lo mental se alinea con lo material, y las visiones interiores reproducen nuestros aparatos ópticos. El teleobjetivo, por ejemplo, y la amplificación fotográfica han modificado nuestra sensibilidad para el «detalle», y las fotografías desde los satélites el vaivén mental entre el todo y la parte. El *qué* y el *cómo* de la transmisión van juntos.

El Asia monista siempre lo ha aceptado mejor que el orgullo occidental, y dualista. En la China clásica, el ideal del pintor o del calígrafo era entrar y hacer entrar en comunión con el cosmos. Comunicar el invisible hálito creador del mundo, nada menos. El acto de pintar era un rito sagrado, y el pincel una especie de cetro, nos recuerda Pierre Ryckmans. Acto breve. Mas, para tres minutos de ejecución, cincuenta años de disciplina no eran demasiado, pues la efectiva transmisión del «qi» (el dinamismo de la materia) por la caligrafía dependía enteramente del aplomo del cuerpo, la posición de su brazo, la calidad de las cerdas y el ángulo que formaba la punta con el papel.[14]

El humanismo soporta muy bien «el elogio de la mano», órgano del Espíritu soberano, pero retrocede ante el elogio de la máquina (cuyo examen más crítico es todavía una variante). El automatismo le pone positivamente *fuera de sí*. La pintura inspira al escritor y al filósofo occidental, pues *continúa* la literatura (como el cine, a su manera, prolonga lo escrito). Mitos y Escrituras sagradas han engendrado miríadas de imágenes manuales, en la alegoría emblemática, el arte sacro o la pintura de género. Entre la idea y su conversión en imagen, el texto y su ilustración, se permanece entre gentes de espíritu. La foto o la televisión repelen, pues devuelven no símbolos o imágenes mentales sino cosas en estado de huellas. Sustitu-

---

14. Véase de manera especial, traducido y comentado por Pierre Ryckmans, Shi Tao, *Les propos sur la peinture du moine Citrouille amère [Las palabras sobre la pintura del monje Calabaza amarga]*, París, Hermann, 1984.

yen la cita por la impronta, el fin por la materia bruta. En la Ciudad espiritual, el cine está considerado como un advenedizo; la foto y la tele, como energúmenos. Con la mano no hay ruptura de carga carismática, el soplo creador se transmite directamente a la imagen fabricada, sin mediación intempestiva. Proximidades dichosas del cuerpo, intimidades fervientes del sí mismo. Los bellos y justos elogios de la actividad artesanal y de la destreza manual materializan, sin alterarla, la vieja noción de gracia demiúrgica. Una y otra sólo hacen que se manifieste mejor la pura libertad que in-forma a voluntad sus materiales naturales en la intemporalidad técnica del Acto creador. Tiene razón Focillon cuando dice: «El hombre que sueña no puede engendrar un arte: sus manos dormitan. El arte se hace con las manos. Las manos son el instrumento de la creación, pero, ante todo, el órgano del conocimiento. Para todo hombre, pero aún más para el artista...» (*Elogio de la mano*). Pero no dice con ello una verdad eterna, pues los órganos del conocimiento y de la creación abandonan progresivamente nuestro cuerpo. «El cuerpo humano es la tumba de los dioses», decía Alain, para situar la imaginación en la fisiología y la emotividad de las vísceras y, así, desmitificar «la inspiración divina». Pero también los cuerpos artistas han encontrado su tumba: el ordenador. Es inútil taparse la cara delante de la última de nuestras máquinas espirituales. Ésa, hasta un esteta lo sabe, tiene tanto espíritu como cien.

KANT POR CASTELLI

Se comprenderá mejor el abismo que se abre entre nuestra actual práctica de las imágenes y las teorías académicas del arte si se lee la *Crítica del juicio* de Emmanuel Kant a la luz del siglo XX, y no del siglo XVIII. No una lectura filosófica de esa filosofía para apreciar lo que la distingue ventajosamente de su época, teoría clásica de lo Bello y especulación sobre el Ser, clasicismo francés e idealismo alemán, sino una lectura de las Luces por «el arte contemporáneo»: Emmanuel Kant visto por Léo Castelli.[15] Lectura injusta, desfasada, deliberadamente anacrónica, pues el filósofo y el marchante no reflexionan sobre los mismos objetos ni con los mismos fines. Pero fantasía reveladora de esas diferencias mismas, para mejor com-

15. Figura totémica del mercado internacional desde los años sesenta, instalado en Nueva York, el galerista y marchante Léo Castelli ha lanzado artistas del Pop Art, del arte conceptual y del minimalismo.

prender lo que se ha ganado y lo que se ha perdido desde hace dos siglos.

Gesto profanador. En primer lugar, a los ojos de los filósofos del arte, que profesan un respeto muy particular a la doctrina kantiana. Contrariamente a la *Razón pura* en el campo científico y a la *Metafísica de las costumbres* en la moral, esa doctrina sigue siendo la principal referencia en este campo. Las estéticas tienen la extraña facultad de sobrevivir al tipo de arte que las ha suscitado. Léo Castelli no es sólo un marchante, sino además un esteta, esto es, alguien que cree en el arte. Kant le cree tan poco que apenas si habla de él. Nuestro modelo de «profesores jurados de estética», como los llamaba Henri Heine, no es ni un esteta ni un entendido. Su obra no trata de arte (aunque evoque aquí y allá, no sin comicidad, las «bellas artes»), sino de lo Bello y lo Sublime. Lo Bello no es ilustrado con imágenes u obras, sino con el canto de pequeños pájaros y las azucenas inmaculadas (*sic*). En cuanto a lo Sublime, surge allí donde desaparece toda figura, donde «los sentidos ya no ven nada delante de ellos», frente al espectáculo del infinito: el cielo estrellado, el Sinaí o la Ley moral. Kant prefiere el espectáculo de la Naturaleza a los objetos de arte.

A decir verdad, lo que aquí es evacuado por la revolución copernicana es la posibilidad misma de los objetos. El esteta gira en torno a los objetos de arte; el filósofo hace girar el objeto en torno al sujeto, pues lo Bello no es determinable por principios *a priori*. Lo Bello no se puede ni deducir ni producir a voluntad, pues su principio determinante no es un concepto de objeto sino un sentimiento subjetivo. Justamente ahí es donde Kant rompe la tradición especulativa de la belleza ideal. Lo Bello no es ni una idea ni una propiedad; está en nosotros y, al hablar de ello, no hago sino hablar de mí mismo. Ni sustancia ni esencia, como decían los griegos y después los doctrinarios del clasicismo, lo Bello es el correlato de un juicio singular que él llama juicio de gusto, intermedio entre las dos facultades de conocer y de desear (sensibilidad *sui generis* que justifica una Crítica singular, autónoma respecto de la Razón teórica y la Razón práctica). Esta firme modestia tiene la ventaja de no hacer del arte un medio de conocimiento, de acuerdo con la moda exaltada de los cazadores de ultramundo, a la alemana, manera romántica; ni un medio de educación, a la manera más prosaica de los instructores del pueblo, manera jacobina o bolchevique: doble negación que determina la originalidad de la obra kantiana respecto de otras anteriores y posteriores. El inconveniente está en la evacuación casi total de las cosas. Es una suerte que lo Bello no sea ni una metafísica ni una moral; la desgracia radica en que, así subjetivizado, pierde por el camino toda realidad física. Ciertamente, lo Bello de que aquí se habla no es aquello que el hombre fabrica, sino aquello con lo que el hombre de gusto se procura satisfacción. Se nos propone una estética de la recepción, no de la creación: el arte desde la perspectiva del visitante. Pero de la misma manera que la moral kantiana tiene manos puras porque no tiene manos, su espectador especulativo no tiene ni ojos ni cuerpo. Eso no es ninguna desgracia, pues no hay nada que ver. Exceptuado el inevitable doríforo de Policleto, no se encontrará aquí una alusión a alguna obra plástica o a un artista. Sus biógrafos han hablado de las costras de su casa de Königsberg, y hay algo conmovedor en el retiro insistente del sedentario: contrariamente a Diderot o incluso a Rousseau, Kant no frecuenta el arte de su tiempo. Él lee, no mira. Las ilustraciones son raras, y sus viajes, libros. Cuando escribe «la grandeza de San Pedro, en Roma, le deja a uno turbado», añade, en términos conmovedores, «por lo que dicen».[16] Y a propósito de las pirámides, precisa que «Savary, en sus cartas sobre Egipto, recomienda verlas ni demasiado cerca ni demasiado lejos». Además de la falta de interés, se adivina una repugnancia a la cosa física y plástica, como lo demuestra su Sistema de las Bellas Artes, donde determina su «valor respectivo» y sitúa en primer rango a la poesía, «juego libre del espíritu», ilustrada en este caso con una poesía del gran Friedrich, seguida de la elocuencia, con la música en tercer lugar, pues es la que «más se acerca a las artes habladas». Está tan cerca de todo esto la jerarquía griega, intacta, que nuestro filósofo deplora largamente la falta de urbanidad de la música en la ciudad, que incomoda a los vecinos y perjudica a la libertad, como el perfume (párrafos 53 y 54). A continuación viene la pintura, primera de las artes figurativas. Engloba «el arte de los jardines», ordenamiento de objetos naturales «conforme a ciertas ideas», sobre el mismo plano que el arte del dibujo, preferido al color. Este último es indigno y vulgar, atractivo y ornamental, mientras que la forma dibujada es noble, «pues puede penetrar más en la región de las ideas». Precisión idealista que no le impide añadir in fine: «Yo atribuiría aún a la pintura, en el sentido amplio del término, la decoración de viviendas, tapices, complementos, toda bella pieza de mobiliario que está ahí únicamente para la vista».[17] Incongruencias elocuentes, aunque generalmente se silencien. La estética hegeliana es un palacio especulativo donde, no obstante, alienta lo

---

16. *Critique du jugement [Crítica del juicio]*, París, Vrin, 1960. Párrafo 26.
17. *Critique du jugement [Crítica del juicio]*, París, Vrin, 1960. Parrafo 141.

real de las formas, con grandes ventanas abiertas a la vida, la variedad concreta de los géneros, de los países y de las obras. Sus especulaciones, aunque todas sean sistemáticas también, nos hacen atravesar continentes y museos (que Hegel recorría personalmente). Kant ha inaugurado la sonrisa del gato sin gato. La estética hegeliana es, como sus compañeras, una rama de la filosofía, pero la de Kant no ha salido del tronco.

Castelli lamenta esa aridez pero, decidido a hacer un esfuerzo, desearía pasar revista y poner en orden los cuatro momentos de «la definición de lo Bello», no sin inquietarse por esa mayúscula. A sus ojos, como a los nuestros, no hay amor sino pruebas de amor; no existe lo Bello sino obras bellas. Éstas hacen lo Bello, no lo inverso. Semejante conversión de un calificativo en sustantivo le haría sonreír por su ingenuidad, si no recordara que se trata de un procedimiento clásico entre los especuladores de los tiempos antiguos. Se pregunta de paso dónde situar todas esas imágenes deliberadamente feas y violentas, aparecidas tras las huellas del expresionismo alemán, esos Baselitz y esos Schönebeck, incluso esos Nolde y esos Kieffer, que tan bien se venden hoy. ¿Son o no son ya arte la estética de lo feo, el arte del desecho y la *bad-painting*?

Primer momento: *«Es bello el objeto de una satisfacción desinteresada»*. En eso lo bello se distingue de lo agradable, que place a los sentidos en la sensación, y de lo bueno, que remite a un fin. Yo deseo físicamente lo agradable y lo bueno, para disfrutarlo y servirme de ello. Aquí, ni inclinación sensible ni apetito vulgar: esto sería ya patología, y no estética. La *representación* de lo bello debe bastar, sin deseo de posesión ni cálculo interesado. Castelli, que siempre ha calculado los precios y ha deseado poseer no sólo las obras que satisfacen sino también a los propios artistas (para hacer que su clientela se beneficie de ellos), no puede menos que pensar que si Kant tuviera razón la historia del arte no existiría, pues nunca habría habido mercado del arte, ni siquiera arte, el cual no es una operación del Espíritu Santo. Así, pues, ni motor ni móvil. Y tampoco artistas, pues quien rechaza el goce del amante del arte no puede concebir ya la angustia, la alegría y el dolor del creador, el cual también trabaja patológicamente, con sus pasiones y sus impedimentos. ¿Cuándo fue el arte una actividad desinteresada? Los compradores quieren hacer inversiones; otros, o los mismos, pues no hay contradicción en ello, quieren proporcionarse un placer. ¿Cuándo no ha sido el arte una inversión libidinal y especulativa? El mecenazgo antiguo no tenía nada de gratuito: el mecenas, con sus fastos y sus dispendios, pretendía conseguir poder en su ciudad. ¿Qué filántropo no quiere dar a conocer su generosidad con la inscripción de su nombre en una placa, y con desgravación fiscal? Sin leyes de Fundaciones, las donaciones, a fe mía... «La función del arte es no tener función.» Esa desfuncionalización se puede ver como un proceso, pero el desinterés, si existe en el esteta puro, es un resultado, no un punto de partida. El griego que modelaba un ídolo o un *colossos*, el cristiano que encargaba una ofrenda o un exvoto tenían el mayor interés en la existencia de ese objeto. De él dependían su salud, su bienestar, la inmortalidad de su alma. Esas cosas que yo recibo y percibo como obras de arte han sido fabricadas por constituir un medio seguro de curación, o un bien de salvación, o una prenda de seguridad física, en una palabra, por ser recursos indispensables para la supervivencia. Es como si, dentro de quinientos años, se vaciaran los cajones de un escritor de hoy para exponer, a modo de obras literarias, su tintero, una carta dirigida al recaudador de impuestos, una póliza de seguro de vida o una receta médica. Ciertamente, en nuestros museos se pueden exponer y en nuestros álbumes se pueden explicar como «obras de arte» objetos que en un principio cumplían fines no estéticos. Uno llega a contemplarlos sin idea de compra o de venta, con un interés desinteresado. Es una decisión siempre posible, que sólo depende de nosotros y que nada ilegitima: después de todo, y es Kant quien lo dice, el arte está en el sujeto, y no en el objeto. El problema radica en que esa selección de los objetos «bellos», tenidos por inútiles, y extraídos del cúmulo de artilugios utilitarios, no tiene valor universal.

Si se define como «arte» «la producción de objetos materiales cuyo valor de uso es exclusivamente simbólico», se utilizan categorías y oposiciones que sólo son válidas en nuestra sociedad. Lo que es simbólico para un francés no lo es ciertamente para un bantú, y lo que es utilitario para un aymará de Bolivia no lo es para un oficinista de Manhattan. Además, y esto es lo más frecuente, un objeto es a la vez funcional y simbólico. Nos podemos servir de él y contemplarlo. Como un creyente puede rezar en la iglesia, ante un retablo medieval, y después pasarse un buen rato examinándolo con calma. Las iglesias son también museos. Este doble empleo hace de la separación bello/no bello, puro/impuro una operación plenamente intelectual, sin respaldo empírico.

Segundo momento de lo Bello: «*Aquello que agrada universalmente sin concepto*». Tanta perplejidad como palabras. «Agradar...» Si el arte fuera siempre e inmediatamente agradable, Castelli ya no tendría nada que vender, los críticos ya no tendrían artistas a los que «defender», y los artistas ya no tendrían ninguna esperanza de escándalo. Es un hecho que hasta Kant, con sólo algunas excepciones, los grandes artistas han agradado a su época. Giotto, Caravaggio, Vinci, Tiziano, Fragonard y David fueron aclamados casi unánimemente en vida. Pero a partir del siglo XIX, ese mundo estable, ordenado de acuerdo con cánones de bellezas, de criterios de oficio reconocidos y donde la fijación de cotas se habría podido hacer por sondeo en los ambientes cultivados, se resquebraja y, luego, se derrumba. Delacroix, Manet, Pissarro, Gauguin, Van Gogh y Dubuffet han desagradado. Y si no hubieran desagradado, no habrían llegado a ser «genios» fuera de alcance y de precio. «Para que los cuadros se vendan caros, decía Picasso, es necesario que se vendan a muy buen precio al principio.» ¿Por qué compró Kahnweiler *Las señoritas de Aviñón?* Él mismo lo dijo: porque «desagradaban soberanamente a todo el mundo». Ése es el secreto de las obras que se pagarán mañana. Desagradar (molestar al burgués y al ignorante), exigencia formal y especulativa, es la moral del arte moderno. De esa obligación tácita, «el antiarte» ha hecho un deber explícito. ¿Qué artista «serio» no se ha visto a sí mismo como enterrador del arte y, en primer lugar, de los artistas agradables y célebres que le han precedido (los cuales, a su vez, etc.)? Lo bello moderno es siempre nuevo, pero ¿no parece siempre feo lo nuevo? Léo Castelli se pregunta si ese filósofo ha salido realmente de su casa.

«Universalmente»: este laconismo es bello, pues el filósofo no ignora evidentemente lo arbitrario «de los gustos y de los colores». Sabe muy bien que la realidad sociológica no es ésa; además pone aquí un ideal, una moral del sentimiento, allí el caos flagrante del cada uno para él. Juzgar un objeto como bello es afirmar que no lo es sólo para mí, que hay algo en él que debe y puede interpelar a cualquier ser humano, que es por derecho comunicable a todos. Apuesta muy digna de la Ilustración: es el individuo en su fuero interno el que decide acerca de lo bello, pero esa decisión, milagro de la naturaleza humana, vale por todas. Por lo tanto, subjetivo no es particular. Aunque saluda ese optimismo del asentimiento general, que es también el suyo y, en el fondo, el de todos los estetas (más generosos de lo que piensa el vulgar), Léo Castelli se ve obligado a reconocer que no le satisface plenamente. ¿Por qué no se hace la traducción de lo universal a lo planetario? El «arte internacional» no deja de ser occidental, y no sólo en razón de las desigualdades en poder adquisitivo (los emiratos del Golfo se mantienen obstinadamente fuera del mercado). Ciertamente, Occidente no tiene la exclusiva del placer estético, pero nuestra tradición de la imagen no es evidentemente la del Islam, ni la de la India, ni la de África. El universal kantiano se ha mezclado aparentemente con la historia y la geografía, su concepto de lo Bello no es un hecho de cultura. Además, en el seno mismo de nuestra tradición, nuestro promotor no ve nada, en su experiencia, que verifique ese deseo benévolo de separación. Tal vez tenga razón Kant cuando *dice* que lo que sólo es bello para mí no es bello, pero el esnobismo siempre ha *hecho* lo contrario, a saber: lo que es válido para todos no le interesa. La intolerancia y la perfidia de los juicios de gusto, próximos al fanatismo, parecen más bien a la medida de su arbitrariedad. Los entendidos en pintura consideran que el valor (estético) de un cuadro es indefinible, pero esos mismos nunca han dudado en decidir y definir, en un tono sin réplica posible, a los «buenos» y «malos» artistas. El mismo Castelli, aunque más dubitativo, se guarda de reprenderlos. No sólo porque el cliente siempre tiene razón sino además porque él también la tiene y, aunque la tenga, nunca ha podido promover a un artista, darle, como integrante de su galería, «categoría internacional», sin devaluar a otro, al que ha tenido que rechazar para no despreciar a los que ya tenía. Su problema, como director de la más importante galería de los Estados Unidos de América, no es ampliar el mercado por gusto, sino elevar la cotización de los artistas. Esto se consigue organizando lo que es escaso. Sería muy humanitario obtener «buenos productos» sin eliminar los «malos», pero no es posible: seleccionar es siempre eliminar.

«Sin concepto»: para él, esta privación no es desagradar. Aquí Kant ha acertado. No, no hay regla lógica. Los conceptos conciernen al conocimiento, el arte es del sentimiento, y del concepto no se puede pasar al sentimiento. De lo contrario, todos los grandes cerebros de la lógica formal tendrían gusto, cosa de la que no hay pruebas visibles (empezando por Kant). ¿Significa eso que el sentimiento de lo bello es natural e inmediato? Más bien parece que haya que *organizar* la sensibilidad. Por lo demás, siempre lo ha estado, como la comunicación efectiva de los juicios de gusto, que no transitan por sí mismos entre hombre y hombre. Hay que empujarlos. Tal vez la universalidad funciona sin concepto, pero no sin trabajo. Tiene que equiparse, sudar la camisa. El arte negro, por ejemplo, no ha caído del cielo; es un trabajo de cada día, una sucesión de viajes, transportes y metáforas que no tienen nada de automático. Veámoslo. En la selva de Gabón, un artesano fang, muy conocido en la región, talla un tronco de árbol en honor y con la efigie de su abuelo, muerto hace poco. Un bello fetiche entre cien más. Un agente parisién, en viaje de prospección, llega, sondea, discute y obtiene el objeto por mil francos. Tras conquistar al director de aduanas con un regalo, lleva la obra de artesanía a París y la revende en ocho mil francos a un galerista amigo suyo de la rue des Beaux-Arts. El galerista la pone en el escaparate, sin indicación del precio (contrariamente a las cafeteras del mercadillo), pero con la etiqueta: «Objeto contemporáneo de arte primitivo». El escultor fang, en su tierra, no es un cualquiera. Tiene un nombre, una notoriedad, una reputación. Le llegan encargos de las aldeas vecinas. Pero lo que distingue en nuestras rúbricas al «arte primitivo» de otras artes es el anonimato. El galerista parisién borrará, pues, el nombre del autor, en beneficio exclusivo de su localización étnica. La autenticidad del objeto a los ojos de un occidental estará así garantizada por ese pequeño truco, condición de su transubstanciación estética, condición de su valorización económica. Sobre el altar del arte negro, el brujo blanco, en el extremo de la cadena, sacrifica al negro individual y concreto, de manera que, tras recorrer cuatro mil kilómetros y pasar del mundo africano al mundo del arte, una materia inalterada en su forma ha podido cambiar de aura, de mirada y de precio. Lo que llevamos con nosotros por toda la tierra no es el «espejo del arte» sino un aparato que fija, capta, elimina y transforma todas las imágenes a nuestra imagen. La comunidad de receptores de lo bello es menos pasiva de lo que ella misma se imagina: la recepción es producción, y la obra de arte una operación en la que la magia del resultado oculta el trabajo de hormiga integrado por las meditaciones que lo han hecho posible.

Tercer momento: «*La belleza es la forma de la finalidad de un objeto en tanto que es percibida sin representación de un fin*». He aquí de nuevo el dogma de la inutilidad, al que Kant se veía constreñido por su fin, que es fundamentar sobre derecho el cosmopolitismo del gusto. Toda vez que los fines son bárbaros y particulares, como lo son las inclinaciones y las emociones, el gusto deberá hacerse independiente para permitir a lo Bello erigirse en valor universal. El objeto bello tiene que ser en sí mismo su propio fin, sin concepto de utilidad exterior. Evidentemente, siempre se puede proclamar a Kant el inventor del dibujo, que hace concordar la forma de un objeto con su funcionalidad interna. Pero aquí no se trata de objetos, y aún menos de objetos industriales, sino de jardines y céspedes. Y Kant debe dar como ejemplo la pequeña flor que «no remite a ningún fin». De hecho, todo el mundo, en Heidelberg lo mismo que en Ulan-Bator, profesa a las pequeñas flores un amor desinteresado. ¿Podría el amor alemán a la naturaleza hacer olvidar a nuestro hombre sensible todo lo que distingue al girasol de un cuadro de Van Gogh? Los artistas, es cierto, también se dejan engañar. «Un tronco de árbol, decía Brancusi, es ya una gran escultura.» Ciertamente una «palabra de artista», piensa nuestro lector italo-americano. Atractivo, poético e idiota. Un roble es definitivo e incontestable. No es construido por una mirada, se ofrece inmediatamente como tal, sin esquemas de referencia interpuestos. El simbolismo del roble puede variar según las culturas y los países (en el nuestro, de san Luis a Mitterrand, pasando por Hugo, ese simbolismo permanece estable). Pero el roble real no es un ser histórico: el tiempo no altera su naturaleza, crece, muere y renace permaneciendo semejante a sí mismo de siglo en siglo, y su expansión geográfica sigue siendo exterior a su caracterización botánica. Es identificable independientemente de sus lugares y ambientes de vegetación. La estética es una botánica desgraciada: al contrario de los árboles y los países agraciados, tiene una historia o, más bien, *es* historia. Los museos de historia natural sólo varían en su arquitectura. Los museos de arte son reorganizados por el tiempo social, sus salas son redistribuidas y sus cimacios son cambiados totalmente. El gusto no es intelectual sino sensorial. Sea. Pero las sensaciones de lo bello son conceptualizadas por el tiempo. Él es el que organiza y legitima nuestra estética. No sólo la bolsa de los valores artísticos con sus vaivenes (el Quattrocento no era arte para el siglo XVIII), sino también la idea del arte como valor de eso que no sirve para nada (la vajilla de oro que Enrique VIII utilizaba para comer se ha *convertido en* orfebrería de arte). La Ilustración ha creado el Museo, máquina temporal de producir lo intemporal; los museos de arte moderno han hecho «el arte moderno», que no existía como categoría singular antes de la aparición (entre 1920 y 1940) de espacios destinados expresamente a él. Por encima no hay ni sentimiento ni concepto; la mirada interioriza la norma; aunque todas ellas sean singulares, nuestras percepciones están categorizadas culturalmente, y tanto frente a la naturaleza como frente a los cuadros. Yo no veo el mismo desierto que un tuareg.

Cuarto y último momento: «*Es bello lo que es reconocido sin concepto como objeto de una satisfacción necesaria*». Así, pues, lo bello es siempre lo que debe ser, por necesidad interna y natural. Traducción: en el arte, los artistas hacen todo el trabajo, la obra se impone por sí misma. La sonrisa indulgente de Castelli se trueca aquí en sarcasmo. Como si se le hubieran proporcionado obras totalmente acabadas, alondras ya asadas y a punto para servir. Como si él no hubiera sido el inventor de cinco o seis vanguardias sucesivas, como si sólo hubiera sido el *maître d' hotel* de esos señores. Entonces, ¿era sólo una sombra lo que se cernía sobre ese teatro? ¿No es cierto que

él y todos los profesionales del arte contemporáneo han creado a todos esos creadores? Tenerlos por intermediarios pasivos entre las
obras y el público, y no por actores de pleno derecho en el escenario,
sería no comprender nada. ¿Forman la «transvanguardia», por ejemplo, Clemente, Cucchi y *tutti quanti*, o bien yo, Léo Castelli, que los
he reagrupado en un mismo siglo, los he organizado en un feudo, he
movilizado los medios de comunicación, he recompensado a los críticos y las revistas de arte bien inspiradas, he aconsejado a los coleccionistas y a los museos, he supervisado los catálogos, he mantenido
las cotizaciones en las ventas públicas, los he hecho circular por todo
el mundo, sin dejar de invitar a unos y otros para que se encuentren
en mis *vernissages*, mis coloquios, mis cenas? Esa necesidad yo no
la he «defendido», la he construido; no con todas las piezas, puesto
que en un principio ya había, es cierto, cuadros. Pero con esa materia
prima, en modo alguno indiferente pero tampoco decisiva, he hecho
un *must* de la plástica contemporánea. Dejo a los cascarrabias la tarea de averiguar quién, de esos pintores o de mi galería, de sus nombres o de mi siglo, ha sido valedor de quién. En cualquier caso, Dios
sabe que yo no he robado el *fifty-fifty* sobre las ventas. Desanimado,
Castelli no siguió adelante con la *Crítica del juicio*. Había comprendido que arte vivo y filosofía del arte son dos cosas diferentes, y que
entre Kant y él habría sido imposible el diálogo.

En este debate, el mediólogo tomaría partido en favor del operador contra el doctrinario. La inteligencia de la mirada la encontraría
en los mecanismos del mercado más que en las deducciones de la
Universidad. Si nos hemos detenido en esas gloriosas definiciones
en las que se ha tratado de lo Bello sin consideración de lo sagrado
ni de los materiales, sin más referencia a la teología que a la técnica,
es porque Kant aparece como el antimediólogo por excelencia. Kant
hace tabla rasa de las mediaciones. Un gusto innato, sin formación;
un oficio espontáneo, sin aprendizaje; en suma, un arte acabado, sin
factores de arte: una función sin órgano. O una teoría sin práctica
correspondiente. Para los descendientes de Kant en la historia normativa del arte, nada se interpone entre el sujeto de gusto y el objeto de arte. Nada de todo esto que ha venido, según las palabras de
Antoine Hennion, a «repoblar el mundo con análisis de arte»: todo
ese juego entre sustentadores de la demanda (el ambiente del mercado), los modeladores de la oferta (el ambiente profesional) y sus
interfaces (el ambiente de los amantes del arte).[18]

_____

18. Antoine HENNION, *De la fusion du groupe à l'amour d'un objet: pour une
anthropologie de la médiation musicale [De la fusión del grupo al amor de un obje-*

Indiferencia de lo Bello a sus aplicaciones (arquitectura, pintura, grabado, horticultura, etc.). Posiblemente, el formalismo kantiano, que repliega la creación sobre su lógica interna, abstracción hecha de las artes, de los géneros y las obras, accede al formalismo de la invención contemporánea, también ella replegada sobre los «juegos de la lengua» homogeneizados. Pero el código de apreciación propuesto para ese formalismo rechaza todo *aggiornamento* en razón misma del actual predominio de los efectos de forma sobre los contenidos de lo Bello. Somos testigos de que las condiciones de difusión de las obras se remontan a las fuentes de su producción, para determinar cada vez en mayor medida su naturaleza. Como quiera que la materia domina a la materia hasta el punto de tomarse a sí misma por materia, cada vez vemos mejor qué hay de autoridad en todo efecto de belleza. ¿De dónde viene la autoridad y cómo se confiere? Si el arte es hoy lo que se encuentra en los museos, ¿quién programa los museos y quién decide las adquisiciones? ¿De acuerdo con qué criterios y de acuerdo con qué connivencias operan las comisiones de compras? ¿Quién selecciona lo que va en los cimacios y lo que va a parar a las reservas? ¿No se han convertido esas cuestiones de «sociología» o de administración en cuestiones de decisión y definición? ¿No ha pasado al interior el antiguo exterior del arte? Thierry de Duve releva a Bourdieu, que había desmontado «la génesis de la estética pura» teorizando el arte de institución, mientras Yves Michaud escudriña los decretos de los «comisarios».[19] Si el valor artístico de un objeto se debe a su colocación en el escaparate o al precio que se le asigna en una exposición, los responsables de las salas de exposición y de las acreditaciones quedan promovidos automáticamente a la condición de creadores.

Duchamp es, en los hechos y con su trabajo, el que ha inaugurado la mediología del arte, con sus riesgos y sus peligros, al abrir el catálogo «indicaciones». Al ganar su apuesta, Duchamp ha catapultado la mediación hasta la cabina de mando. ¿Quiere usted una obra de arte? Coja este urinario, llévelo al museo y mire bien dentro: es un espejo. Así descubrirá que un museo es una acumulación de indicadores, «atención: esto se debe ver». El mediólogo es, pues, ese

---

to: por una antropología de la mediación musical], Centre de sociologie de l'Innovation, École des Mines de Paris, 1990, págs. 3 y 4.

19. Thierry DE DUVE, *Au nom de l'art. Pour une archéologie de la modernité [En nombre del arte. Por una arqueología de la modernidad]*, París, Minuit, 1989, e Yves MICHAUD, *L'artiste et les commissaires [El artista y los comisarios]*, París, Éditions Jacqueline Chambon, 1990.

imbécil que, cuando se le señala la luna, mira al dedo. En lugar de seguir la dirección de las flechas, a ciegas, trepa brazo arriba para ver el cuerpo o los cuerpos que señalan. Nuestra época está viendo cómo la museología se extiende a medida que la estética se reduce, y los espacios de exposición ganan en magnificencia a medida que las obras materiales se ausentan de ellos. ¿Se sabe cada vez peor qué es una obra de arte y se sabe cada vez mejor qué es un museo? Es posible, pero si la respuesta a la primera parte de la pregunta nunca estará completamente en la segunda, podemos convenir en que las dos se pueden aclarar mutuamente.

LIBRO II

El mito del arte

5. La espiral sin fin de la historia

El arte no es una invariante de la condición humana, sino una noción tardía propia del Occidente moderno y cuya perennidad nada garantiza. Esta abstracción mítica ha extraído su legitimidad de una «historia del arte» no menos mitológica, último refugio del tiempo lineal utópico. La observación de los ciclos reales de invención plástica, a la larga, conduciría más bien a reemplazar la idea mesiánica de evolución de las formas por la de «revolución», es decir, la línea por la espiral.

UNA PALABRA RIPOLÍN

Entre nuestras imágenes y nosotros se alza una palabra pantalla: «arte». Todos hemos tropezado en distintas ocasiones, y como maquinalmente, con ese trasto. La engañosa palabra bisílaba constituye un obstáculo para toda elucidación de las variables de la imagen. Presenta un artefacto como producto natural, un instante como esencia y un folclore como universal. La retórica sumaria del arte, gran embuste, es demasiado omnipresente para eludirla. Nos contentaríamos con verla de nuevo en el sitio que le corresponde.

Los sacerdotes del arte ofician metamorfosis y resurrecciones como otros tantos avatares de una sustancia transhistórica. Esta palabra no es más que un sustantivo de última hora. El último de los oficiantes del culto ha reconocido *in fine*: «Lo intemporal tampoco es eterno» (Malraux).

Se nos había querido hacer creer que el Arte es una invariante, región del ser o parcela del alma, que se llenaba poco a poco de imágenes fabricadas aquí y allá. Se hacía como si el movimiento de las imágenes desde hace treinta mil años declinara, al hilo de los siglos; una estructura ideal, junto con propiedades comunes que definían una determinada clase de objetos y de la que cada época vendría a actualizar este o aquel tramo o segmento. Nuestro «arte moderno», al abrazar la ley del último que ha llegado y del más fuerte, extrae su justificación exclusivamente de sí mismo. Arrogancia de ese carácter: lo local convertido en global y presidiendo el tribunal; un segmento privilegiado que se expone íntegramente o al fin de la historia, y que, por no comprender lo que se le escapa, finge encontrarse en el origen de todas las imágenes fabricadas por mano humana y recogidas por nuestro celo. En realidad, es lo contrario: cada edad de la imagen tiene su tipo de arte.

Ingenuidad etnocéntrica: «el museo libera al arte de sus funciones extraartísticas». Como si «el arte» hubiera tenido que esperar, sufriendo en la sombra durante siglos, que se le devolviera a sí mismo, totalidad autosuficiente y autoengendrada, indebidamente desnaturalizada, alienada, pervertida por intereses alógenos e ilegítimos. ¿No sería más conforme con la realidad de las metamorfosis invertir la proporción: «el museo ha despojado a las imágenes sagradas de sus funciones de culto»? La belleza hecha expresamente es lo que llamamos arte; en la historia de Occidente sólo ocupa cuatro o cinco siglos. Breve paréntesis.

Nuestro siglo XX se ha caracterizado por el cuestionamiento de las normas estéticas heredadas del precedente, las oposiciones arte popular/arte de elite, kitsch/vanguardia, etc. En palabras de Harold Rosenberg, nuestro siglo ha procedido a la «desdefinición» del arte. Se han reciclado y se han metido en el saco toda suerte de incongruencias, exotismos o desechos que nuestros predecesores han ido dejando en la cuneta. Subsiste un dogmatismo oculto bajo ese hiperempirismo, un autoritarismo larvado bajo ese anarquismo visual: la idea de saco. Hoy en día lo puedo coger todo, sea lo que sea: frasco de orina de artista, portabotellas, secador del cabello, cuadro sin nada en él, cuerda con nudos, silla colgada de una pared con una foto de la susodicha silla al lado. Pero aún no tengo derecho a tirar el saco a la basura. Se admite que «todo es arte», pero aún no se admite que el arte no es nada, o sólo una ilusión eficaz. ¿Para qué sirve en definitiva este nombre mágico, enigma hecho evidencia, concepto extraño y excesivamente familiar? Para cubrir las roturas de cableado entre las civilizaciones, como entre los diferentes momentos de la nuestra, con una capa de plástico uniforme. Arte, palabra ripolín, palabra palimpsesto, en la que cada época, para imponer a las otras sus propias creencias, elimina imperturbablemente las de sus predecesoras.

Mentiras lucrativas: «Historia general de la pintura» o «Enciclopedia del arte universal». Mentira grandilocuente: «Siempre envuelto en historia pero parecido a sí mismo, desde Sumeria hasta la Escuela de París, el acto creador mantiene a lo largo de los siglos una reconquista tan antigua como el hombre» (Malraux). Mentira útil, incluso a los amantes de la verdad: el Museo del Louvre.

¿En nombre de qué se pueden poner entidades tan heterogéneas como las Venus esteatopigias de la Prehistoria, Atenea Parthenos, la Virgen del donante, la Dama de Auxerre y las Señoritas de Aviñón bajo un factor común? ¿En nombre de la Imagen? Pero la palabra no tiene el mismo sentido, la imagen no está investida de los mismos afectos, según que se esté en París en 1992, en Roma en 1792 o en Roma en 1350 (cuando un millón de fieles recorren la ciudad para contemplar una imagen milagrosa de Jesús). No es la misma química imaginaria, pues la dinámica de la mirada no es ya la misma. Pretender aislar una idea de imagen sería también una idea imaginaria. No hay una invariante «imago» en la abundancia infinita de lo visible, pues la diversidad es la esencia y la invariante especulativa.

Decir como Gombrich en el *incipit* de su *Historia del arte* que no hay arte sino artistas, es diferir el problema: ¿desde cuándo hay artistas y por qué? «¿Es arte todo aquello a lo que los hombres llaman así?» ¿Y, entonces, qué había en ausencia del nombre propio, antes del paso del cuchitril al *studiolo* y del gremio a la Academia? No es el artista el que ha hecho el arte, es la noción de arte la que ha hecho del artesano un artista, y esa noción no emerge majestuosamente sino con el Quattrocento florentino, en ese período que va de la conquista por los pintores de su autonomía corporativa (1378) hasta la apoteosis funeraria de Miguel Ángel, escenificada por Vasari (1564).

LA APUESTA DE UN ARTÍCULO DEFINIDO

Lo que se plantea en la definición del arte (interrogación aparentemente sin alcance práctico) es saber si la historia del arte es o no es una ráfaga de viento que gira en torno a una quimera. Si el arte es *uno*, en esencia, entonces hay *una* historia del arte. ¿Y si no? Pues bien, si no, nuestros «asnos portadores de reliquias» no hacen más que traer y llevar chismes.

Los profesionales obsesionados con la datación, la atribución y la documentación hablan en nombre de la Ciencia. Incluso en el plano cotidiano, para ellos la reflexión filosófica es algo arbitrario, subjetivo y doctrinal, los cuestionadores de nuestra especie son bromistas y las actitudes radicales pensamientos fuera de lugar. ¿No se les podría contestar que es su creencia en el arte la que fundamenta su historia del arte, y no a la inversa? ¿Y si nuestros monógrafos más positivos, nuestros historiadores del arte más refractarios a las ideas generales, más sobriamente anglosajones, fueran «alucinados del trasmundo»? Para un profano su crédito y su tono de condescendencia parecen reposar en presupuestos un tanto arbitrarios, subjetivos y doctrinales, a saber; 1. que existe un concepto único de arte a lo largo de las civilizaciones y las épocas; 2. que, por lo tanto, puede haber una historia única y continua de esa entidad, y 3. que dicha historia puede ser objeto a su vez de una ciencia autónoma y específica. Como si no hubiera civilizaciones en las que la historia de las formas no es sino una declinación accesoria de contenidos mucho más amplios; en las que, por otra parte, la historia del arte y el arte como historia nunca vieron la luz del día. Por ejemplo, la civilización bizantina durante un milenio. La civilización china aún durante más tiempo (donde, al no ser «el arte» una función diferenciada de la actividad social, no se percibía la necesidad de conservar «las obras de arte», y donde las copias tenían el mismo valor que los originales). Y aún hoy en Japón, donde los templos shinto son reconstruidos periódicamente sin perder nada de su *aura*. El índice de autonominación de las formas plásticas es eminentemente variable. Todo el mundo sabe que es imposible comprender la producción estética de un grupo humano sin situarla en medio de los demás aspectos de su vida técnica, jurídica, económica o política. Lo que nosotros llamamos «arte» puede muy bien no constituir en sí mismo un subconjunto significativo distinto de todos los demás. Hay umbrales de consistencia de la invención plástica dentro de los cuales «la historia del arte» tiene que aceptar fundirse en la historia de las religiones, o sea, en una simple antropología.

La República explicó a nuestros antepasados la distinción entre la enseñanza de la Religión y la Historia de las religiones. La enseñanza de la Religión designa la del Cristianismo, que es la religión por excelencia, la única verdadera. Está adscrita a las facultades de teología. La historia de las religiones, laica o profana, desprovista de juicios de valor y de objetivos apologéticos, está adscrita a las facultades de letras y ciencias humanas. Enfoques tan contradictorios que el segundo se ha impuesto al primero, tras reñida lucha y muy tardíamente (en Francia, hacia finales del siglo XIX). Hay países, por ejemplo en el norte de Europa, donde esa distribución de funciones y campos es todavía objeto de discusiones. Con su apariencia positivista (y a veces en razón misma de su especialización), la historia del arte ha debilitado durante mucho tiempo a una Revelación dos veces dogmática: con sus prejuicios y con la ignorancia en que se encontraba. Hasta hace poco tiempo, la Escuela del Louvre era una facultad de teología profana. Santuario de un Dios único: el arte, sustantivo singular.

Por tradición, «las» artes son etnológicas o bien domésticas, sólo el Arte en singular es importante. Todavía se imparten, y sin mofa, cursos de «historia del Arte», cuando ya nadie, ironías aparte, propone una historia de *la* Civilización. Sabemos muy bien que el artículo definido fija la ideología o la causa justa: un objeto absoluto estudiado en lo absoluto. Un fetiche, pues. Salvo aquí. Un día, hace un siglo o dos, los teólogos de la Revelación vieron cómo les era arrebatada la exclusividad en el estudio de las Escrituras: entonces nació la historia de las religiones. Un día, tal vez, los teólogos del arte aceptarán compartir su feudo con los etnólogos del archipiélago Imagen. Ese día, la historia del arte romperá por fin con la Historia sagrada y el discurso piadoso. En esa historia, la distribución de los premios de belleza es la calderilla profana, al igual que los tradicionales relatos de grandeza y decadencia del arte ideal (*Historia del arte entre los antiguos*), o bien lo mismo al revés, decadencia y grandeza del arte actual (*Las vidas de los más excelentes arquitectos, pintores y escultores italianos, desde Cimabue hasta los tiempos presentes*), Winckelmann y Vasari. Quien acepta la discontinuidad de las edades, de los continentes, de los estados de la imagen, puede deshacerse de la vieja pregunta sobre el fin, y de las melancolías del «fin del arte». No hay fin en lo absoluto, o dicho de manera más trivial: el fin del arte no es el fin de las imágenes.

DE TAL PADRE TAL HIJO

A un objeto artificial le corresponde una historia irreal. Y la inconsistencia del mito «arte» no se manifiesta en parte alguna mejor que en el examen de las fragilidades idealistas de «la historia del arte», que la protege, como la concha a la ostra. La noción de Arte apareció efectivamente en el Renacimiento, arrastrada por la idea, absolutamente nueva, de progreso, alojada en el seno de una Historia ingenuamente estructurada por su supuesto fin; pero si las *Vidas* de Vasari (1550) constituyeron un día su emblema, sus postulados perduran todavía hoy. «No habría habido historia del arte sin la idea de un *progreso* de ese arte a través de los siglos» (E.H. Gombrich). Desde el momento en el que todo artista se inscribe en una sucesión lineal, el sitio que ocupa le otorga un rango, más alto o más bajo. Hasta esta misma mañana, la superstición de «la vanguardia» y de lo «nuevo» convertía en esnobismo profano el simplismo religioso de esa línea recta. El tema aparentemente opuesto de la decadencia y de «la muerte del arte» procede del mismo postulado, el del «Arte en marcha».

Y ese arte marcha siempre. ¿Hacia dónde va el Arte moderno, al decir de los cronistas? No hay elección; hacia lo mejor o hacia lo peor, marcha hacia adelante o hacia atrás, progreso o regresión, *tertium non datur*.

Se va de un comienzo absoluto a un acabamiento esperado, aunque siempre diferido; de un año cero, pasado el cual ya no es posible volver atrás, a un apocalipsis ideal. La historia del arte, de la más sabia a la más maquinal, está poblada por el arquetipo cristiano del tiempo salvador que empieza con la Encarnación y termina en el Juicio Final. Es una teología más o menos gloriosa. El fin de la historia, en las dos acepciones de la palabra, dicta en sentido inverso el paciente avance de un origen encerrado en su noche hacia su reconocimiento a plena luz, su Renacimiento, su Resurrección: esquema vaseriano. O bien se seguirá el itinerario de una noble simplicidad perdida para siempre, la de Níobe o Laocoonte, hasta las superfluidades lujuriosas del arte relajado del presente: esquema de Winckelmann. «En las artes que se basan en el dibujo, así como en todas las invenciones humanas, se ha empezado por lo necesario, después se ha buscado lo bello, y por último se ha dado con lo superfluo y la exageración: ésos son los tres principales períodos del arte» (Winckelmann).

Dos y sólo dos orientaciones son posibles en el seno de esta concepción: el vector alegre y el vector triste. El Renacimiento ha cantado la Ascensión; las Luces, el abandono. El romanticismo alemán buscó el movimiento de temporalización a su manera alojando el tiempo de la entropía en el corazón del corazón. Así, Hegel hace remontar lo patético de las formas a su razón de ser. No sólo no se puede volver al arte simbólico cuando se está en el estadio clásico, o al clásico cuando se está en el romántico, sino que tampoco se puede ser pintor o arquitecto, en el sentido fuerte y vivo de la palabra «ser», a partir del momento en el que la tarea de reconciliar el espíritu y el mundo incumbe al filósofo, y no al artista. Entonces ya no son los modos de expresión sucesivos, cuya alineación compone «la historia del arte», que se suceden unos a otros, es la expresión artística la que se va, y «el arte es hoy una cosa del pasado». «Las necesidades espirituales que satisfacía son cubiertas por el ambiente de esa cultura reflexiva (la nuestra) vuelta a lo universal, lo general, lo racional...» El juicio estético sucede entonces a la emoción estética. *La Odisea* en sentido único no es repetible, la historia del arte, tampoco en ella nada se repite.

En los dos casos de figura, el orden de los tiempos cuenta como juicio de valor, la cronología es una axiología.

LA REUTILIZACIÓN DE UNA ANTIGUALLA: «LA VANGUARDIA»

Los filósofos del Progreso del siglo XIX son arrumbados por buenos espíritus que los colocan cada día en su juicio del gusto. Los mismos estetas que se mofan de las ingenuidades jacobinas han retomado intactas las metáforas del combate artístico nacidas tras las huellas de la Revolución francesa (Stendhal, 1824: «Mis opiniones en pintura son las de la extrema izquierda»). El duelo Ingres/Delacroix, línea contra color, enfrentaba entonces la autoridad y la libertad, o sea, el «Ancien Régime» y la Revolución.[1] Los mismos que recusan la noción de vanguardia política hacen que su sombra se proyecte en las imágenes. ¿No fue un socialista francés, discípulo de Fourier, Gabriel-Désiré Lavedan, quien transfirió en 1845 a las bellas artes esta metáfora militar, calcada en realidad del modelo, entonces moderno, del ferrocarril? La historia es una vía, y la vanguardia la locomotora de vapor que arrastra los vagones. De las dos hermanas retro, sólo la menor permanece «in», ciega supervivencia de la utopía del cuarenta y ocho en un fin de siglo desengañado que se jacta de repudiarlas todas. ¿Cabe pensar que el desencanto del mundo habría evitado el del arte? Nos parece natural rendir homenaje y culto a lo «Nuevo» como si la Tierra Prometida estuviera todavía delante de nosotros, con una sola vía de acceso, la más corta, la que explora la locomotora del momento. Luminosa unicidad de las vías de salvación, que tiene su precio y su reverso: las oscuras sospechas de desviación y de arte *degenerado* (como se llama aquel que no ha cogido el camino justo en el momento justo). Tanto es así que el terrorismo evangélico de la evolución juega a cara o cruz,

1. Francis HASKELL, *De l'art et du goût [Del arte y del gusto]*, París, Gallimard, 1989.

progresismo y fascismo, promesa o anatema. El arte moderno habrá sido sin duda el último refugio del mesianismo secular, y cierta crítica literaria, versión triunfante de la antigua Iglesia militante, la última tabla de salvación del mito revolucionario. En un mundo del arte atormentado por una estructura mental de espera se es «pre» o «pos», y mientras llega la Gran Noche, a falta de Parusía, novedad y superioridad son sinónimos. Yo soy mejor que tú porque vengo después de ti.

Para que la idea de vanguardia tuviera sentido habría que someter el encadenamiento de las formas plásticas a una secuencia acumulativa de soluciones cada vez más adecuadas, sucesivamente aportadas a un mismo problema; así, cuanto más se avanzara a lo largo de un vector, tanto más fácil sería superar la solución precedente. Evidentemente, si la historia de un arte dado hace cambiar poco a poco los problemas que éste plantea, la idea consoladora se viene abajo, y cada escuela, cada pintor, cada tendencia tiene que empezar de nuevo. Si cada uno se convierte en su propia vanguardia, ya no hay vanguardia por falta de un frente y una retaguardia comunes a todos.

¿Cómo explicar la supervivencia paradójica del «arte de vanguardia» en el «Partido de vanguardia»? Sin duda por la reinversión de una herencia ideológica del siglo XIX en el condicionamiento informativo del siglo XX. La anexión de los mundos del arte por la urgencia publicitaria ha reactivado la superstición de lo nuevo. La esfera de la actualidad, en la que toda «última novedad» descalifica y devalúa el antes-después (el periódico de ayer pierde su valor comercial hoy), ha acudido en auxilio del mundo difunto de la utopía social para, sirviéndose de un *qui pro quo*, rescatar a la modernidad como diferencia y ruptura. Pero ha cambiado de signo. De mesiánica ha pasado a ser mediática, de modo que la idea romántica de vanguardia, hasta hace poco signo de rebelión y estandarte de la maldición, funciona ya en sentido inverso, esto es, como medio de inserción y de promoción sociales.

Lo que determina el valor, incluso comercial, de una información es su novedad. Y, como dice Arman, hoy «el artista es un informador». Para atraer la atención, y atraer a la clientela, tiene que constituir un acontecimiento. El mercado del arte es información traducida en cotización. Y la información se mide por el desvío relativo respecto de la media. Es con toda exactitud lo contrario de una probabilidad de aparición. Por eso es por lo que las formas más valoradas son hoy en día las más inesperadas, pues, al llamar la atención más que las otras, se habla más de ellas: empaquetar el Pont-

Neuf de París, instalar su caballete delante de un rinoceronte del zoo de Vincennes, hacer rodar una mujer desnuda sobre una tela pintada o colocar un campo de trigo delante del Arco de Triunfo, es ante todo hacer buen periodismo en cuanto que se produce el equivalente de una catástrofe ferroviaria. De aquí se sigue que el tradicionalismo es una aberración mediática (como un tren que llega a la hora), y la pintura de desafío, normal. Sólo se paga la desviación respecto del código; el deber de originalidad personal se ha convertido en una necesidad económica material, y todo pretende tener el encanto de lo raro. La fusión de los valores de creación e información, que desembocó en «el arte comunicacional», permite orientarse bastante bien en la desorientación contemporánea del todo vale. La búsqueda del *optimum informatif*, también llamado *scoop*, se revela como el único árbitro válido en la arbitraria generalización del «torbellino innovador perpetuo». *Anything goes?* Sí, siempre que sea lo contrario del *anything* precedente, sin lo cual la información no será válida. La validez se concede sólo a lo insólito, salvo que se trate de ironizar en segundo grado la estampa (que es homogénea, sustituible y previsible).

Ya se conocen las paradojas y las contradicciones propias de aquello a lo que Octavio Paz llamaba «la tradición de lo nuevo». Y, en efecto, ¿qué es la desviación respecto de la norma si no hay norma? ¿Cómo distinguir la vanguardia del kitsch, cuando el grueso de la tropa practica el vanguardismo? Sin clasicismo como referencia base (enseñanza, corpus, canon y concurso), la oposición se convierte en galimatías. Por otra parte, la multiplicación de lo desacostumbrado precipita una renovación de las formas y los procedimientos; de ahí la precariedad de las innovaciones, el desgaste por saturación de las miradas, y la vuelta final a la indiferencia inicial. Demasiadas novedades trivializan lo nuevo, y, a fuerza de convertirse en acontecimiento, el espectáculo se hace público. Un cóctel de *vernissage* sin principio ni fin, pasando de una galería a otra, cubriendo con un confuso e idéntico rumor sorprendentes extravagancias que se suceden sobre las paredes a toda velocidad, sin sorprender ya a nadie: así se acelera, década tras década, el progresivo desuso de lo insólito pictórico. Es cierto que los «puntos calientes» del arte contemporáneo coinciden con las redes dominantes de la información mundial (no se innova en Nigeria, en Birmania o en Perú). Pero en un mundo en el que el rechazo de la tradición ha pasado a ser la única tradición, la celebración automática de lo nuevo se destruye a sí misma. El frenesí del mercado es un momento histórico. Se comprende que después del arte «académico», que apela-

ba al pasado, y el arte «moderno» que apela al futuro, el posmoderno aspire a disfrutar de un arte en el presente que sólo apele a sí
mismo.

LA CAJA DE LA ESCALERA

Para escapar a la bárbara amalgama entre fecha y valor (Duchamp es mejor que Picasso, que es mejor que Gauguin, a su vez
muy por delante de Delacroix, etc.), sería tentador decidir que el
tiempo no interviene para nada en ello. Y que la Historia no es el tribunal del arte. «El arte, decía Bonnard, es el tiempo detenido.»
Como el placer o la ensoñación, ya hemos visto. Es cierto que de-
terminadas contemplaciones nos catapultan, aunque sólo sea por un
instante, fuera de la historia, la cual, espera o nostalgia, es siempre
negatividad. Como un sifón que eliminara la nada de las conciencias, aspirado por una suficiencia positiva y embelesada, el placer
estético condensa pasado y futuro en un presente milagroso. El «camino hacia el interior» caro a Novalis no tiene milésimas, y de la
misma manera que una ideología es eso por lo que una sociedad o un
individuo pertenece obligatoriamente a su tiempo, su arte es eso por
lo que puede escapar de de él. Moderno, decía Baudelaire, es el artista que «extrae lo eterno de lo transitorio». Más de un siglo después de él, a la vista de los contraempleos de una modernidad mal
entendida, la única consigna revolucionaria ha pasado a ser: hay que
ser resueltamente *amoderno*. Y sobre todo no posmoderno, ni ante-
moderno, pues ello equivaldría a validar lo *pos* y lo *ante*, medir una
intensidad con una cronología, alinear un valor de emoción sobre un
valor de posición.

No obstante, se comprende fácilmente que ese objetivo es inal-
canzable. Y que ahí hay incluso cierta mala fe, puesto que «un pintor reacciona al menos tanto frente al pintor de ayer como frente al
mundo de hoy». Es un hecho que la evolución del arte moderno no
ha cesado de historizar la cualidad estética, haciendo que se deslice
de la obra al sitio que ocupa en relación a un legado de experiencias.
Nuestros valores de ruptura son todavía, y más que nunca, valores
de posición. Si la eternidad es la mitad del arte, ¿de qué sirve que la
otra mitad, todavía censada, desde Baudelaire, exprese su época?
Huir de las escansiones históricas de lo visible en la superstición del
inextinguible instante sería tan vano como huir del fogonazo siempre recomenzado de la emoción en la sola consideración de las épocas de la mirada. Guardémonos de confundir lógica de creación y

lógica de percepción en una especie de *esse est percipi* de la imagen visual. La impresión del conocedor tiende a lo eterno, pues una imagen llegada de más lejos puede hacernos ignorar súbitamente nuestro medio, nuestras ideas y nuestra época; el medio de creación es histórico, preso en un entorno, atrapado en un juego entre un «antes» y un «después» del que no se puede prescindir, pues hay imágenes concretas, ésta o aquélla, que nos inspiran un indefinible sentimiento de gracia. Y, de la misma manera que en otro tiempo se distinguía la *natura naturans* de la *natura naturata*, ahora hay que distinguir entre la imagen recibida y la imagen fabricada, éxtasis y génesis.

Así, pues, no podemos ni diferir el tiempo lineal ni aceptarlo tal cual. ¿Punto muerto? ¿No estaría la salida, para escapar del dilema de la historia-flecha o de la historia-caos, evolucionismo o relativismo, en las geometrías de revolución («rotación completa de un cuerpo móvil alrededor de su eje»)? Metáfora por metáfora, ¿por qué no reemplazar la cinta de la ruta, ascendente o descendente, por los tramos de una caja de escalera? Una figura helicoidal —doble movimiento de rotación alrededor de un eje y de traslación a lo largo de ese mismo eje— permite superponer la parábola biológica, que fue la primera metáfora de la historia del arte —infancia, madurez, vejez—, a la idea más amplia de una evolución histórica conjunta. Uniendo el fin de una curva con el principio de otra, la espiral puede reconciliar la repetición triste con la renovación alegre; el *nihil novi sub sole* con nuestro «vivimos en una época formidable». El descenso terminal de un período del arte que lleva en sí mismo la certeza de un nuevo renacimiento nos da la misma parábola con otro contenido. Así no tendríamos que elegir entre una concepción saturnina de la irreversible degradación y la ingenuidad eufórica de una perpetua primavera.

En realidad, el espectáculo de las imágenes nos sumerge en tres duraciones, a la vez heterogéneas y simultáneas: el tiempo fuera del tiempo de la emoción; el tiempo medio del ciclo de imágenes en el cual tiene lugar ésta o aquélla; el tiempo lineal y largo de la historia del *sapiens*, único animal que *deja huella*. El plano «individuo»; la secuencia «historia»; la película «especie». Ésos serían los tres momentos a enlazar, a encajar.

¿No lleva en sí todo ser vivo tres tiempos? ¿Y no puede toda imagen dialogar con tres filósofos, Hegel, Bergson, Vico? En primer lugar, el tiempo termodinámico, que reconduce lo caliente a lo frío, una diferencia a lo indiferenciado y el individuo al caos. Es «ascenso y declive», «grandeza y decadencia», «apogeo y fin». A continuación, el tiempo neguentrópico, que remonta la corriente, creada de lo nuevo, y lo perenne. Es «innovación», «descubrimiento», «invención». Por último, el tiempo astronómico, donde todo crepúsculo anuncia un nuevo amanecer y que devuelve a intervalos un determinado ciclo de lo imaginario a su punto de partida, para otro ciclo de madurez. «Gran año» estoico, «Ricorso», «Eterno Retorno». En suma, tres historias en una: la que llora, la que ríe, la que tartamudea. El río, el milagro, el bucle. Cosas de humor, de época, también de oficio.

Los filósofos muestran una preferencia bastante definida por la historia que llora, pues el anuncio de «rumbo a lo peor» nunca está exento de placer. Didi-Huberman ha destacado acertadamente los goces filosóficos de la esquela mortuoria.[2] Si estoy en condiciones de anunciar que el arte está muerto, es porque yo sobrevivo, y porque, excluyéndome del desastre, me interesa el porqué de las cosas. Estoy, pues, en condiciones de contarlo todo, empezando por la exposición de las razones, pródromos, síntomas y consecuencias del óbito. El filósofo tiene todos los motivos para desear la muerte del arte y así poder monopolizar la verdad, recogiendo él solo la quintaesencia. De ese modo asegura su triunfo, pues supone que hay más en la historia escrita como recolección e interiorización del pasado que en la historia en primer grado, presentación ciertamente conmovedora pero todavía truncada por aventuras del espíritu. Para Hegel, por ejemplo, el artista, como el héroe, no sabe lo que hace. Si lo supiera, sería filósofo. El artista completo es, pues, el filósofo hegeliano. Él es el talento más la conciencia de sí propia del talento.

Por nuestra parte, soñamos con una «historia del arte» que podamos sostener a la vez y sin contradecirnos, hoy, fin del siglo XX: el arte es inmoral (para un individuo); el arte ha muerto (en la historia occidental de las formas); la muerte del arte no es la de la imagen (que se producirá, lo mismo que hay hombres que saben que van a morir).

*   *   *

«Se ve en cierto modo que el arte se aparta de una verdadera escritura y sigue una trayectoria que, de un inicio en lo abstracto, elimina progresivamente las convenciones de formas y movimientos, para alcanzar al final de la curva el realismo y desaparecer. Esa ruta ha sido seguida tantas veces por las artes históricas que es obligado

---

2. G. DIDI-HUBERMAN, *Devant l'image [Delante de la imagen]*, París, Les Éditions de Minuit, 1990, pág. 48 y sigs.

admitir que corresponde a una tendencia general, a un ciclo de maduración, y que lo abstracto está realmente en el origen de la expresión gráfica.»[3] Con sus amplias y serenas regularidades, el prehistoriador acude a remediar nuestras miopías. Resumiendo la trayectoria del arte paleolítico, que va de 30.000 a 8.000 años a. C., Leroi-Gourhan lo divide en cuatro estilos o períodos. Estilo 1 (30.000-25.000), lo simbólico o prefigurativo (incisiones, cúpulas o series rítmicas). Estilo 2 (en torno a 20.000), paso del signo a las primeras figuras. Estilo 3 (15.000), punto de equilibrio entre lo geométrico y lo representativo. Estilo 4 (a partir de 12.000), esplendor académico y ya convencional de la representación, con Altamira, Lascaux y ahora Marsella.[4] O sea, una larga infancia, un apogeo de cinco años y una caída precipitada. Después de la cima realista de los bisontes de Altamira, el naturalismo animalista del año 12.000 cede súbitamente el sitio al grafismo abstracto del Neolítico, punto de partida de un nuevo ciclo. Por regla general, el realismo aparece como «una forma de madurez inquietante en la vida de las artes». La imagen, en efecto, no parte de un calco de las apariencias (las artes primitivas cultivan la abstracción rítmica); llega insensiblemente y, pasado cierto punto de coincidencia, la ejecución ilusionista precede al sofoco naturalista y después a la búsqueda de un nuevo punto de partida mediante el regreso a una estilización fuerte. Todo parece indicar que el ciclo paleolítico se «repitió», más sorprendente y más breve, en el ciclo grecolatino, que fue retomado por el ciclo cristiano y, después, por el del arte moderno.

La cronología no es, pues, indicativa de la madurez de un arte. Una figura magdaleniense de 10.000 años a.C. muestra una exactitud anatómica o «fotográfica» mayor que una determinada figura asiria de 2.000 años. a.C. Leroi-Gourhan observa que en Nigeria el arte antiguo de Ifé está más «evolucionado» que el arte negro contemporáneo.

Ciertamente, los ciclos no recomienzan de cero, pues la humanidad no puede borrar de su memoria social sus trayectorias pasadas, que almacena inconscientemente. El segundo arcaísmo no es, pues, tan «inocente» como el primero, y el tercero aún menos (el surrealismo emplea procedimientos de ensamblaje ya conocidos en el Paleolítico). Las estatuillas cretenses, por ejemplo, no buscan el pare-

3. André LEROI-GOURHAN, *Le Geste et la Parole [El gesto y la palabra]*, tomo 1 (Technique et Langage, París, Albin Michel, 1964, pág. 268.

4. Gruta submarina decorada, de finales del Paleolítico superior, situada en una cala próxima a Marsella. Fue descubierta por Henri Cosquer.

cido más que las figuras del magdaleniense, y el afloramiento figu-rativo en este segundo ciclo griego tardó siglos, y no milenios.

Cada ciclo lo dice todo, cada vez más de prisa, pero a su manera y sin repeticiones. Ofrece un muestrario de todas las potencialidades de la imagen, en el mismo orden que los otros y bajo el mismo título. Esto podría ser en palabras del helenista Vernant: «De la presentifi-cación de lo invisible a la imitación de la apariencia». En el origen del ciclo grecorromano, el ídolo de madera *es* la diosa, antes de to-mar, de alguna manera, un cuerpo propio, que pide ser contemplado por lo que es. De objeto ceremonial, la estatua pasa a ser ornamental. El talismán se hace obra. El clasicismo griego del siglo V constituiría entonces «el momento de madurez inquietante», preludio del facsí-mil naturalista alejandrino, la estampa pagana (contra la que Plotino reaccionará, en el siglo II de nuestra era, con una especie de vuelta a un arcaísmo depurado, renovando en cierta manera el contacto con el más allá, pero bajo una forma intelectualizada, espiritualizada, libe-rada de los lastres mágicos de los orígenes). El significado se alige-ra, el significante se densifica. El referente divino, que era al princi-pio un concepto sagrado y temible, toma poco a poco rostro humano. Paso del *numen* al *lumen*. Pero al mismo tiempo, del simple enlace que era al principio, la imagen mediúmnica cobra consistencia y den-sidad, interposición pesada y pronto opaca entre lo sagrado y lo pro-fano. Como una vitrina que pasara insensiblemente al cristal esmeri-lado y por último al espejo donde el vidriero buscara su alma en él, en vez de mirar al mundo. Al principio se mira al dios a través de su efigie; después la efigie recuerda al dios y, acto seguido, hace que se le olvide; y, a la postre, el escultor se diviniza a sí mismo.

Presencia, representación, simulación. Los tres momentos que articulan la historia occidental de la mirada, a gran escala, parecen reencontrarse, a una escala más pequeña, en cada ciclo artístico. Como en un holograma, donde cada parte es el todo, cada secuencia plástica narra todo el filme. La imagen, inicialmente creada por fu-sión, se convierte en calco de lo real y, finalmente, en decoración so-cial. Un ejemplo: la división ya propuesta por la menos teórica de las encuestas en la historia del retrato ritual en Roma. «En el primer período, hasta doscientos años antes de Jesucristo, el retrato de los antepasados tiene un significado mágico; en un segundo período, entre el año 200 a.C. y el año 20 de nuestra era, tiene un significado ético; después del año 20, se abre el período del esnobismo social.»[5]

5. Annie N. ZADOKS-JOSEPHUS JITTA, *Ancestral Portraiture in Rome [Retratísti-ca ancestral en Roma]*, Amsterdam, 1932, pág. 41.

Cuanto más se debilita el sentido del retrato, en tanta mayor medida busca el parecido. La exactitud (por empleo del modelado en cera) no es obligatoria en los primeros tiempos. Se hace obligatoria en época tardía, para perder luego toda importancia. Por una especie de entropía moral, siempre se va de un más a un menos de carga simbólica, hasta las baterías que se recargan por vaciado, en una enésima vuelta (del ídolo al arte y, por último, a lo visual).

¿Y no se podría descubrir, con un poco de audacia, el curso paleolítico en cierta historia del cine? En síntesis, la veríamos empezar en unos exteriores, por la imagen-indicio, documental, testimonio del mundo bruto, con los hermanos Lumière; continuar en el estudio con la imagen-icono del academicismo narrativo de los años treinta, cuarenta y cincuenta; después volverse a la imagen-símbolo y manierista con la cámara-estilo de los filmes de autor. Tres estadios, pues, para la imagen animada (en el hexágono): el documento, el espectáculo, la escritura. Años sesenta, vuelta al sonido directo, cine-verdad, rodaje en el exterior y en caliente, con la nueva ola, para «captar en vivo la vida de las gentes», casi sin guión ni diálogos arreglados. Resurgimiento para una nueva marcha hacia el espectáculo, ¿segundo momento del ciclo? Eso sería a buen seguro simplificar en sumo grado.

El mismo ciclo se da en literatura. El siglo XIV ha oído o leído grandes obras sin autor y el siglo XX ha terminado por admirar a grandes autores sin obra. Como si el crédito concedido al ejecutante sustituyera *in extremis* al trabajo elemental de la ejecución. Así, la imagen se inaugura como un signo anónimo, poseído por un sentido que lo anula; se exalta al adquirir una firma y por consiguiente una autonomía; cae de nuevo en la indiferencia, cuando los valores de la creatividad vienen a suplantar al valor propio de las creaciones. Entonces, por una especie de arranque vital vuelve a sus inicios para simplificarse de nuevo en signo. Como tiene una depuración del sentimiento religioso que tiende a liberarse de toda religión —el ateísmo, estadio supremo de la teología—, el sentimiento artístico puede ir mejorando hasta querer la desaparición del «arte», de su aparejo anecdótico y de su carácter relamido. Al punto más sofisticado se impone el más elemental. Cuando el arte moderno, por ejemplo, descubre las formas y los ritmos visuales prefigurativos se ha dado el impulso para un nuevo inicio. Un ciclo se completa cuando el fabricante de imágenes, que en un principio había sido vagamente un brujo, luego artesano y por último artista, vuelve a ser vagamente un brujo. En ese punto nos encontramos sin duda ahora.

No se vuelve a pasar por los mismos puntos sino, en el mismo plano, a un nivel superior (guardando en la memoria las experiencias de los ciclos recorridos). Como la razón y la humanidad misma, el arte no avanza sino retrocediendo en la dirección de los resortes de su progreso, ya presentes en un estadio anterior. Esa renovación por retroceso o retorno establece la diferencia entre la reacción vivificante y la regresión mortífera. Entre el renacimiento, «que retrocede en el tiempo como se retrocede para ajustar un despertador», y «la restauración que quiere ponerlo de nuevo a cero» (Jean Clair). Digamos, politizando la expresión, entre lo reaccionario de progreso y lo reaccionario de academia.

Respecto al tiempo astronómico, el de las revoluciones, un ciclo artístico se revigoriza cuando el estudiante de Bellas Artes en el primer año recibe de nuevo clases de dibujo, y no de grafismo; cursos de historia del arte, y no de cultura general; cursos de escultura, y no de volumen, pues así se llamaban nuestras últimas rúbricas de amnesia. Copiando lo antiguo, hace su revolución cultural. Encuentra el punto del nuevo comienzo.

Es tranquilizador comprobar que el gesto de pintar, con medios materiales siempre igualmente restringidos, no ha cambiado fundamentalmente desde las cavernas decoradas. Almagres, manganesos gastados, pinceles de cerdas están siempre ahí, aunque las telas lisas han reemplazado a las paredes de superficie irregular... Los grabadores del cobre se distinguen de los grabadores del hueso por haber sustituido el sílex de los buriles por acero. La perennidad y la universalidad de los medios de expresión figurativa desde el fin del Musteriense coloca a la humanidad y a todos y cada uno de los hombres por igual ante las mismas angustias, casi con las mismas herramientas.

Es cierto que una década del siglo XX ve desfilar casi tantas espirales como un siglo XVI europeo (el cual recorrió por sí solo tanto camino como el Paleolítico superior, en el que los estilos se cuentan en milenios). Antigüedad tardía y baja modernidad demuestran que el declive de un ciclo tiene poco que ver con esa enfermedad de la languidez, ese hastío, esa ralentización de la vida sugeridos por nuestros tópicos literarios («Yo soy el Imperio en el fin de la decadencia...»). Es más bien una superproducción inflacionista de espectáculos, de teorías, de artilugios, con una velocidad de ejecución creciente y una circulación acelerada de signos (monetario, pictórico, religioso, etc.). Entonces es cuando puede abrirse paso una necesidad de silencio y de recogimiento. Ermitas, monasterios, desierto. Salmos, plegarias, sabidurías. Hastío de la novedad, nuevo apetito de sentido.

6. Anatomía de un fantasma: «El arte antiguo»

Tenemos motivo para atacar al
poeta, pues, respecto de la verdad, hace
obras tan viles como el pintor...

PLATÓN
La República, 605 a.

*La Grecia antigua, repite la leyenda, es la cuna del arte
occidental. La traducción equívoca de* techné *por «arte», signo de anexión modernista, mantiene el malentendido. Textos y
hechos tienden más bien a probar que ninguna de las oposiciones que subyacen a nuestro universo estético tiene equivalente en la mentalidad helénica de la edad clásica, como tampoco en su heredera medieval. Esa ausencia no es un déficit,
sino la marca de una subordinación de la imaginería a intereses superiores.*

Seguimos siendo tributarios de visiones cortas, con una información truncada. Los Padres fundadores de la Iglesia estética de
Occidente han concebido la obra de arte, en los siglos XVIII y XIX,
como si el hombre y sus huellas tuvieran cuatro mil años de edad.
Hoy sabemos que eso es insensato, pero todo hace pensar que aún
tienen autoridad.

La Creación duró seis días, el Diluvio cuarenta, y Noé entró en
su arca seiscientos años después del primer amanecer. Así decía el
mito. La Tierra ha envejecido mucho desde que nuestros antepasados leían su historia en el Génesis. La historia del «arte» también.
Lo que Kant, Hegel o incluso Nietzsche tomaban por la aurora de las
imágenes hoy sabemos que es pleno día. Recordemos estas fechas:
Altamira fue descubierta en 1879 y Lascaux en 1940. La «Descripción de Egipto» se ha escalonado de 1809 a 1828.

El espíritu público tiene siempre por sabido, en el fondo desde
Winckelmann y su *Historia del arte entre los antiguos* (Dresde,
1764), que los griegos son los verdaderos inventores del arte (el arte

romano, dedicado a las copias, pasa por ser una cola de cometa, un avatar más o menos respetable del Origen). Fue antes de la expedición de Bonaparte y los grabados de Vivant-Denon, diplomático artista que, siguiendo las huellas, dibujó uno tras otro los templos descubiertos. Karnak no existía a los ojos del siglo XVIII, ni la Prehistoria (el primer dibujo paleolítico, un hueso con dos ciervas grabadas, fue descubierto en 1834, y en 1879 los frescos de Altamira fueron desdeñados como la superchería de un pastor). Para los filósofos que han inventado el arte y el gusto, «la infancia histórica de la humanidad» tenía su cuna natural en Ática. Kant, como después Nietzsche, parte del postulado de la Grecia original, pilar de sus demostraciones. Marx también, en su elogio nostálgico del «estadio social embrionario» y del encanto imperecedero de «esos niños normales» que eran los griegos. Y Freud, no menos conservador que el revolucionario renano en sus gustos neoclásicos.

Sin olvidar este otro *qui pro quo* cronológico: los apóstoles del Arte, tomando la parte por el todo, han bautizado con el nombre de «arte griego», en lo esencial, al arte helenístico (el de los tres siglos que siguieron a la muerte de Alejandro), guiándose además por tardías copias de los originales. Nosotros fechamos esas imágenes a partir de la Edad de Bronce, y ellos a partir de Pericles. Y con motivo, si su época ignoraba los ídolos cicládicos, los frescos minoanos y la plástica micenas, sin prestar excesiva atención al período geométrico y apenas alguna al llamado arte arcaico de los siglos VIII y VII. «Nadie puede saltar por encima de su tiempo.»

«EL ARTE GRIEGO»: ¿UNA ALUCINACIÓN COLECTIVA?

Sin entrar en esas consideraciones de hecho y para atenernos a la fase clásica, oficial, conocida como nuestra civilización madre, nos encontramos con una laguna preocupante: entre los supuestos inventores de la cosa y de la palabra, todo se desarrolla como si no existieran ni la una ni la otra. «El arte», en el sentido en que nosotros, modernos, lo entendemos, como parcela independiente y categoría mental, no parece tener validez en la Grecia antigua. Sin duda existen figuras y formas materiales, que pueblan nuestros museos; todo un vocabulario sutil y razonado de la imagen, con sus encantos y sus trampas (*eidolon, eikon*, etc.); de la imaginación (*mimesis*, que reproduce lo visible, y *phantasia*, que vagabundea donde no se ve); de la estatua (hasta una quincena de palabras distintas), que puebla las escrituras griegas. En cambio, no existe en el mundo antiguo (tampoco en el medieval) un discurso propio y general sobre el arte. Detalle que no es uno: el arte como *hacer* no aparece sino envuelto en un *decir* del arte. No se produce arte, prácticamente, sin producir teóricamente una cronología y una apología de la cosa: doble emergencia que sólo apunta al núcleo central del siglo quince de nuestra era, el primer Renacimiento.

Hay fundamento para decir de los griegos que son los que, en Occidente, inventaron el saber, y el sonreír (los faraones no sonreían, y sus esposas no tenían caderas). Pero ellos no intentaron saber por qué, a principios del siglo VI, una sonrisa afloró en el rostro de sus *kouroi*, puro reflejo, a sus ojos, de la sonrisa de los dioses, simple e inesencial accidente. Esos grandes artistas crearon la geometría y la filosofía, pero ignoraron «el arte» como tema autónomo. Así, pues, no utilizaron la palabra para decirlo, pues no tenían necesidad de ella.

Sí, «la ciencia se llama *episteme*», pues aquí los griegos inventaron la cosa y su palabra. El número pi es desconocido tanto en Babilonia como en Tebas. Allí fue el «milagro», en la emancipación de un sistema demostrativo, en la emergencia de un orden lógico independente de los mitos y de los valores. Pero no ha habido corte, en la Grecia arcaica y clásica, entre las formas plásticas y las fuerzas del más allá. Cuando un efebo es bello como un dios, lo admirable no es su estatua, y menos aún el escultor, sino el Olimpo. Hay una epistemología, no una estética griega. Como tampoco hay una estética medieval.

Escribir «en griego arte se dice *techné*», como se hace a diario, es, más que un anacronismo, un delirio recuperador. «El arte», en el mundo helénico (no será de otro modo en el mundo helenístico) no tiene un objeto en sí, susceptible de una enseñanza teórica, transmitido por las Academias, no afecto a instancias que no sean los talleres, servido por vocaciones gloriosas. Es una expresión entre otras del culto de la *polis*. «La expresión artística, escribe Louis Gernet, no se añade, como algo más o menos contingente, al pensamiento religioso: forma cuerpo con él.»[1]

Alguien me objetará que, en ese caso, no existe una religión griega y que juego con las palabras. Tampoco existe ya en esa lengua un término canónico para decir «la religión». Pero en París hay, y con toda razón, una cátedra de estudios comparados de las religiones antiguas en el Colegio de Francia. Jean-Pierre Vernant ha mos-

1. Louis GERNET, *Le Génie grec dans la religion [El genio griego en la religión]*, París, La Renaissance du livre, 1932, pág. 234.

trado que el estudio comparado de los politeísmos de la Antigüedad
«lleva a poner en entredicho no sólo que exista una esencia de la religión —lo que sería trivial—, sino también la continuidad de los fenómenos religiosos».[2]

Se duda asimismo de que haya una esencia del arte e incluso de
su continuidad. La cuestión es aquí radical: saber si hay, en nuestro
crisol putativo, manifestaciones que, sin abuso, se puedan calificar
de artísticas.

Cuando todo es arte, dirá alguien, el arte no tiene nombre, de la
misma manera que, cuando todo es religión, la religión no figura en
el diccionario. Mas por extrañas que sean para nosotros estas categorías mentales, no se puede negar la existencia de un campo religioso griego, materia de estudios específicos. En esa cultura no hay
ni divinidades ni interioridades ni creencias subjetivas a la manera
cristiana, pero hay, en cambio, un panteón, un sistema de instituciones, de mitos y de ritos elaborados, de sirvientes y fieles; en una palabra, un Continente identificable. Hay un «dominio» pues hay, perfectamente identificable, una polaridad sagrado/profano, como hay
en el dominio teórico una polaridad verdadero/falso, saber/ignorar.
«El arte griego» podría ser, en contrapartida, una visión del espíritu (el nuestro, se entiende), pues se buscaría en vano una polaridad equivalente arte/no arte, o estético/utilitario. La oposición *my-
thos/logos*, que habría podido tener lugar, se aplica a los discursos,
no a las formas.

CUESTIONES DE VOCABULARIO

Techné, sustantivo femenino, no se emplea con valor absoluto,
salvo para designar el artificio, la habilidad o la astucia. Cuando designa el saber en un oficio, que es su primer sentido, aparece siempre especificado por un genitivo (como el *ars* latino por un gerun-
dio). Entonces se dice «el arte de la palabra», «el arte de construir un
navío», «el arte de los metales». O por un calificativo, como en
graphiké techné o arte de la pintura. Platón, por ejemplo, aplica el
término *techné* a la música, el baile, el bordado, el tejido, la elocuencia, la poesía, etc., pero nunca a algo que pudiera ser el arte en
sí mismo. La medicina es una *techné*, la cerámica también, y la forja. Como la equitación y la dietética. A los que cultivan esas espe-

2. Jean-Pierre VERNANT, *Religions, Histories, Raison [Religiones, historias, ra-
zón]*, París, Maspero, 1979, pág. 10.

cialidades se les podría llamar (por parte de nosotros) hombres de arte; esto no quiere decir artista, sino experto, entre artesano y maestro. *Techné*, que es la vez ciencia y magia, competencia y bricolage, abarca los medios de actuar sobre la naturaleza, no la creación de obras bellas y por eso mismo con una existencia justificada. Dédalo, inventor de la escultura en madera, arquitecto de oficio y patrón mitológico de los «oficios de arte», es por lo demás un héroe harto desgraciado. No ocupa un trono en el Olimpo con los dioses de primer rango, sino que monta en el fondo de un laberinto máquinas de volar que no funcionan; adiós, Ícaro. El padrino de los fabricantes de imágenes es en primer lugar un inventor de artilugios.[3] Si los antiguos no separaban bellas artes y técnicas es porque sometían las primeras a las segundas. La distinción es por lo demás ociosa. «El oro es adecuado para la estatua de Atenea, mas para remover la sopa una cuchara de palo será más adecuada que una cuchara de oro.» El autor de este excelente aforismo es el verdadero padre del funcionalismo, el primer teórico conocido del diseño industrial, el abogado de las marmitas. «*Form follows function*» sería el lema más fiel al pensamiento de esos hombres para los que todo aquello que es útil es bello (en contraposición a los defensores del arte por el arte del siglo XIX a cuyos ojos «todo lo que es útil es feo»). Si la «obra de arte» (o lo que llamamos así) pudiera existir, tendría, al menos para Platón, un estatuto inferior al objeto técnico. El fabricante de imágenes (*eidolon demiurgos*) asimilado, como el poeta, al género de los imitadores, un género inferior, aparece en él en el último lugar de las artesanías, como si procediera de las técnicas basadas en la ilusión, y no en el saber hacer. Plagiario al cuadrado, el pintor copia una copia de la Idea. En ello, la *techné* demiúrgica, como la fabricación de lechos o mesas, está todavía por encima de la *techné* mimética, como la sofística, la retórica o la poesía, con la que están emparentadas en calidad de primas pobres escultura y pintura. En la jerarquía de las almas de *Fedra*, «el imitador» está en sexto rango, justamente delante del obrero y el campesino. Una mediocre mesa de cocina siempre vale más que un precioso simulacro.

El griego no tiene palabra para *creador*, como tampoco para *talento, genio, obra maestra, gusto* o *estilo. Praxeis technés* (*Leyes*, X, 892 b), que nosotros traducimos perezosamente por «obras de arte», se entenderían mejor como «realizaciones técnicas». Nuestro

3. Véase Françoise FRONTISI-DUCROUX, *Dédale, mythologie de l'artisan en Grèce ancienne [Dédalo, mitología de la artesanía en la Grecia antigua]*, París, Maspero, 1975.

«artista» es un *demiurgos* o un *banausos*, o sea, un artesano, un trabajador. En ese sentido, el fabricante de imágenes sufre el desprecio que pesa sobre todos los trabajadores manuales. Incluso Aristóteles tiende a excluir a los artesanos del derecho de ciudadanía. El artesano se enfrenta a la materia con su cuerpo, cuando el hombre sólo es libre con el espíritu, con la palabra. Ese trabajador ejerce, pues, un oficio servil por naturaleza, indigno de un hombre libre. El hombre que realiza obras plásticas es un esclavo. Un ciudadano puede apreciar la obra, pero en rigor nunca envidiar al obrero. Así Plutarco dice: «No hay hombre joven de buena cuna que, habiendo visto el Zeus de Pisa (o sea, la estatua criselefantina de Fidias en Olimpia), o la Hera de Argos, haya deseado convertirse por ello en un Fidias o un Policleto, ni llegar a ser un Anacreonte, un Filomeno o un Arquíloco, porque le gusten sus poemas. Pues una obra puede seducirnos con su encanto sin que seamos apremiados a tomar como modelo a su artífice» (*Pericles*, II, 1). Los romanos retomaron ese desdén social. Cicerón distingue las «buenas artes» —las de la palabra— de las «sordidiores» —las más sórdidas, las nuestras. Y Séneca estipula claramente en una epístola a Lucilio que no incluye en el número de los que practican las artes liberales a «los pintores, como tampoco a los escultores, talladores de mármol y otros servidores del lujo, *luxuriae ministros*» (*Ad Lucilium*, 88, 18). La cristiandad medieval hará de esta distinción la base institucional de la enseñanza: de un lado las artes mecánicas, que producen cosas; de otro las artes liberales que manejan signos, gramática, lógica, aritmética y geometría, el *quadrivium* universitario.

Por lo demás, entre los oficios sin nobleza, pintores y escultores no forman una clase social definida, de la misma manera que su actividad no tiene límites exactos. Ya antes de Platón, Jenofonte no encontraba nombre específico para designar el trabajo del pintor y el escultor. En *Memorables de Sócrates* le aplica los del mimo (profesión del espectáculo).

La copia es un gemelo o, más exactamente, un hermano menor y disminuido de su modelo. La belleza del efebo es la que determina la del *kouros*. De ahí se sigue que la noción de talento, de estilo, de virtuosismo, en una palabra el «valor añadido» del trabajo de las formas no ha lugar. «La impresión producida por una imagen pintada o esculpida depende de lo que figura, no de la manera como lo figura» (J.-P. Vernant). Los profesionales de eso que llamamos bellas artes, en la jerarquía platónica, sin duda están por delante de los sofistas y los tiranos, pero muy por detrás de los filósofos, los jefes de la guerra y los economistas. Platón, que detestaba a sus coetáneos y compatriotas, ciertamente sólo veía salvación en una vuelta a la inmutabilidad de los cánones egipcios. Mientras tanto, cuanto más bello tanto más sospechoso. Como la imagen es un déficit de ser, y por lo tanto de verdad, cuanto más seductora tanto más maléfica. Encantos y sortilegios visuales son peligro público. Platón, que expulsa de la República a pintores y poetas, no es una referencia objetiva, pues carga las tintas y hace de una alergia una doctrina. No obstante, todo indica que si «el artista» puede disfrutar de un estatuto social elevado, si este o aquel creador plástico puede tener un nombre célebre (Zeuxis, Fidias, Apeles, etc.), el estatuto simbólico de las artes plásticas es en la *polis* griega más que modesto, inferior, en todo caso, al de la música (salvada por su parentesco con los números). En Platón, sólo los músicos hallan gracia entre los «hombres del arte» (*Banquete*, 205 a); de ahí el empeño puesto más tarde por Miguel Ángel en musicalizar su arte: «La buena pintura es una música, una melodía cuya suprema complicidad sólo el intelecto puede percibir». La inspiración, el entusiasmo, el hálito divino excluyen a los fabricantes de figuras y de formas materiales, aunque esas gracias pueden acariciar, transfigurar las cosas por ellos fabricadas. No olvidemos la sombra dejada por la Prehistoria, y no olvidemos que los griegos, más cercanos, tenían mejor memoria que nosotros de esa genealogía. El «artista», en el Paleolítico, nace y crece en el oprobio, pues amenaza con sus artificios el orden natural. Metalurgista, ceramista, yesero, alfarero, o todo ello a la vez, es el maestro de las artes del fuego, siempre mantenido aparte, en posición subordinada, cuando no maldita. Como aún hoy los herreros de las aldeas africanas, Hefesto tiene que ocultarse. Se le necesita, pero infunde temor. Es zopo. Lleva consigo la desgracia.

Cuando la imagen, bajo forma de estatua de un dios, la *agalma*, no es directamente, como signo de poder, símbolo de investidura u objeto de ofrenda, vinculada al culto de la *polis*, procede sólo de una técnica de diversión, una chiquillada más o menos viciosa. Los únicos valores culturales legítimos, aparte de los saberes, son de orden religioso.

Es cierto que esa religión griega era inimaginable sin imágenes, pero esas imágenes son aún más inimaginables sin ella. ¿Se puede alabar su carácter antropomorfo, la humanidad revolucionaria de esa plástica sin recordar que tenía como fin acercar los hombres a lo sobrenatural? Los griegos estaban justamente orgullosos de sus vasos, de sus estatuas, de sus decoraciones murales, con todo lo cual se distinguían de los bárbaros, que practicaban cultos desprovistos de figuras humanas. Los pobres persas no sabían que los dioses y los humanos estaban hechos de la misma pasta. Ellos, sí. Pero el cuerpo griego tiene valor porque participa del modelo divino, no a la inversa.

¿Paradoja? Si el esteta es en rigor aquel que prefiere la belleza a la verdad y al bien, rara vez ha habido criaturas más deliberadamente antiestetas que los griegos, cuya divisa habría podido ser: «primeramente la verdad; la belleza vendrá después, como la intendencia». Y nunca se han visto criaturas más creadoras. Buscando en todo lo más real, nos han legado su imaginería, que aún hoy alimenta nuestros mitos fundamentales. No creían en el arte y fueron los más artistas. ¿Se debió esto a aquello? Su aptitud individual para la figuración la pusieron al servicio de su vida colectiva, de sus fiestas religiosas. Y todo ello con más preocupación por el *cosmos*, la antinomia del *chaos*, que por el *kalós*. *Cosmos* designa a un mismo tiempo el orden de un ejército, el de la *polis*, la ropa interior de una mujer, la evolución ordenada de un coro en el teatro, el ornato de un estilo y el orden del universo. Bajo su égida, síntesis de todas las fuerzas centrípetas del ritmo, se sitúan las figuras de los griegos. Para ellos eran *ta kalá*, las cosas bellas. Pero donde se situaban a la vez triángulos, gemas y muebles, cosas, todas ellas, bien formadas en cuanto conformes con su función (Sócrates: «Nada es bello en sí mismo, sino en relación con su finalidad»). Ellos decían *kaloskagathos*, bello y bueno, en una sola palabra, pues para ellos la belleza plástica, síntoma de moralidad, no se podía separar de la virtud interior (la belleza del diablo, en esta cultura, es impensable). Lo bello griego no es una categoría estética, sino ética y metafísica: una modalidad de lo bueno y lo verdadero. Lo bello con minúscula designa una cualidad rítmica de las cosas, una proporción armoniosa, regular de las partes, más o menos presente en el mundo pero ejemplar y superlativa en el cuerpo humano. Cuando lo bello se transforma en Bello, con mayúscula, es un ideal suprasensible, una realidad inmóvil y transcendente cuyas bellezas visibles son una imitación lejana y degradada. El discurso griego clásico sobre lo bello no es de tipo artístico sino filosófico. La belleza nunca tiene sentido en sí misma.

Si el ciclo de las imágenes griegas comienza en el siglo VIII, es cierto que el fin de ese ciclo, en el primer siglo de nuestra era, reaparece en el interés romano por los tesoros helénicos. Entonces se observa el nacimiento de un cuasiarte, secundado por una cuasihistoria, Pausanias y Filóstrato describen cuadros y estatuas, y se desarrolla una literatura especializada. Hacia el fin del período clásico, en el siglo III a.C., practicantes de la escultura como Jenócrates y

Antígono codificaban su profesión por escrito como ya había hecho Ictino, arquitecto del Partenón. Pero, por lo que sabemos, eran obras especializadas escritas en la prolongación de una práctica de taller, apresadas entre la anécdota y el truco de oficio. Incluso la enciclopedia pliniana no pasa de ser descriptiva, enumerativa, sin verdadero juicio de gusto ni visión de conjunto. Entre la antigüedad tardía y nuestra concepción de la historia del arte se alza un muro; lo mismo que entre las doxografías de oficios manuales y eso a lo que llamamos una filosofía del arte. Esos tratados llamados artísticos, de tipo «anticuario», a buen seguro no eran de otra naturaleza que los tratados técnicos de equitación, de dietética o de medicina.

En los poemas homéricos no hay alusiones a la pintura. Algunos decorados convencionales, pero pocas indicaciones visuales. Un hueco para el azul en la gama de colores, reducidos a cuatro fundamentales (como los elementos de Empédocles), blanco, rojo, amarillo y negro. El escudo de Aquiles, en el libro XVIII de *La Ilíada*, resume el mundo, con sus ciudades, sus vacas, sus campos, sus hombres y sus mujeres, sus armas, pero Hefesto, mitad metalurgista y mitad orfebre, no es ensalzado por su ojo sino por su mano y su fuerza. Como si la hazaña, en esta metamorfosis de la Creación, no fuera el resultado artístico en sí mismo sino el trabajo sobrehumano que supone.

La Grecia antigua pasa por ser con todo derecho el país de lo visible y de la luz; el país en el que lo divino se da a contemplar, mientras que entre los judíos y los árabes del desierto es sólo evocado con palabras. «Todos los hombres desean naturalmente saber», dice Aristóteles al principio de la *Metafísica*. Prueba de ello es la primacía del ver. «No sólo para actuar sino incluso cuando no nos proponemos ninguna acción, preferimos la vista a todo lo demás. La causa de ello es que la vista es, de todos nuestros sentidos, aquel que nos permite adquirir más conocimientos y nos descubre una multitud de diferencias.»[4] Los griegos separan la vista de la experiencia y de la acción para unirla al conocimiento de las causas y de los principios. El ojo, órgano de lo universal, libera de lo empírico. Gracias a él, el sujeto accede a la objetividad. El deseo de ver es deseo de verdad, la evidencia es el reordenamiento óptico de las apariencias, *theoria*. En cuanto que va de la sombra a la cosa, la mirada des-vela y hace que se manifieste la *a-letheia*, la verdad. Idea y forma, *eidos*, es la misma palabra. El *theatre*, una invención helénica, es el lugar en el que se puede *ver* una acción. Como la *historia*, el relato de

4. ARISTÓTELES, *Metafísica*, libro A, cap. 1. Editor J. Tricot, París, Vrin, 1986.

aquel que sabe porque antes ha visto. Y Hades o el *infierno*, en sentido inverso, el lugar invisible en el que se vaga a ciegas (*A-ides*). La Grecia antigua, o el triunfo del ojo, al que Occidente debe haber tenido en la ciencia por ideal y fundamento. La primera «sociedad del espectáculo», madre de la especulación: ésta es la explicación de aquél. Pero es justo preguntarse si en la patria del *theorein*, los ojos del espíritu no han eclipsado un tanto a los ojos de la carne. Teoremas y teorías apuran en su beneficio los usos del nervio óptico, todo él investido, en la ciencia de las medidas y el cálculo, de las sombras proyectadas por la pirámide. Como si, a fuerza de utilizar la vista en tareas de razón, para fundar la geometría y la astronomía, esa cultura ocupada íntegramente por la visión intelectual no hubiera tenido ya sitio para la mirada menos razonable, el ojo no teórico. No mucho más tiempo para una visualidad gratuita, de puro placer. Por lo demás, la memoria arcaica y clásica de esa cultura parece haber sido más bien auditiva, como corresponde a una civilización poco dada a la escritura.

¿No hay palabra para *creación*? Y, entonces, ¿qué es la *poiesis* sino un término estético? Sin duda. Opuesta a *praxis*, la *poiesis* designa ya sea la fabricación de objetos de uso corriente, como perfumes o barcos, ya sea la composición de obras literarias, poema, comedia y tragedia. La *Poética* de Aristóteles no es una Estética: no trata ni de lo bello ni del juicio del gusto. Aristóteles no estudia la obra de arte, que desdeña, sino la obra literaria, única que merece comentario. «Voy a tratar la poesía en general» quiere decir a fondo: ¿qué es la tragedia? Accesoriamente, la epopeya, el poema burlesco, la poesía imitativa o didáctica. Homero, Aristófanes, Empédocles, pero no un Fidias o un Zeuxis. En rigor, con esas personas se puede cenar o conversar, pero no dedicarles un libro y escribirles un prólogo.

A propósito de la arquitectura, Aristóteles define la *techné* como una disposición a producir cualquier cosa de manera razonada (*hexis tis meta logou poietiké*). Lo hace de paso, en su *Ética a Nicómaco* (libro VI, cap. 2), pero el tema no le interesa gran cosa. Lo que le ocupa es la teoría de la virtud. Distingue cuidadosamente el actuar del hacer, la moral de la producción, y la *techné* está del lado negativo, el del hacer. Ni el más pragmático de los teóricos se atreve a detenerse aquí.

Recordemos a título anecdótico los *Memorables* de Jenofonte, donde se ve a Sócrates que va a visitar sucesivamente a un pintor, Parrasios, a un escultor, Cleston, y a un armero, Pistias, en un mismo capítulo, con la aparición de una prostituta en el capítulo siguiente (libro III, cap. 10 y 11). En Aristóteles, para atenerse a la teoría, el orden de la *mimesis* no concierne a la reproducción figurativa de lo escrito. La imagen plástica no aparece en el Estagirita sino a título de ilustración o analogía. Mas para él y sus pares, la apuesta mayor no es la imagen, pintada o esculpida, sino la lengua. En esa cultura y esa lengua, donde *graphein* significa a la vez escribir y pintar, la traducción de las imágenes en palabras confiere más prestigio que la traducción de las palabras en imágenes. «Un crítico de arte en la antigüedad» como Filóstrato, el sofista griego del siglo III romano, destaca en la *ekphrasis* o descripción de frescos. Para él, describir es narrar las historias evocadas por los cuadros, interpretar, hacer hablar a los personajes como en Homero. «No amar la pintura, dice Filóstrato, es despreciar la verdad misma.» Pero la verdad pertenece al dominio de la retórica, y el paralelismo posclásico de las artes, una trivialidad, *alinea lo visual de acuerdo con lo verbal,* no a la inversa. *Ut poesis pictura...* No es indiferente que sea en *El sofista* donde Platón más se acerca a una teoría general de las imágenes, bautizada con el nombre de mimética, que engloba y devasta a la vez nuestro «campo artístico». Incluso en el mundo helenístico, estetizante en grado sumo, la imagen es hurtada por el discurso, y la estética de la decadencia sigue siendo asunto de la palabra. Por tradición, los dioses griegos habitan la boca y desdeñan la mano. «Los maestros de verdad» (Marcel Detienne) son los manipuladores de palabras. El arte de la retórica, elocuencia y gramática, ha tenido razón, durante un milenio, en ir a buscar a Atenas sus títulos de gloria y de verdad. Pero nuestras academias de Bellas Artes, durante los doscientos cincuenta años que dura su reino, parecen haber sido víctimas de un malentendido, cuando no de una farsa de dudoso gusto: la plástica, apolínea o no, nunca ha sido la «gran preocupación» de los fundadores esclavistas de la democracia.

Quienes temen las provocaciones se contentarán con abrir los dos volúmenes del *Vocabulario de las instituciones indoeuropeas,* de Benveniste, para comprobar que no hay ninguna entrada de «Arte» ni de términos afines. O, más sencillo aún, el pequeño Larousse. Entre las nueve Musas de la tradición, ninguna para nuestras «bellas artes», arquitectura, escultura o pintura. Las artes visuales no aparecen en la ronda. Siguen inscritas en la mecánica y lo vil. Humano, demasiado humano. Las artes liberales son las que se escriben, se hablan o se cantan. Sólo ellas son dignas de una presidencia casi divina.

EL PORQUÉ DE UNA AUSENCIA

La ausencia de la categoría «arte» en la cultura griega y en las que ella ha conformado después no constituye una laguna sino una ontología. Es la marca de una plenitud, no de una insuficiencia. Y la poca consideración reservada a los talladores de imágenes no procede sólo de una indignidad social sino también de una prueba filosófica de inanidad. Detrás de toda estética hay una cosmología; como la hay detrás de su rechazo; y es su concepción del origen de las cosas lo que da a los griegos clásicos, como por lo demás a sus herederos cristianos, una visión *intelectualista* de las formas (los sofistas a la manera de Protágoras eran sin duda mil veces más «artistas» que los filósofos en la línea de Platón). El gran demiurgo del *Timeo* crea el mundo de acuerdo con un plano en cuanto que contempla unos arquetipos. Asimismo, para el pequeño demiurgo artesanal, fabricar es re-presentar, ejecutar una idea previa, calcar un canon preexistente. El modelo omnipresente de la causalidad ejemplar deja sin objeto a la noción de obra. El hombre no puede añadir nada nuevo a la naturaleza; no puede hacer obra original porque *no hay originalidad sino en el origen*, por encima y antes de él. La Naturaleza o el Logos, el Primer Motor o el alma del Mundo, tienen la exclusiva de lo nuevo. Símbolo de esa postura es el Dios del Antiguo Testamento. Él crea al hombre a su imagen, pero se reserva el monopolio de la escultura. El hombre modelado no será modelador, sólo Dios es artista; para los cristianos sólo son admisibles las copias conformes con su producción. Si el hombre cree innovar, es que se ha equivocado, o quiere engañar. Independientemente de que sea así entre los griegos o los cristianos de la Edad Media, la idea de creación es como una pistola de un solo tiro. No hay imaginación creadora por debajo de Dios. Ésta sólo puede elegir entre la *redundancia*, traducción de lo original en imagen, y el *vagabundeo* («dominio del error y de la falsedad»), si se aparta de él. La imaginación sólo puede ilustrar, como más tarde en Tomás de Aquino, el Ser o la Razón, o sea, el orden natural de las cosas. De ahí el primado del saber sobre el actuar y del actuar sobre el hacer. Vale más contemplar con el espíritu que crear con sus manos, pues por definición hay *más* en el modelo inteligible, sólo visible con los ojos del espíritu, que en su copia sensible, estatua o pintura, que se contempla con los ojos de la carne. Si el arte deviene posible, es con la idea contraria y sacrílega de que puede haber más en la copia que en el original. No hay inversión de los valores, ni por encima ni por debajo, que haga concebible la estética por separación respecto de la teología. Antes de llegar a ese punto están los artesanos. Después de él, los artistas. La idea de la creación artística se ha construido contra la de creación ontológica, a pesar de modelarse formalmente sobre ella. El arte es una ontología inversa por primacía de la representación sobre la presencia (Proust: «La realidad no se forma sino en la memoria»). O de lo humano sobre lo divino. En otro caso, la mano humana sólo sirve para imitar la idea divina. Traducción psicológica: mientras la forma sirve de acompañamiento al espíritu, los grandes espíritus la tienen en poca estima. De la misma manera que ellos ven en la acción histórica «una contemplación debilitada» (Bergson), la imaginería les parece entonces una ideación degradada. Entre los benévolos se dice: «Lo bello es el esplendor de lo verdadero». Entre los desdeñosos: «Vanidad la de la pintura que, aunque despierta la admiración por el parecido de las cosas, no admira en absoluto a los originales». De Platón a Pascal, la consecuencia es válida.

El ejemplo griego no era, pues, una curiosidad histórica. Ilustra una constante de largo alcance: la alianza del *esencialismo especulativo y del pesimismo artístico*. Ya se trate de Dios, de la Naturaleza o de la Idea, las concepciones del mundo que sitúan por delante una Referencia esencial y normativa, aunque sólo sea un punto fijo, no prestan mucha atención a las imágenes fabricadas por el hombre. Siempre que lo real es construido en pecado, y el hombre en «imagen de Dios», la imaginación encuentra su límie en la traducción del principio en imagen. De ahí la poca dignidad de la obra de arte en la logosfera, con sus imágenes móviles de la Eternidad inmóvil. La noción de obra de arte toma su impulso sólo cuando la *existencia*, de cierta manera, *pasa a preceder a la esencia*. Entonces, y sólo entonces, puede haber en una obra más que en su obrero, en un hacer más que en el concebir que la hace realidad. Entonces la mano se convierte en «un órgano de conocimiento». Y el hombre en un creador posible. Esa inversión define el *humanismo, que es de suyo un optimismo artístico*. La paradoja es: ese nacimiento al que históricamente se llama «Renacimiento», habida cuenta de la necesidad que tiene la humanidad de situarse bajo la autoridad del pasado para inventar el futuro, ha tomado como modelo su antimodelo, el esencialismo antiguo de la *Idea*. Ésa habría sido la positividad de la alucinación griega.

Por lo demás, si Marsilio Ficino no tiene sitio para los creadores plásticos —arquitectos, escultores y pintores— en su proyecto de una Academia florentina es porque había traducido a Platón. Su Academia estaba compuesta de oradores, de juristas, de escritores, de políticos, de filósofos; en una palabra, de personas serias: liberales, no serviles. Los verdaderos conocedores de la Antigüedad, en pleno Renacimiento, no acuden a las «Bellas Artes». Leonardo da Vinci tendrá derecho a indignarse: «¡Habéis puesto a la pintura en el rango de las artes mecánicas!» La rehabilitación del trabajo figurativo no ha sido obra de los mejores humanistas, es decir, de aquellos que practicaban en el texto sus humanidades clásicas.

EL CASO ROMANO

El lado práctico, familiar, terreno de la religión, de la psicología romana, la ha hecho sin duda, en contra de la leyenda impulsada por Winckelmann, un poco mejor dispuesta a acoger las imágenes, la invención, la representación, que la mentalidad griega. El latín es menos metafísico que su predecesor; y, por lo tanto, más «artista». La apariencia le atormenta menos, pues la verdad le importa menos: como realista que es, concede su confianza a lo que se le da como real, sin «buscar la pequeña bestia», como su maestro y predecesor ateniense.

Posiblemente no es por azar que los testimonios de la pintura romana sean mucho más abundantes (hasta 1968 no se disponía de un fresco griego consecuente). Conocemos los nombres de grandes pintores griegos, no de sus obras. Los textos de esta cultura han sobrevivido mejor que sus colores. En cambio, tenemos hermosas muestras de pinturas romanas, pero sin atribuciones ni grandes nombres transferidos a la posteridad.

Dentro del «arte» antiguo hay que elegir entre las leyendas y las realidades. No es posible sumarlas.

No obstante, para valorar el estatuto modestísimo reservado a los «artistas» en la Roma republicana e imperial nos podemos remitir al principio del libro XXXV de la «Historia natural», laboriosa nomenclatura en la que Plinio el Viejo cita como ejemplo la época helénica como la edad de oro de la pintura, que expira en el siglo I. «Arte otrora noble, se lamenta el autor, que buscaban los reyes y los pueblos, y que ilustraba a aquellos cuya imagen se dignaba recuperar para la posteridad. Pero hoy ha sido completamente expulsado por el mármol e incluso por el oro.» Plinio, a fin de cuentas, inserta estas consideraciones puramente documentales en la sección de las *materias* preciosas, entre observaciones sobre el oro, la plata, el bronce y otras sobre las piedras preciosas y nobles. Entre las tierras y las piedras están los pigmentos, pues el famoso libro XXXV no es un tratado de estilo sino de las sustancias. Sólo se ocupa de la pintura desde el ángulo de sus materiales y soportes. Los colores tienen un precio porque provienen de vegetales y minerales, y no por su tratamiento o disposición. Sólo la naturaleza es creadora de valor, y no el genio humano.

Por delectables que nos parezcan los frescos de Pompeya y Herculano, se los consideraba ornamentales y monumentales. Todos en dependencia de la arquitectura, que el pintor, imitando el alabastro, el ónix y el esmalte, adereza o amplifica. La lista de Diocleciano (301) situará todavía a escultores, mosaístas y pintores entre los trabajadores de la construcción, detalle que pone de manifiesto lo difusas que son las fronteras entre la Obra Mayor y las obras, el edificio, la pintura y el modelado. Y si el magistral libro de Vitrubio concedió un sitio a los enlucidos y a los colores, es porque es muy necesario recubrir las paredes, decorar los techos, las bóvedas y los suelos. Aun así recomienda mesura: desconfiad de los decoradores, son proclives al despilfarro. No hagáis como ese loco de Nerón, que sobrecarga las paredes de su Mansión Dorada.

Se comprende que las «obras de arte romanas» sean en su mayor parte anónimas. Los clientes que cursan pedido son más célebres que los ejecutantes. La noción de obra original, y *a fortiori* de estilo, tampoco tiene ya sentido en ese universo en el que el arte, como la guerra, es todo de ejecución. En sentido restrictivo, del «arte y la manera», aval anodino que el cristianismo bizantino hará suyo varios siglos antes de la caída de Roma, al declarar en el séptimo ciclo ecuménico: «No son en modo alguno los pintores quienes inventan las imágenes, sino la Iglesia católica que las ha instituido y transmitido; al pintor sólo pertenece el arte; la ordenanza es visiblemente obra de los santos padres». Los escultores romanos pueden firmar copias de estatuas griegas sin que nadie se moleste. El objeto vale por su material, no por su factura. Una estatua de bronce, de marfil o de oro, antes que ser de fulano o zutano. Y Virgilio resume así el desprecio del viril por el afeminado, del romano por el griego: «Otros serán más hábiles en infundir al cobre el soplo de la vida... tus artes para ti, romano, son promulgar las leyes de la paz entre las naciones» (*Eneida*, VI, 848).

Ahí también hay una palabra delatora. *Ars*, como sustantivo, es un término un tanto peyorativo: destreza, malignidad. *Arte punica*, con «la habilidad de los cartagineses». Nuestro adjetivo «artificioso» viene de ahí. En términos absolutos, ocupa el término medio entre la *scientia* y la *naturaleza*, entre el estudio especulativo y el *ingenium* innato. Dignidad totalmente relativa. En el uso cualificado designa sólo una habilidad que requiere de un aprendizaje, lo contrario, pues, de un don natural. Entonces retoma el sentido de *techné*, la profesión o el ejercicio de una capacidad práctica de producir. De transformar ciertos materiales (madera, pasta, piedra). *Artifex* es a la vez el especialista y el artesano. Quién sabe si el *qualis artifex pereo* de Nerón no se debe entender como «qué hombre tan hábil», pero también como «qué artista, qué prestidigitador está a punto de morir».

Malicia de la observación, realismo animalista, inspiración y cotidianidad sin protocolo: resulta que los vestigios mejor conservados han sido decoraciones de casas particulares, que se han conservado intactas bajo la ceniza del Vesubio. De ahí la abundancia de bodegones, de paneles con escenas de género, de pequeños mosaicos naturalistas, de viñetas licenciosas. Hay también retratos de mujeres y de parejas, con sus rizos sobre la frente, sus espesas cejas negras y sus pendientes. Roma ha llevado bastante lejos la individualización de las facciones, mucho más que Grecia. Pero lo que a nosotros nos parece lo más característico del arte romano era sin duda lo menos para ellos. Plinio, por ejemplo, sólo respetaba las *tabulae* (los cuadros de caballete), todos desaparecidos, y, considerando que el pintor se debe a los dioses y a la ciudad, condenaba como incívicas y triviales las pinturas murales en las casas particulares.

El hemiciclo de la Escuela de Bellas Artes de París, pintado por Delaroche en 1841, muestra a la gloria arrodillada delante de Ictino, Fidias y Apeles, el arquitecto, el pintor y el escultor. Los tres, rodeados de genios del Renacimiento, presiden un altar de mármol, en la cima de los honores. Ésta fue una de las composiciones pictóricas más celebradas del siglo pasado. Aunque, afortunadamente, ya no se la mira, ha hecho vivir a generaciones de aprendices de pintor bajo la égida de la mentira.

EL ECO CRISTIANO

El dispositivo que hemos resumido se prolongó en la escolástica medieval. Santo Tomás de Aquino incluye lo bello en una metafísica del Ser que excluye la noción de arte (concebido en la justa línea aristotélica como *recta ratio factibilium*). El universo de las formas sigue subordinado a un orden de valores heterogéneo: los del conocimiento o los de la salvación, que la escolástica aspira a unificar. De ahí la relegación en los márgenes sociales del «imaginero». Como subraya Umberto Eco: «A decir verdad, los filósofos escolásticos no se han ocupado nunca *ex professo* del arte y de su valor estético; incluso santo Tomás, cuando habla del *ars*, formula reglas generales a seguir, diserta sobre el valor del trabajo artístico (por ejemplo, del trabajo artesanal y profesional), pero nunca aborda de frente el problema específicamente artístico».[5]

De todo ello se sigue que los constructores de catedrales ejercían una profesión reconocida, como todos los trabajadores manuales, no una vocación personal. La palabra *houvrier*, en francés antiguo, sale de los estatutos de esas gentes de oficio («talladores de imágenes, carpinteros y otros obreros»). En el siglo XVI es reemplazada por la palabra *artisan* (artesano). «Artista» se deriva del *ars* latino y designa tradicionalmente al «maestro en artes» liberales, o al letrado, estudiante o maestro de la facultad, aunque en el mismo momento se extiende a los químicos y alquimistas. En el siglo XVII en Francia, casi doscientos años después del nacimiento del arte en Florencia, la palabra artesano es todavía utilizada oficialmente para los pintores y los escultores. El diccionario de la Academia Francesa, en su edición de 1694, define al *Artista* como «aquel que trabaja en un arte. Y se dice especialmente de aquellos que hacen operaciones químicas».

El arte antes del nacimiento del arte, subcontrato del Orden del Mundo, puro efecto en el espejo, es el fantasma evanescente de un «en sí» del que sólo interesan la verdad y la universalidad. No hay que discutir, pues, de gustos y colores: o bien son una manifestación del Orden primero y entonces proceden directamente, en la cristiandad, de una teología o, en la Antigüedad, de una cosmología, o bien no proceden sino de los caprichos de una fantasía individual y no merecen sino un desprecio más o menos jocoso. En los dos casos, descubrimiento de una perfección o invención de una fruslería, el paso por lo bello es esencial.

En su propio feudo histórico, y hasta ayer por la mañana, el «Arte» no ha sido ilocalizable sino simplemente impensable.

5. Umberto Eco, *Il problema estetico di San Tommaso [El problema estético de Santo Tomás]*, Edizione di Filosofia, Turín, 1956, pág. 119, nota 5.

7. La geografía del arte

Mientras el hombre mantiene los ojos fijos en el cielo, no mira a la tierra y a los demás hombres. Paisajes y rostros profanos aparecen más o menos en el mismo momento en la pintura occidental, pues no se ama lo que no se ve, sino que se ve aquello que se ama. La naturaleza y el arte como valores se han engendrado uno a otro. ¿Pueden sobrevivirse?

EL PAISAJE AUSENTE

En muchas culturas no existe palabra para decir «paisaje» (nuestros antepasados atravesaron durante mucho tiempo «países», no paisajes). En muchas culturas tampoco la hay para decir «arte». Curiosamente, son las mismas. Para atenernos al área de nuestra civilización, el helenismo, el universo bizantino, la latinidad medieval.

El arte, el paisaje, el campesino; cuando se han perdido es cuando se los descubre.

Siempre ha habido anatomías, pero el desnudo data de ayer. Siempre ha habido montañas, bosques y ríos en torno a parajes habitados, como efigies, *graffiti* y piedras alzadas en medio de los grupos sedentarios. Pero la naturaleza no crea ni el culto de las bellezas naturales ni la presencia de imágenes talladas, la sensibilidad estética. El espectáculo de una cosa no es dado con su existencia. Prueba de ello: en Occidente han hecho falta dos milenios para instituir, encuadrar, poner de manifiesto y proferir ese ultraje a Dios, esa subversión egocéntrica, ese artificio de interpretación que es «el paisaje». La China taoísta lo practicaba desde el principio de nuestra era, en sus rollos y sus biombos, a su manera, atmosférica, totalizante y dinámica. Pero hasta el siglo XVI Europa ignoraba incluso la palabra, aunque la belleza del mundo no la haya esperado. Entre nosotros se señala su primera aparición en 1549 bajo la pluma erudita del humanista Robert Estienne. La palabra no designa el campo sino una especie de cuadros. Dos siglos más tarde, en la *Enciclopedia*, el artículo *paisaje* designa todavía, de manera exclusiva, «ese *género de pintura* que representa los campos y los objetos que se encuentran en ellos».

La aventura de las palabras describe bien el hecho, y en orden. La reproducción ha precedido al original, el *in visu* ha hecho el *in situ*. Los pintores han suscitado los parajes, y los paisajes de nuestros campos han salido de los cuadros del mismo nombre. La mirada sobre la naturaleza es un hecho de cultura, cultura que fue visual antes de ser literaria. Pintoresco viene del italiano *pittore*, pintor. Otros dirán lo que nuestros bosques deben a Ruysdaël, nuestros mares a Claude Lorrain y a las marinas de Vernet, nuestros valles a Poussin, nuestras montañas a Salvator Rosa. Los historiadores de las mentalidades nos han enseñado que la montaña y el mar son instituciones culturales. El mediólogo toma nota de que «naturaleza» y «arte» son categorías abstractas que en realidad no existen independientemente una de otra. Un arte ha engendrado nuestra naturaleza. Y una naturaleza ha engendrado nuestro arte. De ahí la pregunta de hoy: cuando esa naturaleza se transforma, ¿qué queda del arte? Cuando ese arte desaparece, ¿qué queda de la naturaleza?

Pero empecemos por el principio. Un mismo movimiento de la sensibilidad, en el umbral del Renacimiento, ha «artializado» las imágenes y ha «paisajizado» el país.[1] Un mismo gesto de retroceso, un mismo descubrimiento no de América, sino de lo más familiar (el Nuevo Mundo posiblemente ha ayudado a ver mejor el Antiguo), han estetizado el medio natural y cultural, por un alejamiento de lo más usual. Encuadre, escala, simetría, tabulación: estos ejercicios de visión transforman en cuadro un estado caótico del universo. Como si el desplazamiento del «punto» para acomodarse mejor a la mirada sirviera lo maravilloso a domicilio, desplegando de repente ante nuestros ojos un sorprendente cuadro de esplendores y curiosidades. Se ha ennoblecido lo vil al considerarlo digno de ser pintado, «pin-

---

1. Alain ROGER, *Nus et paysages. Essai sur la fonction de l'art [Desnudos y paisajes. Ensayo sobre la función del arte]*, París, Aubier, 1978.

toresco». Nuevo rectángulo de visibilidad a aislar aquí con una «ventana» (en la ventana que es ya el cuadro albertiano), allá con una «historia del arte», otra ventana recortada en la historia general de los hombres.

En el ambiente judeocristiano, calificar de «bello» o de «sublime» una orilla de mar o una montaña ha sido tan incongruente y tardío como llamar «obras de arte» a una ofrenda o a un exvoto en una capilla, objetos funcionales y utilitarios donde los haya a los ojos de un creyente. O que juzgar dignos de interés, «merecedores de una escapada», una iglesia, un castillo fortificado o una muralla.

En Occidente, la emancipación del paisaje se ha producido con tres siglos de adelanto sobre la del «monumento histórico», construcción intelectual propia del siglo XIX. En Venecia, patria de las *vedute*, apareció el *paesetto* (*La tempestad* de Giorgione justificaría por sí sola el neologismo italiano); en Europa septentrional, en Flandes, tuvo lugar la declaración de independencia, formal y temática. Coetáneo de Durero (el gran viajero cuya audacia le llevó a pintar a la acuarela y a la aguada puertos alpinos, estanques y ríos), Joachim Patinir (1475-1524), nacido en Amberes, pasa oficialmente por ser el inventor de la especialidad *landskap*.

No hay paisaje en la pintura paleolítica, llena de animales, ni en las decoraciones egipcias, llenas de barcas y papiros. Casi ninguno en la cerámica griega, con algunas raras sugestiones abstractas o alusivas. Los lugares están subordinados a los mitos, o a las necesidades de la acción dramática, en el escenario de teatro. La vena romana fue más «naturalista», con sus naturalezas muertas, sus vergeles y sus peces. Pero los campos puramente ornamentales de las villas pompeyanas siguen siendo ilustraciones de temas mitológicos o canónicos, idealmente encastrados en sus obras de referencia. Ovidio y Virgilio autorizan a mostrar, pero su *dire* fija los límites y los contenidos del *ver*. El paisaje grecorromano, para bien suyo, no pasa de ser un comentario de texto.

Más sorprendente aún, la ausencia del paisaje en el primer milenio cristiano. Paradójico, pues el mundo feudal y señorial (aquel que detenta entonces el gobierno de las formas) es eminentemente rústico. La vida del mecenas transcurre entre la caza y la guerra, al aire libre, a caballo, en medio de los bosques y los campos; la economía medieval es rural, las costumbres principescas campesinas. Y hay que esperar al siglo XV para ver aparecer las miniaturas de los Hermanos de Limbourg en las *Ricas horas del duque de Berry*, o las Grandes Horas del duque de Rohan. Hasta entonces, las ilustraciones de los manuscritos dan del medio natural una visión simbólica y

esotérica, que en el fondo no es más que una transcripción de las Sagradas Escrituras.[2] La verdad cristiana (que se lee y se entiende, a
través de los libros santos) había escamoteado la realidad del medio
ambiente (el que se ve a simple vista). Cada cultura, *al elegir su verdad, elige su realidad*: lo que decide tener por visible y digno de representación. Para un hombre del siglo XIII, el Jardín del Edén es
más *real* que el bosque de Poissy, pues es el único verdadero, y el
primero que él quiere *ver*. La imagen bíblica del irreal Edén es, sobre todo a sus ojos, más útil que la otra, pues, remontándose hasta la
verdad de Dios, él salvará su alma y su cuerpo. La de la reproducción del bosque de Poissy, donde va a menudo, le desviaría. Si no
hay interés metafísico no hay imagen física.

Los campos sieneses de Lorenzetti, en el *Buen* y el *Mal gobierno* del Palacio Público de Siena, los más avanzados en el estilo «realista», son todavía indicaciones escénicas, *alegorías* moralizantes.
Sirven a la apología de una política, no al puro placer de ver y de hacer ver. Hasta entonces, en el fondo de los retablos, frescos y miniaturas, un ramillete de flores, un río, se indicaban sólo como símbolos referenciales, elementos de decoración significativos de un
episodio de la Historia santa. Por lo mismo, del jardín como *emblema* del Paraíso, o del desierto, como *signo* de la Huida a Egipto. Actos votivos, más próximos a la oración que a la percepción.

LA PROFANACIÓN DEL MUNDO

Para que la naturaleza sea considerada en piezas, y no como soporte de un voto o una devoción, tratada como un espectáculo en sí,
expresamente recortada por un efecto de encuadre, portador de una
gracia propia y no tomada del registro religioso, ha hecho falta una
educación moral del ojo, así como un aprendizaje técnico de la
mano. Una conversión de la mirada en la tierra, esto es, una deserción del Cielo. Y el abandono de las metáforas.

Si la naturaleza está en todas partes, el paisaje sólo puede nacer
en el ojo del habitante de la ciudad que lo mira de lejos porque no
tiene que trabajar ahí cada día, despectivamente. El campesino se
burla del paisaje porque la necesidad le agobia y suda con la espalda curvada, como aquel granjero provenzal del que Cézanne dice
que iba en su carreta a vender patatas al mercado y «no había visto

2. Anne CAUQUELIN, *L'Invention du paysage [La invención del paisaje]*, París,
Plon, 1989.

nunca [la montaña] Sainte-Victoire». El urbanizado, ya bastante seguro de sobrevivir, sólo puede entregarse a los placeres del paseo y de la contemplación. Ni el paisaje es la naturaleza nutricia y dura del campesino, ni el arte es el conjunto de las imágenes en cuyo seno vive una sociedad que les presta su fe (en Europa, los vasos griegos se convirtieron en objetos de arte en el siglo XVIII. Anteriormente sólo eran dignos de figurar en las colecciones del mundo cristiano). El arte, como el paisaje son actitudes de conciencia. «Un estado de ánimo», decía Amiel del paisaje. Es tanto como decir un mito, como se llama toda creencia particular.

La postura descriptiva o documental exige, pues, con toda evidencia un ojo liberado de las servidumbres de la mano. Más profundamente, supone algo sagrado que se ilumina, un cosmos que se aligera de todo su peso de noche, el rostro oscuro del *numen* originario. Algo parecido al redondeo de los ángulos, un clima nuevo de connivencia o de cordialidad entre el hombre y su medio. Y, por lo tanto, un primer aburguesamiento. Individualismo y capitalismo son condiciones propias para atreverse a abrir los ojos, en profano, sobre las aguas, los montes y los bosques. Para alcanzar semejante capacidad de exactitud hace falta un principio de dominio de las distancias y de las fuerzas naturales, un avance del comercio, de la navegación, de los diques y de los molinos de viento. Estimulada en este caso por la necesidad de valorar un cargamento, de catalogar a un cliente, de seleccionar las mercancías de un vistazo. Como si un mínimo de bienestar fuera necesario para la felicidad de ver, placer absolutamente doméstico tan alejado del idilio como de la tragedia. Esa repatriación de lo infinito, esa domesticación de lo imaginario, de las explotaciones que sólo hace posibles el encuentro de individualidades libres y de un inicio de seguridad colectiva.

Aparecido entre los flamencos (nuestros belgas), el paisaje se extendió a Holanda. Su pintura, descriptiva más que narrativa, estaba menos sometida que su rival italiana una cultura mitológica, literaria o clerical.[3] Al prohibir la pintura religiosa, Calvino no dejaba otra temática a los pintores que el mundo profano. Una vez prohibida la imagen piadosa, quedaba la naturaleza muerta y viva. En Amsterdam y sus alrededores, el mercader emancipado por el dinero, relativamente tolerante, se siente preparado para explorar su propio país con sus nuevos aparatos de visión, como esa *camara obscura* inventada en el siglo precedente. El acaudalado ciudadano holandés,

3. Svetlana ALPERS, *L'Art de dépeindre, La peinture hollandaise au XVIIᵉ siècle* [El arte de pintar, La pintura holandesa en el siglo XVII], París, Gallimard, 1983.

a medio camino entre lo austero y lo ostentoso, justo medio entre el purismo puritano y el grandilocuente manierista, tiene un hogar limpio. Libertad de conciencia y atención a las circunstancias van juntas. Uno se siente bastante bien en su propia piel, en su país y en su tierra para buscar fuera. Vermeer de Delft se sitúa delante de Delft para hacer, con ayuda de su pequeña máquina óptica, «el más bello cuadro del mundo». Abrumadora aproximación a lo bello donde se indica una revolución del espíritu.

Ver que lo que está ahí abajo, en torno a uno, se acomoda a lo muy cercano, privilegio, milagro, locura, no es un reflejo sino una conquista. De lo concreto a lo abstracto o, más bien, de la particularidad a la generalidad, pues lo *sabido* hace ya mucho tiempo que ha tapado a lo *visto*. El bien ver fue arrancado a esos «se dice...», a ese espeso y falso saber de la memoria colectiva, ese loes de leyendas, de cuentos y proverbios, inmemorial rumor que durante milenios ha hecho hablar a lo visible de algo distinto de él. Colón había leído demasiado para ver de nuevo. En las Indias no pretendía otra cosa que poner un *visto* anodino al margen de un *leído* primordial. Como Marco Polo, aquel hombre de la Edad Media que había ido a buscar lejos, en el Oeste, el país de las maravillas hasta entonces situado en Oriente, empujado por su respeto de las Sagradas Escrituras y su obnubilante *Libro de las profecías*. Y no ve en las playas de arena fina sino un galimatías de signos cabalísticos. Se dice que el Renacimiento hizo un mundo ilimitado desbloqueando Europa y agrandando sus horizontes. Más extraordinario que una América de palabras ya conocidas antes de ser observada, fue ese acortamiento de la mirada que sitúa los confines a nuestro alcance: la Arcadia al final de la calle y las *Geórgica* en Île-de-France o en Toscana. Más insólito y sin duda tan fecundo como el periplo de Magallanes: una vista de los Alpes por Durero desde el lago de Ginebra. Sacar las montañas cercanas del «horroroso» caos en que las había sumergido, desde la noche de los tiempos, la maldición divina, para descubrir, en ese espectáculo «abominable» «grandeza y majestuosidad». Esa pequeña muestra del humanismo no es menos grandiosa que los sueños de Eldorado, pero sí menos sanguinaria.

La vista medieval había estado supeditada a la Idea. Liberarla de esa supeditación fue una innovación costosa y laboriosa, casi infamante. Era volver la espalda a la Revelación y a la Verdad. El paisaje es una Creación que ha perdido su mayúscula, vuelta sobre sí misma, reinvestida por una mirada no visionaria, sobria y modesta, exonerada en la medida de lo posible de las herencias platónicas de la Idea, cristianas de la gracia, estetizantes de la Figura. Este nuevo

género propio de la Europa septentrional, individualista y plebeya
—no lo olvidemos—, tenía muy malas maneras a los ojos de las elites que definían a esa Europa como vulgar, ilegítima y secretamente profanatoria. En «paisaje» había «paisano», que es vil y villano.
Y sobre todo «pagano», derivado del latino *pagus*, campo, lo que es
aún más peligroso (en 1690 Furetière escribe todavía «païsage»).
Para los poetas y los italianistas, acariciar así la carne del mundo era
una injuria hecha a la Antigüedad, a la que sólo podían osar naturalezas espesas y vernaculares como los flamencos, que no veían más
allá de sus narices. Miguel Ángel, desde lo alto del *Ideal* se habría
burlado así de esa rústica superficialidad septentrional: «Esa pintura no es más que andrajos, casas ruinosas, campos verdes, sombras
de árboles, y puentes, y ríos, que ellos llaman paisajes, con algunas
figuras aquí y allá. Y todo ello, aunque pueda pasar por bueno a los
ojos de ciertas personas, está hecho en realidad sin razón ni arte, sin
simetría ni proporciones, sin discernimiento, ni elección, ni destreza, en una palabra, sin ninguna sustancia y sin nervio». El paisaje
fue una conversión, pero hacia abajo, del texto a la tierra, de lo inmaterial a los sólidos, de la luz divina a la luz rasante; negación del
Cielo que ocasionó la mala reputación de sus inventores nórdicos
(como lo eran por tradición los partidarios de Occam) entre los
amantes oficiales de las ideas, las fábulas y los mitos. En el Renacimiento, exceptuado Leonardo, aristotélico pragmático, los herederos de Platón, que estaban en el candelero de Europa, concretamente en el Sur, no querían o más bien no *podían* contemplar un olivar,
un camino de tierra, un arado.

Encuadrar un paraje y un hombre sin renombre: trivialidades he-
roicas, si se quiere. Rostro humano y paisaje avanzan a la par. El retrato como género independiente, liberado de su contexto sagrado
(el donante medieval en el tríptico del retablo), nace en el mismo período de tiempo. Van Eyck nos da la vista de Lieja al fondo de *La
Virgen del canciller Rolin,* y los Arnolfini en su interior. Innovación
hablante: el que pinta paisajes se pinta también a sí mismo.[4] En la
imaginería primitiva, en la edad del «ídolo», el imaginero no aparece (es incluso un criterio). De Paolo Uccello a Rembrandt, pasando
por Durero, Giorgione, Botticelli y Rubens, la pesquisa del interior
parece progresar con la investigación del exterior. Subjetivación de
la mirada, objetivación de la naturaleza: cara y cruz de una misma
moneda. La emergencia casi simultánea del panorama y del autorre-

---

4. Pascal BONAFOUX, *Les Peintres et l'Autoportrait [Los pintores y el autorre-
trato],* Ginebra, Skira, 1984.

trato señala un salto adelante en el desencantamiento del mundo. Sí, el paisaje es el precio visual de una desimbolización del cosmos, con estrechamiento del sentido y supresión de los antiguos vértigos. Pero también una agudeza más exigente, sin concesiones en cuanto que no tiene puerta de salida. La evaporación de los transmundos mitológicos o religiosos hace bascular la visión sobre los primeros planos. De repente, los árboles y los rostros son vistos como lo que son, en el azar, sin apriorismos, en su magnífica laicidad. Ese nuevo contrato cerrado con lo visible nos ha proporcionado también la primera cartografía fiable.

Hay un momento en la historia en el que el ojo interviene en la fiesta; entonces el hombre, creado a imagen de Dios, se pone a recrear la naturaleza a imagen del hombre. Entonces cristaliza esa mezcla de racionalismo y voluntarismo que ha secularizado la mirada occidental más que ninguna otra. Toda vez que *no se ama lo que se ve, se ve lo que se ama.* Y cuando una sociedad ama un poco menos a Dios, mira un poco más a las cosas y a las personas. Al distanciarse de aquél se acerca a éstas.

El Renacimiento y la Ilustración, los dos momentos prometeanos de la Cristiandad, representan dos virajes en la conquista visual de lo inaccesible. Dos anexiones sucesivas de espacios vírgenes al ojo desnudo. En Francia, apenas rescatados de la noche en el siglo XVI por los grabadores, maestros del metal, del plomo y del cobre, los Alpes se eclipsan de nuevo con el absolutismo monárquico que los sumerge otra vez en su caos original. Simbólicamente sin interés, y por lo tanto materialmente indescriptible. Imagen de Dios en la tierra, el orden óptico de Luis XIV repugna a los desiertos y las soledades. Civilizado, sólo acoge jardines regulares y planicies conocidas. Pero las montañas blancas van a surgir en la Ilustración con sus nieves y sus hendiduras, en libros y en cuadros. Comoquiera que lo sagrado está unido lógicamente a un espacio cerrado, la *desacralización del mundo pasa por su liberación óptica.* Esto equivale a la humanización —por el ojo— de espacios inhumanos, hasta entonces tenidos por invisibles. El Renacimiento había inventado la vista de detalle y de conjunto, amén de la perspectiva. La Ilustración inventa las vistas circulares y panorámicas, además del mar y la montaña. Lo *horroroso* puede entonces retroceder, cediendo el sitio a lo *sublime* de los glaciares, las tempestades y los macizos, ese infinito que pronto Kant erigirá en punto de mira estético. El Romanticismo abre a los curiosos los caminos de los bosques, en otro tiempo temidos. Los alrededores de Fontainebleau se convierten así, entre la Restauración y el Segundo Imperio, en el gran taller de pintura (y de fotografía) donde va a nacer el arte moderno.

EL POSPAISAJE

Hoy, el malestar está en la naturaleza y en la representación. El futuro del bosque preocupa; el de los cuadros también. Tenemos que preguntarnos: ¿puede sobrevivir el paisaje a la quiebra de la pintura, o bien, puede sobrevivir la pintura a la destrucción de los paisajes? Los dos, a buen seguro. Es un hecho que la urbanización, las líneas de alta tensión, las autopistas, el tren de alta velocidad destructor de espacios acotados, esa apisonadora de nuestros pliegues y repliegues, el *mitage* por *habitat* individual, la publicidad, la racionalización agrícola, la velocidad, el turismo, han suscitado otro espacio rústico y otra mirada urbana. Cambio de decorado, territorial y mental. La desaparición del paisaje en la pintura de vanguardia de principios de este siglo (Picasso lo ignoró siempre), ¿anunciaba el paso del terruño al entorno del que se benefician nuestras empresas de servicios *clean*? Es cierto que las tarjetas postales lo habían tenido ya en cuenta y que, pasado el año 1900, resultaba un tanto vano rivalizar con el documento fotográfico. No obstante, uno tiene la sensación de que las «catástrofes» plásticas de principios de siglo, por una enésima y muy clásica anticipación de lo figurativo a lo temporal, prefiguraban los desengaños ecológicos de su fin (los pintores, lo hemos visto, han ido siempre, de manera regular, por delante de los escritores y los sociólogos). En otro tiempo se pintaban las montañas antes de describirlas (y se escalaron en el siglo XVIII, porque Rousseau las describía). Y de la misma manera que Augustin Berque habla de «la transición paisajera», ese momento intermedio entre las «sociedades con país» y las «sociedades con paisaje», a uno le gustaría, siguiendo sus huellas, evocar la creación artística como un momento intermedio entre la plenitud mágica y la modelización maquinista.[5] En la historia mundial de las formas, el «arte» ocupa un sitio fugitivo y reducido: efímero y cantonal intersticio entre Egipo y América, para decirlo en pocas palabras. Como la *Landschaft* alemana, o, por usar una imagen, como el París de la

5. Augustin BERQUE, *Médiance: de milieux en paysages [Mediación. de ambientes en paisajes]*, Montpellier, G.I.P., Reclus, 1990; *Le Sauvage et l'Artifice. Les Japonais devant la nature [El salvaje y el artificio. Los japoneses delante de la naturaleza]*, París, Gallimard, 1986.

preguerra encajonado entre el tiempo de las fortificaciones y el Frente del Sena, la obra de arte fue un suspiro, una pausa dentro de una larga partición.

No es que la voluntad de arte y de paisaje haya capitulado. Por el contrario, es más fuerte que nunca, a la medida de las nostalgias. Y ahí es donde le duele: ahora ya hace falta una voluntad altiva para reavivar los contornos, para restaurar los prestigios, pues a lo uno y a lo otro les han quitado la prosa de lo cotidiano y lo instintivo de las miradas. Se han convertido en temas de programación, celebración, dirección, inspección, reglamentación. De «paisajistas» a animadores. Aprovechamiento del territorio. Dirección de los parques naturales. Delegación de artes plásticas, protección de parajes, ministerios de Medio Ambiente y de Cultura. El paisaje y el arte eran vividos, están construidos. Como si se les proporcionara una supervivencia bien cuidada. Fin del disfrute, vuelta de soluciones técnicas. Asignado a las reservas reglamentarias y a los espacios verdes, apartado de nuestros centros de vida cotidiana, fotografiado, teorizado y cuadriculado, el paisaje posmoderno constituye un eco burlón de la «cultura patrimonial». Toda vez que las producciones de la era visual han sido consideradas impropias para poblar nuestras casas y nuestros jardines, el arte también es asignado a los museos, objeto de atenciones propiamente ecológicas y de una solicitud cada vez más afanosa de los poderes. Todo ocurre como si estuviéramos obligados a colmar los déficits de la naturaleza, *in situ*, con una sobrenaturaleza, e *in visu*, con un hiper, un tecnoarte.

La mirada artística, afortunado paréntesis en nuestra práctica de la naturaleza. No se trata sólo de la Escuela de Barbizon o de los filmes de Renoir, sino también, más allá, del trabajo manual, de los gestos primordiales de las preocupaciones y las penas. Está unida a la agricultura y al tipo de espacio compuesto que ella ha producido en Europa: parcelaria, andrajosa, catastral.[6] No es posible el arte en Siberia, en la Pampa, en los desiertos, allí donde monotonía y uniformidad disuaden el ejercicio puntilloso de la plasmación figurativa. Cuestión de clima y de topografía. El matiz viene con el constraste de las estaciones, de las culturas, de los relieves. Con la paleta infinita de los cereales, de los viñedos, de los pastizales. El artista es un campesino, tiene los pies en el *pagus* y la mano en la pasta. Todo lo que hay de oficio en la representación está pegado a la tierra, con sus tumbas, sus mojones, sus territorios. A los campos. Es-

---

6. Michel SERRES, *Le Tiers-instruit [El tercero instruido]*, París, François Bourin, 1991.

cuela francesa, italiana, flamenca, etc., es «país» francés, país italiano, flamenco, etc. Como la espiritualidad, todo arte es *local*: expresa, en la mayoría de casos sin saberlo, el genio de un lugar cristalizado en una luz determinada, en colores, en tonalidades, en valores táctiles. El trabajo pictórico, que debería escribirse *pictural*, es parte de los «trabajos y los días» de Van Gogh: «El símbolo de san Lucas, patrón de los pintores, es el buey. Así, pues, hay que ser paciente como un buey si se quiere trabajar en el campo artístico.» Recordemos que Durero estrenó a la vez el paisaje y el óleo. Fluido vegetal, pesado y vivo, el aceite de linaza puro mezclado con resina tiene la untuosidad de lo oleaginoso y la sorda lentitud de los ciclos agrícolas. Al hombre apremiado de las megápolis le repugnan las paciencias de las labores agrícolas. Velocidad y pereza, aunque no rimen.

No nos debemos sorprender si mañana «un mundo sin campesinos» se convierte en un «mundo sin arte». Las tierras interiores de un país y las vanguardias tal vez eran más solidarias de lo que pensábamos. Ubicuidad de la información, desmaterialización de los soportes, deslizamiento de los vehículos, convocación de todas las cosas en la pantalla. Una agricultura fuera del suelo, como una lengua sin palabras, una moneda sin papel y un golf sin *green* encuentran en la imagen de síntesis su complemento óptico. Lo visual numerizado es demasiado internacional para tener un alma campestre: es a la vez planetario y «acósmico». La nostalgia ecológica habita tanto nuestros ojos como nuestras cabezas, pero en el cine, el género documental, con sus ínfulas escrutadoras y escrupulosas, es considerado hurgón (sin mercado), reemplazado por «el gran reportaje» premioso y variopinto de las televisiones.

Nuestra nueva desatención óptica no debe poco a la revolución de las telecomunicaciones y de los transportes. Con la supresión de las distancias se pierden a la vez la sensación de extensión territorial y el sentido vivido de lo real, de la irreductible exterioridad. Todo se vuelve accesible, sin esfuerzo y con rapidez. La pintura es lenta, la informática rápida. La edad visual, en la tela, acorta el tiempo con resinas de síntesis vinílicas y acrílicas, que no son sino agua, colores limpios y expeditivos. Así lo quiere una videosfera fluida y nomádica, de tránsito y pasaje, enteramente indexada en valores de flujo, de capitales, de sonidos, de noticias, de imágenes; donde una imperativa velocidad de circulación licua las consistencias, alisa las particularidades. Nuestro medio técnico se quiere transfronterizo, siguiendo el ejemplo de las imágenes hertzianas. Ya ha producido un *arte transartístico*, como se habla de economías *transnacionales*.

El «arte» nació en Europa, máxima diversidad en un espacio mínimo, y lo «visual» en América, mínima diversidad en un espacio máximo. Warhol es siempre él. Como Marilyn y la Campbell Soup.
Pero no como Osiris, Atenea, Buda o Visnú. Posiblemente hay correlación entre localidad y perennidad. ¿No son las expresiones artísticas más duraderas las más enraizadas en el suelo neolítico, a orilla de los ríos, de los riachuelos o del mar? Osiris está adherida al
Nilo, como Atenea al Egeo, o Visnú al Ganges. El arte religioso es
territorial por naturaleza. Fuerza de expansión extraordinaria de lo
«visual», pero difusión urbana sin restos (eso ocurre en todas partes,
pero ocurre). El desplazamiento del cine por la televisión corresponde a la americanización del espacio europeo. El largo y el corto-
metraje eran todavía nacionales y «naturales», el *clip* y el *soap* están
desterritorializados.

La imagen de ordenador se ha despegado de lo sensible como lo
urbano protésico se ha despegado de la tierra. Como el código binario mundial, de las viejas lenguas naturales, esos dialectos de antaño. Como el nuevo mundo de las telepresencias, del antiguo mundo
con localidades singulares, con sus entornos y sus nichos, sus «escuelas» y sus «maneras». La «Internacional del Arte», instalada por
doquier, mantiene en levitación todos nuestros azimuts, y nuestra
mirada, fluidificada a su vez, está suspendida sobre el suelo. En las
ferias se buscan cuadros «verdaderos» como, en verano, se buscan
en fila india playas sin contaminación y bosques sin lluvias ácidas.

El ídolo y el icono están del lado de los dioses. Nuestros cuadros
tienen que ver con el trigo, el vino, la siembra y la fermentación, los
ciclos y los crecimientos. Pero ese tiempo, llamado natural, el de las
maduraciones interiores, de las elaboraciones artesanales y de las ges-
taciones de nueve meses en el vientre biológico, no es tan natural
como se había pensado. No es un destino. Es una etapa en el curso
de las biotecnologías, como en el curso de nuestra agronomía y de
nuestra geografía.

Cada medio de transmisión, cada espacio-tiempo tiene lo visible
que puede, no lo que quiere. Eso que llamamos «visual» es el conjunto de las nuevas formas requeridas por la autopista, la lanzadera
espacial y la pantalla de control. Resistamos a la tentación de juzgar
una mediasfera, con la estética que le corresponde, según los criterios de la precedente. Cada una con su ojo, sus metas y sus horizontes. Y, por lo tanto, con un lirismo propio.

Los críticos de arte que juzgan a Warhol o Buren como a Tintoretto o Matisse, según las normas heredadas de grafosfera; los entendidos que esperan de lo «visual» los placeres o los vértigos que

les proporcionaba «el arte» recuerdan tal vez a nuestros antepasados del siglo XVII que no podían aún ver la belleza de los Alpes, aquel «indescriptible caos», y de las playas bretonas. Desfasados, exiliados de sus verdes paraísos, nuestros melancólicos acaso no son capaces de saludar a la belleza de las antenas, de los letreros luminosos y de los pilares, de los indicadores de las autopistas y los paneles publicitarios, de los *suburbs* hasta donde alcanza la vista, neón y hormigón intercambiables. Cada uno es coetáneo de su *ekumene,* y de su tiempo. Tal vez nosotros contemplamos lo visual de hoy con los ojos del arte de ayer. Tal vez nuestro actual extrañamiento, desencantamiento, «desartistamiento» es el reverso del nacimiento, todavía oculto por incoercibles sobreimpresiones retinianas, de otra naturaleza (*high tech*), de otro espacio (el de los medios de transmisión, no el de los territorios, mesurable en unidad de tiempo y no de superficie), en una palabra, de un nuevo Nuevo Mundo. Nueva York o Tokio iluminados, de noche, exigen una mirada, un ritmo de visión distinto del que reclaman las colinas toscanas en la puesta del sol. A cada ecosfera sus glorias. Tal vez, demasiado acostumbrados a nuestro Rafael y nuestro Miguel Ángel, no somos capaces de admirar debidamente a nuestro Bruegel y a nuestro Durero. Quiero decir los Wim Wenders y los Godard que filman, en los límites del desierto, lo modular, lo fragmentario y lo interurbano, esto es, el último estado técnico de la naturaleza en el norte de nuestro planeta.

8. Las tres edades de la mirada

Las tres cesuras mediológicas de la humanidad —escritura, imprenta, audiovisual— dibujan en el tiempo de las imágenes tres continentes distintos: el ídolo, el arte, lo visual. Cada uno tiene sus leyes. Confundirlos es causa de tristezas inútiles.

PRIMERA REFERENCIA

Aquí sólo nos ocuparemos de cronología: el más sumario pero también el más necesario de los procedimientos de análisis.

Si toda periodización es una bala en el pie del historiador, lo es *a fortiori* en el cuello del esteta. ¿Para qué labrar el mar? preguntará el que confiesa ahogarse en un océano de bellezas sin límites y cuyo disfrute no conoce mesura. Sin embargo, la articulación de la historia-duración en períodos convenidos (Antigüedad, Edad Media, Tiempos Modernos) es casi tan antigua como la historia-disciplina académica. ¿Por qué habría de escapar de esta regla el tiempo de las imágenes? Aun así, limitarse a declinar el tiempo del arte en «antiguo», «medieval», «clásico», «moderno», «contemporáneo», calcando el modelo escolar, no nos parece especialmente riguroso. La historia del ojo no «se ajusta» a la historia de las instituciones, de la economía o del armamento. Tiene derecho, aunque sea sólo en Occidente, a una temporalidad propia y más radical.

Nadie escapará a la confusión continuista en que está sumergida la historia oficial del arte si no toma medidas. Conceptuales y, en primera instancia, terminológicas. A función diferente, nombre diferente. La imagen que no soporta la misma práctica no puede llevar el mismo nombre. De igual manera que para contemplar adecuadamente la imaginería primitiva hay que quitarse las gafas del «arte», hay que olvidar el lenguaje de la estética para descubrir la originalidad de lo «visual».

Cada uno es libre de usar su propio vocabulario siempre que defina sus palabras. Esto ha tentado al *Curso de mediología general* con una caracterización detallada de las tres *mediasferas*. Las divisiones entonces introducidas en la carrera del *sapiens*, de acuerdo con la evolución de sus técnicas de transmisión, ¿pueden explicar la trayectoria de las imágenes? Es evidente que sí. Distingamos de entrada tres conceptos clave.

A la *logosfera* correspondería la era de los ídolos en sentido amplio (del griego *eidolon*, imagen). Se extiende desde la invención de la escritura hasta la de la imprenta. A la *grafosfera*, la era del *arte*. Su época se extiende desde la imprenta hasta la televisión en color (más pertinente, como veremos, que la foto o el cine). A la *videosfera*, la era de lo *visual* (según el término propuesto por Serge Daney). Ya estamos.

Cada una de estas eras dibuja un medio de vida y pensamiento, con estrechas conexiones internas, un ecosistema de la visión y, por lo tanto, un horizonte de expectativa de la mirada (que no espera lo mismo de un Pantocrátor, de un autorretrato y de un *clip*). Ya sabemos que ninguna *mediasfera* despide bruscamente a la otra sino que se superponen y se imbrican. Se producen situaciones de dominio sucesivo por relevo de la hegemonía; y más que cortes, habría que esbozar fronteras a la antigua, como las que existían antes de los Estados-nación. Zonas tapón, franjas de contacto, amplios cursos cronológicos que abarcaban ayer siglos, hoy decenios. Como la imprenta no ha borrado de nuestra cultura los proverbios y los refranes medievales, esos procedimientos mnemotécnicos propios de las sociedades orales, la televisión no nos impide ir al Louvre —sino todo lo contrario— y el departamento de antigüedades egipcias no está cerrado al ojo formado por la pantalla. Hay que repetirlo: no hay nada después de una cesura que no se encuentre ya antes. Sin ella, las imágenes no se podrían encadenar, cuando en realidad cada una está en germen en sus precursoras. Pero no en el mismo sitio ni con la misma intensidad.

Lo dicho tiene como fin cortar en seco una objeción corriente. De hecho, quienquiera que observe la mirada exclusivamente a través de las formas plásticas no tardará en comprobar que el poder y el dinero han sido y siguen siendo los dos tutores del «arte» desde la más remota antigüedad. *Nihil novi sub sole?* Será fácil mostrar que la *factory* de Warhol estaba ya en el *taller* de Rembrandt (el hábil mánager experto en promoción y relaciones públicas al que «le gustaba la pintura, la libertad y el dinero»), y el taller del maestro en el *officium* del artesano, donde Alejandro va a ofrecer a Apeles su señora. Que las complicaciones del contrato que vinculan a Sixto IV y Rafael eran equiparables a las de la firma Renault con Dubuffet; que el mecenazgo de empresa es tan interesado y, a pesar de ello, tan saludable como el de Cayo Clinio Mecenas en tiempos de Augusto; que en materia de magnificencia, las fundaciones filantrópicas americanas no son en nada inferiores a los Tolomeos de Alejandría; que el mercado del arte es tan viejo como el arte (de hecho, le precede), y que sin la preocupación publicitaria de los generosos donantes o patrocinadores de la ciudad griega (por no hablar de Lorenzo el Magnífico o de Francisco I), Atenas y Delfos no habrían pasado de ser colinas cubiertas de maleza. No escaparemos a esa sabiduría de las naciones. Para nosotros la cuestión es saber, puesto que un fabricante de imágenes es por destino, en el universo católico y desde hace mil quinientos años, el proveedor de gloria de los poderosos, si es el mismo tipo de individuo que ha trabajado sucesivamente en la gloria de Jesucristo, de su ciudad, del Príncipe, del gran burgués coleccionista, de la fundación Olivetti o de su propia persona, con los mismos efectos de presencia y potencia.

* * *

Habría que enlazar esos momentos en un solo *travelling* hacia atrás, pues se basan en un mismo movimiento de avance que combina aceleración histórica y dilatación geográfica.

Abreviación del ideal temporal: el *ídolo* es la imagen de un tiempo inmóvil, síncope de eternidad, corte vertical en el infinito inmovilizado de lo divino. El *arte* es lento, pero muestra ya figuras en movimiento. Nuestro *visual* está en rotación constante, ritmo puro, obsesionado con la velocidad.

Agrandamiento de los espacios de circulación. El ídolo es *autóctono*, pesadamente vernacular, enraizado en un suelo étnico. El arte es *occidental*, campesino pero circulante y dotado para el viaje (Durero a Italia, Leonardo a Francia, etc.). Lo visual es *mundial* (mundovisión), concebido desde la fabricación para una difusión planetaria.

	EN LOGOSFERA (después de la escritura) RÉGIMEN ÍDOLO PRESENCIA (transcendente) La imagen es vidente	EN GRAFOSFERA (después de la imprenta) RÉGIMEN ARTE REPRESENTACIÓN (ilusoria) La imagen es vista	EN VIDEOSFERA (después de lo audiovisual) RÉGIMEN VISUAL SIMULACIÓN (numérica) La imagen es visionada
LA IMAGINERÍA TIENE POR... PRINCIPIO DE EFICACIA (O RELACIÓN CON EL SER)			
MODALIDAD DE EXISTENCIA	VIVA La imagen es un ser	FÍSICA La imagen es una cosa	VIRTUAL La imagen es una percepción
REFERENTE CRUCIAL (PRINCIPIO DE AUTORIDAD)	LO SOBRENATURAL (Dios)	LO REAL (La naturaleza)	LO EJECUTANTE (La máquina)
FUENTE DE LUZ	ESPIRITUAL (de dentro)	SOLAR (de fuera)	ELÉCTRICA (de dentro)
META Y ESPERA DE...	PROTECCIÓN (y salvación) La imagen capta	DELEITE (y prestigio) La imagen cautiva	INFORMACIÓN (y juego) La imagen es captada
CONTEXTO HISTÓRICO	De la MAGIA a lo RELIGIOSO (Tiempo cíclico)	De lo RELIGIOSO a lo HISTÓRICO (Tiempo lineal)	De lo HISTÓRICO a lo TÉCNICO (Tiempo puntual)
DEONTOLOGÍA	EXTERIOR (Dirección teológico-política)	INTERNO (administración autónoma)	AMBIENTE (gestión tecno-económica)
IDEAL Y NORMA DE TRABAJO	YO ENSALZO (una fuerza) según la Escritura (canon)	YO CREO (una obra) de acuerdo con lo Antiguo (modelo)	YO PRODUZCO (un acontecimiento) según Mí mismo (modo)
HORIZONTE	LA ETERNIDAD (repetición)	LA INMORTALIDAD	LA ACTUALIDAD (innovación)

DE ATRIBUCIÓN	(Del mago al artesano)	(Del artista al genio)	(Del empresario a la empresa)
FABRICANTES ORGANIZADOS EN...	CLERICATURA → CORPORACION	ACADEMIA → ESCUELA	RED → PROFESIÓN
OBJETO DE CULTO	EL SANTO (Yo os protejo)	LO BELLO (Yo os complazco)	LO NUEVO (Yo os sorprendo)
INSTANCIA DE GOBIERNO	1) CURIAL = el Emperador 2) ECLESIASTICA = Monasterios y catedrales 3) SEÑORIAL = el Palacio	1) MONARQUICA = ACADEMIA 1500-1750 2) BURGUESA = SALÓN + CRÍTICA + GALERÍA 1968	MEDIA/MUSEO/MERCADO (artes plásticas) PUBLICIDAD (audiovisual)
CONTINENTE DE ORIGEN Y CIUDAD-PUENTE	ASIA–BIZANCIO (entre Antigüedad y cristiandad)	EUROPA–FLORENCIA (entre cristiandad y modernidad)	AMÉRICA–NUEVA YORK (entre moderno y posmoderno)
MODO DE ACUMULACIÓN	PUBLICA: el Tesoro	PARTICULAR: la Colección	PRIVADO/PUBLICO: La Reproducción
AURA	CARISMATICA (anima)	PATETICA (animus)	LUDICA (animación)
TENDENCIA PATOLÓGICA	PARANOIA	OBSESIVA	ESQUIZOFRENIA
OBJETIVO DE LA MIRADA	A TRAVÉS DE LA IMAGEN la videncia transita	MÁS QUE LA IMAGEN La visión contempla	SÓLO LA IMAGEN El visionado controla
RELACIONES MUTUAS	LA INTOLERANCIA (religiosa)	LA RIVALIDAD (personal)	LA COMPETENCIA (económica)

Cada época tiene su lengua materna. El ídolo se ha explicado en griego; el arte en italiano; lo visual en americano. Teología, Estética, Economía. Y esto refleja aquello.

* * *

Contrariamente a los dos períodos que lo encuadran, el del arte aparece inmediatamente como propio de Occidente. Pero este último no es un bloque sincrónico y las sociedades occidentales no han entrado en el mismo momento en la era del arte. Italia fue la primera en entrar, por delante de Holanda, que la siguió en el siglo XVIII, y ésta antes que Francia, que no se instala plenamente en él hasta el siglo XVIII, con la panoplia social y crítica del «gusto». Y es Alemania la que da a esta era, después y por lo tanto retroactivamente, sus títulos de nobleza filosófica empezando por el neologismo Estética (Baumgarten publica su *Aesthetica* en 1750). El mundo eslavo y greco-eslavo ha permanecido durante mucho tiempo, tal vez hasta hoy, en la era de los iconos, prolongada y readaptada por la Iglesia y la teología ortodoxas. En Francia, en 1953, cuando el dibujo de Stalin realizado por Picasso a la muerte del zar rojo escandaliza al sector comunista, se asiste a un resurgimiento, vía Moscú, de lo sagrado bizantino mil años después, o sea, un retorno de llama de la era 1 hacia el fin de la era 2. Anacronismo que explica la reactivación de las posturas ortodoxas, preartísticas o prehumanistas, por la autocracia comunista.

Panorámica (véase el cuadro)

La trayectoria larga de la imagen indica una tendencia a la baja de rendimiento energético. En términos de mentalidad colectiva, la secuencia «ídolo» asegura la transición de lo *mágico a lo religioso*. Largo recorrido en el que la aparición del cristianismo, paradoja de la que deberemos rendir cuenta, no determina un cambio radical. La fe nueva integra los esquemas de visión de la Antigüedad y se funde con ellos (como ha hecho con sus estructuras políticas de autoridad), aunque las recuse teóricamente. Por su factura y su simbología, la imagen paleocristiana es neopagana, es decir, arqueorromana.

El «arte» asegura la transición de lo *teológico a lo histórico* o, si se prefiere, de lo divino a lo humano como centro de relevancia. Lo «visual» de la persona puntual en el contexto global, o también del ser en su término medio. En el vocabulario de Lévi-Strauss se diría que lo visual tiene una pintura «en código» que toma por materia prima los residuos de los mitos anteriores; el arte, una pintura «en mitos» (conjunto limitado de relatos colectivos); la idolatría, una pintura «en mensaje» (en el sentido más físico del término). Teocracia, androcracia, tecnocracia: cada era es una organización jerárquica de la Ciudad. Y de los prestigios del fabricante de imágenes, pues no es el mismo carisma que viene de lo alto (piedad), de dentro (genialidad) o de fuera (publicidad). El ídolo es solemne, el arte serio, lo visual irónico. En efecto, no se mantiene la misma espera respecto de una *intercesión* (era 1), una *ilusión* (era 2) y una *experimentación* (era 3). Es como una relajación progresiva del espectador. Como una lenta desconexión de los fabricantes, obligados como están en un principio a celebrar y edificar, después a observar e inventar y por último a desmitificar y desviar. Trágico, el *ídolo* es deificante; heroica, la *obra* es edificante; mediática, la *investigación* es interesante. El primero pretende reflejar *la eternidad*, la segunda ganar *la inmortalidad*, la tercera constituir un *acontecimiento*. De ahí tres temporalidades internas en la fabricación: la *repetición* (a través del canon o el arquetipo); la *tradición* (a través del modelo y la enseñanza); *la innovación* (a través de la ruptura o el escándalo). Como corresponde aquí a un *objeto de culto*; allí, a un *objeto de deleite*; y, por último, a un *objeto de embeleso* o de distracción.

En la era 1, el ídolo no es un objeto estético sino religioso, con propósito directamente político. Objeto de *creencia*. En la era 2, el arte conquista su autonomía en relación a la religión, permaneciendo subordinado al poder político. Cuestión de *gusto*. En la era 3, la esfera económica decide por sí sola el valor y su distribución. Cuestión de *capacidad de compra*. Amante de la cultura cristiana, yo puedo hoy mismo, sin abandonar la pequeña Europa, acceder a esos tres Continentes de la imagen, pero cambiando en cada ocasión de viático: misal, guía azul y talonario de cheques.

A cada estadio corresponde su tipo de organización profesional. Para los «imaginarios»: la *corporación*; los artistas: la *Academia*; el publicitario: la *red*. El *artesano* no tiene razones para el trabajo autónomo (sino, tal vez, en Roma el *officinum*). El *scriptorium* del iluminador depende de un convento o de una universidad; el decorador trabaja el fresco directamente en la iglesia o el palacio. El *artista* trabaja en su propio *atelier, taller* o *bottega*. El *jefe de empresa*, en su *factory* o *fabrique*, unido a su clientela por *fax* y ordenador. *Being good in business is the most fascinating kind of art [Ser bueno en los negocios es el arte más fascinante]* (Warhol). Al primer operador se le pedía *fidelidad*: trabajo de repetición; al segundo, *inspiración*: trabajo de creación; del tercero se espera que dé pruebas de *iniciativa*: trabajo de difusión. Su margen de maniobra es mucho mayor, pues aparte de que no se espera necesariamente de él un objeto pesado o producciones por naturaleza voluminosas, se beneficia de la desmaterialización general de los soportes. El imaginero tallaba o pintaba la piedra o la madera; el artista operaba habitualmente sobre una tela puesta en un bastidor; lo visual se fabrica sin tocarlo, por electrones interpuestos.

A oficio diferente, emblemas diferentes. El *nimbo* y el *rayo* para el hombre del ídolo, sometidos a la doble tutela de la teología y la gracia. El *espejo* y el *compás*, para el maestro del Renacimiento, dependiente como es de la óptica y la geometría, *camara obscura* y perspectiva. «El espejo es el maestro de los pintores» (Leonardo). La *cola* y las *tijeras* (o el encolar-cortar informático) para el profesional de lo visual, que no sólo debe citar, encolar, desplazar, desviar, devolver, glamourizar, sino también hacerlo de prisa, como todo el mundo, y por lo tanto estandarizar en la medida de lo posible formato y factura. *Why do people think artists are special? It's just another job [¿Por qué piensa la gente que los artistas son algo especial? El suyo es simplemente un oficio más]* (Warhol).

Así, la imagen artificial, en el cerebro occidental, habría pasado por tres modos de existencia diferentes: la *presencia* («el santo presente en efigie»); la *representación*; la *estimulación* (en el sentido científico del término). La figura percibida ejerce su función de intermediaria con tres conceptos globalizadores sucesivos: lo *sobrenatural*, la *naturaleza*, lo *virtual*. Además sugiere tres posturas afectivas: el Ídolo apela al *temor*; el Arte, al *amor*; lo Visual, al *interés*. La primera está subordinada al *arquetipo*; la segunda está ordenada por el *prototipo*; la tercera ordena sus propios *estereotipos*. No se declinan ahí atributos metafísicos o psicológicos de un ojo eterno, sino universos intelectuales y sociales. Cada edad de la imagen corresponde a una estructuración cualitativa del mundo vivido. Dime lo que ves, y te diré para qué vives y cómo piensas.

INDICIO, ICONO, SÍMBOLO

Conceptualmente, la sucesión de las «eras» reproduce en parte la clasificación establecida por el lógico norteamericano Peirce entre el *indicio*, el *icono* y el *símbolo* en su relación con el objeto. Recordemos brevemente, y simplificándolas en la medida de lo posible, estas tres maneras de hacer señas a otros. El *indicio* es un fragmento de un objeto o algo contiguo a él, parte de un todo o tomado por el todo. En ese sentido, una reliquia es un indicio: el fémur del santo en un relicario *es* el santo. O la huella de un paso en la arena, o el humo del fuego en la lejanía. El *icono*, por el contrario, *se parece* a la cosa, sin ser la cosa. El icono no es arbitrario sino que está motivado por una identidad de proporción o forma. Al santo se le reconoce a través de su retrato, pero ese retrato se añade al mundo de la santidad, no es dado con él. Es una obra. El *símbolo*, por su parte, no tiene ya relación analógica con la cosa sino simplemente convencional: arbitrario con relación a ella, el símbolo se descifra con ayuda de un código. Así, de la palabra «azul» en relación con el color azul. Estas distinciones contemporáneas, muy útiles para nuestro propósito, sólo tienen el inconveniente de interferir con un registro más antiguo y más acreditado. El icono ortodoxo, por ejemplo, es «indicial» por sus propiedades milagrosas o taumatúrgicas (en Rusia, los mendigos llevaban colgados del cuello iconos a modo de amuletos). La primacía de la estatuaria sobre la pintura entre los antiguos expresa su proximidad al indicio, o sea, a la física de los cuerpos. El volumen, el modelado, las tres dimensiones, todo ello era la masa y la sombra bruta. En el extremo opuesto, la eliminación de la estatuaria en la escultura moderna evidenciaría una voluntad de afiliarse al orden puro, más abstracto, de lo simbólico.

La *imagen-indicio* fascina. Nos incita casi a tocarla. Tiene un valor *mágico*. La *imagen-icono* no inspira sino placer. Tiene un valor *artístico*. La *imagen-símbolo* requiere cierta distancia. Tiene un valor *sociológico*, como signo de *status* o marcador de pertenencia. La primera produce asombro; la segunda es contemplada; la tercera sólo es digna de atención por ser considerada en y por sí misma.

Régimen «ídolo»: el más allá de lo visible es su norma y su razón de ser. La imagen, que se lo debe todo a su *aura*, rinde gloria a lo que la sobrepasa. Régimen «arte»: el más allá de la representación es el mundo natural, a cada uno su *aura*, la gloria es repartida. Régimen «visual»: la imagen se convierte en su propio referente. Toda la gloria es para ella.

Esas tres clases de imágenes no designan naturalezas de objetos sino tipos de apropiación por la mirada. Si se pueden convertir en «momentos», en sentido hegeliano, un poco por juego, no olvidemos que somos contemporáneos de las tres a la vez, las llevamos en nuestra memoria genética. Si no están cortados los puentes entre los comportamientos del animal y del hombre, «entre la cresta y el penacho, el espolón y la espada, los arrumacos del palomo y el baile campestre» (Leroi-Gourhan), aún menos lo están entre la imagen de ayer y la de hoy. Nuestra vida cotidiana activa y desactiva las conexiones de lo visible y cambiamos de vista como se cambia de velocidad. El ídolo, en cuanto que procede de las capas más profundas del psiquismo individual y de la historia de la especie, es tal vez el que nos solicita de manera más imperativa, pues es también el que actúa más inconscientemente. Lo mismo que el arte moderno tiene, como el alma platónica, su vida anterior en Egipto y en Asiria, nuestro ojo tiene la suya en el gran poso inhibido, originario de las magias de caza. Como nosotros tenemos el mismo encéfalo y la misma estructura ósea que el hombre de Neandertal, éste nos comprende mejor a nosotros que nosotros a él. Él siente y respira en nosotros, aunque su inteligencia nos escape. La foto enmarcada del Presidente de la República en la oficina de un prefecto desempeña una función análoga a la de un medallón de Isis en el hipóstilo del templo de Edfú, función que es mucho más que descriptiva o decorativa. Isis está ahí, como el Presidente allí, en persona. Los dos miran y vigilan lo que se hace y se dice en su presencia. Impiden que actúen y hablen los que están debajo o a un lado, sacerdotes o funcionarios. Esas imágenes marcan un territorio y simbólicamente ejercen su violencia sobre los que están en él, autorizándolos a ejercer esa «violencia simbólica» sobre sus subordinados. Sustraerse a la tutela de Isis o del Presidente exige suprimir, invertir o mutilar esa representación figurada. O sea, responder a una medida simbólica con un acto de violencia material. Es lo que han hecho los coptos cristianos del Alto Egipto al destrozar a golpes de martillo los bajorrelieves de las divinidades egipcias, en el momento de transformar sus templos en iglesias, y de manera especial los ojos, las manos y los pies, órganos de la vida. Es lo que hacen, de la manera más cortés que autoriza entre nosotros el carácter amovible de las fotografías oficiales, nuestros funcionarios con autoridad al cambiar la foto mural después de cada elección presidencial.

Nuestras tres eras no sólo se solapan sino que además, como fenómeno constante, la última reactiva el fantasma de la primera. Sortilegio del origen: la comunicación telepática (por el cuerpo, las mímicas, los gestos) ha precedido, en la especie y en cada individuo, a la comunicación simbólica (como lo inmediato precede a lo mediato, el afecto al concepto y el indicio al símbolo). Ninguna cualidad de la mirada es superior a otra, pues es posterior a ésta, y aún menos exclusiva. El ídolo no es el grado cero de la imagen sino su superlativo. De ahí nuestras nostalgias. El *carácter retrógrado del progreso* es tan flagrante en la vida de las formas como en la de las socie-

dades. La larga «decadencia del analfabetismo» suscita la vuelta
compensatoria del poso inhibido en un principio, como se ha visto
últimamente en pintura con el *collage*, el *frottage*, el *grattage*, el automatismo, el *dripping*, el *body-art*, los *graffiti*, los garabatos, las
eyaculaciones. El «arte» grecorromano hace pasar del indicio al icono. El arte moderno, del icono al símbolo. En la era de lo «visual»,
el bucle del arte contemporáneo se invierte y, absolutamente simbólico, se entrega de nuevo a una búsqueda desesperada del indicio.
Materias de desecho, alquitrán, arena, tiza, carboncillo. En Kandinsky, en Dubuffet y sus *Texturologías*. En Calder, en Ségal y sus
desnudos en facsímil, precisos (como los maniquíes de magistrados
romanos y de reyes renacentistas). Carne recuperada.

En un universo de acción a distancia y de modelos abstractos, el
disfrute físico del indicio asegura un reequilibrio casi médico de
nuestros cuerpos protésicos por una vuelta en ascenso a lo puro sensible, táctil, casi olfativo. Terapia social de la libre asociación de
imágenes «sin pies ni cabeza», necesaria como los juegos lo son en
una sociedad seria. Inversión de la racionalidad económica, coartada de lo utilitario. Como han subrayado Baudrillard y Bougnoux, el
arte moderno «blanquea» el Capital y el Cálculo. Bufón no del rey
sino del hombre de negocios. Nuestro «todo funcional» se redime
—caro— por el despilfarro suntuario, gratuito y festivo de un mercado del arte que en ese caso no sería arbitrario y «loco» sino en primer grado. La feria de arte contemporáneo o las subastas de Sotheby's son a la vez el domingo del banquero y la sensualidad de lo
cerebral, la sinrazón de los razonadores y la pasión de los apáticos.
No un suplemento de alma, sino un complemento de *cuerpo*.

Se han visto los peligros del retorno contemporáneo a los valores físicos de lo elemental y de lo primordial (la grasa y el fieltro de
Beuys por ejemplo). El neoprimitivismo, privado de vitalidades
simbólicas que hagan brillar las imágenes sagradas, busca la cua-
dratura del círculo: el contacto sin la comunidad. Ningún cuerpo
bruto habla completamente solo: el soliloquio en un instante del indicio en estado puro, por gracioso o picaresco que sea, recuerda un
silencio de muerto.

LA ESCRITURA AL PRINCIPIO

Hasta la emergencia, muy reciente (cuatro mil años), de los primeros procedimientos de notación lineal de los sonidos, la imagen
ha hecho las veces de escritura. Era un simbolismo a la vez cósmico

e intelectual, altamente ritualizado, sin duda unido a manifestaciones verbales. Este período va de los primeros croquis semánticos sobre fragmentos de hueso a los pictogramas y mitogramas (construcciones pluridimensionales y radiales). La invención del trazo permanece entonces subordinada a la producción de una información (rememoración útil, enumeración contable, indicación técnica). Recordemos las adquisiciones de la paleontología: cuando ya no le bastaba con lo gestual o lo mímico, la transmisión de sentido a voluntad entre la fonación y la grafía (el par rostro-mano). El *sapiens* articula sonidos y dibuja trazos, dos operaciones sin duda complementarias. Ya no son señales, como en el animal, sino signos. La escritura fonética no es una creación *ex nihilo* del cerebro; sale de ese grafismo ambiguo que explica el doble sentido de la palabra griega *graphein*, dibujar y escribir, o incluso del *tlacuilo* mexicano, término que en nahuatl designaba a la vez al pintor y al escriba. En cambio, desde que la escritura aparece, tomando sobre sí la mayor parte de la comunicación utilitaria, alivia a la imagen, que desde ese momento pasa a estar disponible para las funciones expresiva y representativa, abierta al parecido. Dicho en pocas palabras: la imagen es la madre del signo, pero el nacimiento del signo escriturístico permite a la imagen vivir plenamente su vida de adulto, separada de la palabra y liberada de sus tareas triviales de comunicación.

La «pintura» del Paleolítico, por proceder de una combinatoria significativa enteramente codificada (y cuya cifra ignoramos), ese primer desenganche mediológico en el umbral de la logosfera marca el nacimiento de nuestras «artes plásticas». Si las primeras huellas de escritura aparecen a mediados del cuarto milenio en Mesopotamia, los primeros alfabetos consonánticos, fenicios, datan más o menos del año 1300 antes de nuestra era y el alfabeto vocálico, griego, del siglo VII aproximadamente. Sin embargo, entre los siglos XII y VIII, Grecia ignora a la vez la escritura y la figuración. Al salir de ese túnel, descubre las dos al mismo tiempo. Todo ocurre, pues, como si la abstracción del símbolo escrito liberara la función plástica de la imagen, concurrencial y complementaria de la herramienta lingüística.

La prueba *a contrario* nos es facilitada por el estatus de las figuras en las civilizaciones orales. Las imágenes cumplen la función de los signos. Esos semáforos no representan, indican. Esquematizando, simplificando, concentrando. Prueba de ello es la cultura precolombina de México, poco menos que desprovista de escritura, en la que se significaba y se comunicaba por la imagen (códigos y pictogramas son soportes de recitaciones orales). Otra prueba es la plástica negra y, más decorativa, la de Oceanía. Lejos de imitar las apariencias, las obras figurativas de los «primitivos» son las herramientas del sentido. Más que contemplarlas, hay que descifrarlas. En un mundo sin archivos escritos, todos los utensilios sirven de soportes a la memoria, desde la calabaza a modo de cantimplora hasta el chanclo de madera del cabrero. La atención estética no se despega aquí de la intención mágica e ideológica. Los niños aprenden a fabricarlas como nosotros aprendemos a leer y a escribir. En referencia a los pueblos sin escritura se podría hablar, en rigor, de lengua plástica. El código se come a la forma, y lo general a lo particular. Aunque siempre podamos devolver esos objetos utilitarios, estrechamente controlados y en cierto modo conformistas, a fines estéticos, y a los fines de nuestra estética en particular. La paradoja consiste en que el rechazo de todo naturalismo descriptivo —el puro juego de superficies y líneas— hace que esas imágenes nos resulten más fraternales. Su abstracción nos parece la expresión suprema del estilo cuando son su negación, como productos conformes, intercambiables, ritualizados, de una regla de vida colectiva. Esas formas extremas de intelectualismo que son las esculturas de madera de los Fang y de los Baoubé se armonizan con el nuestro, que puede reflejarse agradablemente en ellas. Entonces se ve un intelectualismo de agotamiento (o de fin de ciclo), el nuestro, reflejarse en un intelectualismo de necesidad, el suyo, con la esperanza de regenerarse.

Figura de eternidad, el ídolo es conservador.[1] Que obedezca a cánones teológicos como el icono bizantino o a ritos sociales como la escultura africana, el ídolo teme la innovación: las exigencias de eficacia lo hacen conformista. Mientras el artista inventa y renueva la herencia, el fabricante de ídolos no es un «creativo». Es un productor sin mercado, donde el cliente es el amo y donde la presión social interiorizada suple al deseo inconsciente. No hay que buscar nada, todo está ya descubierto. La imaginería se mueve aquí en un sistema cerrado, tanto formal como mitológico, que extrae su inspiración de un repertorio fijado previamente en temas limitados. Servicio público y colectivo destinado a una comunidad y en cierto modo asegurado por ella, minuciosamente regulado, esa imaginería tendría a nuestros ojos un aspecto de «arte oficial» propio de todo arte religioso en sentido fuerte, si las nociones de oficialidad o, por el contrario, de libertad artística pudieran tener razón de ser en un universo que no distingue entre el orden del cosmos y el de los hombres.

1. L'*Idolâtrie [La idolatría]*, Encuentros de la École du Louvre, París, La Documentation française, 1990.

LA ERA DE LOS ÍDOLOS

El Occidente moral es judeocristiano. El Occidente imaginario es helenocristiano (la teología católica de la imagen prácticamente no tiene en cuenta el Antiguo Testamento). En la lengua griega, y no en la latina, es donde la Cristiandad salvó la imagen de la gran noche monoteísta y eso mucho antes del cisma ortodoxo. En las actas de los concilios se traduce *eikon* por *imago*. Y el *eikon* deriva del *eidolon*, ambos con la misma raíz, *eidos*. El icono no es un retrato con parecido, sino una imagen divina, teofánica y litúrgica, que no vale por su forma visible propia sino por el carácter deificante de su visión, o sea, por su efecto.[2] ¿Por qué preferir el término ídolo al de icono? Porque es más antiguo y tiene un alcance más general. Puede englobar lo divino cristiano sin reducirlo. Históricamente, el ídolo en estricto sentido griego designa «la funda cilíndrica o tetragonal», o la estatua prehelénica anterior a la estatua llamada dedálica. Pero en sentido amplio reagruparemos bajo este término el conjunto de las imágenes *inmediatamente eficaces* (al menos para los espectadores inmersos en una tradición de fe), cuando la mirada trasciende la materialidad visible del objeto.

La edad de los ídolos que la historia occidental debe asumir como suya ignora, pues, el corte paganismo-cristianismo. Es el pedestal originario de las imágenes, la base oculta de la pirámide cuyo «arte» es una punta que ha emergido hace poco. Lo que la paleontología es a la historia de las sociedades, o el océano Pacífico a las islas Tuvalu, lo son los milenios inmóviles de la imaginería a la breve trayectoria llamada «historia del arte». Se podría extender esa capa primordial desde las primeras representaciones auriñacienses hasta el amanecer del Quattrocento si no tuviéramos en cuenta aquí la cesura de lo escrito. Ésta acorta (de 30.000 a 3.000 años a.C.) el período mágico-religioso del ídolo (tallado y pintado) en las culturas propiamemte históricas de las que se ha conservado documentación escrita: Alto Imperio egipcio y primeras dinastías mesopotámicas.

El mediólogo no tiene los mismos criterios que el historiador. En valor ontológico no ve una cesura fundamental entre Luxor, el Partenón y las catedrales. Las estatuas romanas incrustadas de oro y pedrerías —como la Majesté de Sainte-Foy— brillaban como las estatuas criselefantinas (oro y marfil) de la Grecia arcaica. El ojo de un

---

2. Egon SENDLER, *L'Icône, image de l'invisible* [*El icono, imagen de lo invisible*], París, Desclée de Brouwer, 1981.

visitante que tuviera algunos milenios de edad, habría podido explorar, sin demasiada sorpresa, un mismo abigarramiento cubriendo con un cálido manto de vida (sin relación con la fría blancura con que los ha desnaturalizado el presente) esos gres, esos mármoles y esos alabastros. Los ídolos tenían el tono encarnado y brillante de la carne, pues todos ellos eran seres que actuaban y hablaban. Su vista solicitaba primeramente el hemisferio izquierdo del cerebro. Las prácticas de la mirada no se rigen por nuestro calendario cristiano. Toman nuestro año cero por nuestra «Edad Media» (término, después de todo, recusado por eminentes historiadores; Le Goff, por ejemplo, o, en Italia, Armando Sapori). Sabemos que después de la ventaja considerable del *codex* sobre el *volumen*, las prácticas de lectura (acústica, salmodiada, semipública) y la cultura textual no conocen tampoco un cambio significativo entre la Baja Antigüedad y el principio del Renacimiento. ¿Puede decirse otro tanto de la cultura visual, y alinear la imagen pagana con la imagen cristiana en la que se ha querido ver una adversaria e incluso, en un principio, la rigurosa antítesis suya?

A primera vista, todo parece indicar que no. El *eidolon* polícromo y politeísta está más orientado a lo visible y sus esplendores; el *eikon* bizantino, menos deslumbrante y más severo, mira al interior. Se pueden y se deben oponer estos tipos de representación de lo visible por lo invisible, dos modos de presencia incompatibles de la divinidad en su figuración. El dios pagano es sustancialmente visible y está presente en su esencia en el ídolo antiguo; el Dios cristiano, sustancialmente invisible, no está *verdaderamente* en el icono (como el cuerpo de Jesucristo en la hostia). Los Padres de la Iglesia han fundamentado en esa distinción entre presencia inmediata y representación mediatizada auténticas guerras de exterminio contra los idólatras. Pero la diferencia entre el icono permitido y el ídolo prohibido no se basa en la imagen sino en el culto que le es rendido. Los brutos, los idiotas adoran un trozo de madera por sí mismo en vez de practicar la ascensión al modelo interior, la *traslatio ad prototypum*. En cambio, el buen cristiano no confunde el culto de *dulía* con el culto de *latría*. Esas diferencias son bastante reales para que se pueda dividir la era de los ídolos en períodos diferenciados —arcaico, clásico, cristiano—, pero en nuestra opinión no lo bastante para romper el esquema general. Entre el mito de Isis, de que nos habla Apuleyo, «gozando de la indecible voluptuosidad que se desprende del simulacro de la divinidad, pues él no ve la estatua sino a la diosa misma» (*Metamorfosis*, cap. 24), y Teresa de Ávila en éxtasis ante una imagen de Jesucristo flagelado en el Carmelo de la

Encarnación no hay corte mayor en lo que se refiere a la psicología de la mirada, digan lo que digan de ello los teólogos: en los dos casos, el ser divino se revela en directo y en persona a través de su imagen. Por lo demás, Antigüedad tardía y Cristiandad antigua tienen en común que admiten oficialmente la imagen milagrosa, o *acheiropoiete* (no hecha por mano de hombre). En la Antigüedad, la imagen venía del Cielo. En la Cristiandad viene de los orígenes. Es la Santa Faz de Laon, san Mandilio de Edesa, como más tarde, el Sudario de Turín. Punto común: la huella viva de Dios vivo, con exclusión de todo trabajo artístico. Así, en el facsímil de la Santa Faz la única huella del rostro de Jesús antes de la Pasión, *encarnada* por Mandilio de acuerdo con la leyenda («El Rey Abgar de Edesa envió un pintor para que hiciera el retrato del Señor. No le fue posible a causa del esplendor que irradiaba de su rostro. Entonces el Señor puso un lienzo sobre su rostro divino y vivificante, y así quedó impreso en el lienzo su retrato»). Asimismo, los dos períodos tienen en común la independencia de la imagen sagrada con relación a la mirada, de modo que no tiene necesidad de ser vista para actuar. Aunque la Gorgona sólo petrifica a los que la miran, las criaturas de Dédalo, las estatuas arcaicas, viven su vida a espaldas de los humanos. En régimen «ídolo», *la práctica de la imagen no es contemplativa*, y la percepción no establece un criterio. El poder de la imagen no está en su visión sino en su presencia. Una iluminación en un manuscrito cerrado, o un sacramentario invisible en una iglesia, vela de lejos por sus fieles reunidos. Un ortodoxo reza a su icono con los ojos cerrados porque lleva el icono de Cristo en él. El culto antiguo de la reliquia se ha transformado en el culto cristiano de la estatua milagrosa y de las reliquias de los santos. La sangre del mártir purifica por simple contacto. La simple proximidad tiene valor propiciatorio, profiláctico y santificante. Una cámara funeraria se convierte en capilla por la presencia de reliquias. De ahí «la terapia por el espacio» (Dupront) que era la peregrinación, y la inhumación *ad sanctos*, junto a cuerpos —indicios que tienen capacidad de liberar a los fieles del demonio. El reposo de los muertos (que, lo asegura Gregorio Nacianceno, sienten y sufren) y, por lo tanto, la tranquilidad de los vivos depende de la ubicación de su sepultura. Y los fieles ponen en las tumbas «agua bendita, cruz, libros santos, hostias, reliquias».[3] Si eso no es magia, ¿qué lo es?

3. Yvette DUVAL, *Auprès des Saints, corps et âme (l'inhumation ad sanctos dans la chrétienté d'Orient et d'Occident du IIIe au VIIe siècle) [Junto a los santos, cuerpo y alma (la inhumación ad sanctos en la cristiandad de Oriente y de Occidente del*

Los dos períodos resumidos tienen en común el hecho de que la imagen visible es referida directamente a lo invisible, y *sólo tiene valor como enlace*. De la misma manera que, en la Ciudad de los dos poderes lo espiritual prevalece sobre lo temporal, en la Ciudad de los ídolos la carne de la imagen cuenta menos que el Verbo que la habita. La Escritura es la que legitima la iluminación del misal, pues ésta no tiene existencia propia. No olvidemos por último que el *ídolo* del teólogo es el *icono* de la religión rival (como la ideología del publicista es la idea de su adversario). El ídolo es la imagen de un dios que no existe, ¿pero quién decide esa inexistencia? Falso o verdadero, lo importante es que, dentro o detrás de la figuración, esté lo divino, quiere decirse, el poder. Tal es el criterio del parecido en una era única: *una imagen de arte «produce efecto» por metáfora. Un ídolo posee efecto realmente y por naturaleza.*

En su período propiamente cristiano, la era del ídolo nos lleva de Rávena a Siena. Está organizada de acuerdo con el modelo bizantino, reflejando así la hegemonía del cristianismo oriental sobre su homólogo occidental. Heredero directo del Imperio Romano, lugar de síntesis de las iconografías imperial y crística, Bizancio, después de la crisis del iconoclasmo, hace de trampolín y enlace entre el Oriente helenístico y el Occidente gótico. Carlomagno, iconódulo moderado, es todavía, bajo la influencia de Bizancio, un partidario «en su justo medio» de la imagen, que no hay ni que destruir ni adorar. Bizancio ha asegurado la filiación entre las creencias «mágicas» del mundo pagano y la teología de la imagen derivada de la encarnación, como ya ha hecho, por el modelo imperial, entre los usos precristianos de la Ciudad antigua y la corte otoniana. Los benedictinos han tomado de él la iluminación, y las ciudades italianas han recibido el soplo de la Antigüedad, por medio de sus refugiados políticos tras la toma de Constantinopla por los cruzados (1204-1206). Estos importantes emisarios han puesto a Platón en manos de los humanistas (Marsilio Ficino, su traductor en Florencia). Bizancio enlaza lo cristiano del año mil de nuestra era con lo pagano del año 1.000 a. C. Los iconos rusos salidos de la tradición bizantina guardan todavía hoy, para la mirada popular ingenua, las mismas virtudes que los *xoana* griegos milagrosos.

---

siglo tercero al séptimo)], París, Études augustiniennes, 1988. Esas prácticas funerarias no tenían en cuenta las recomendaciones de san Agustín. En su *De cura pro mortuis gerenda* (420), observa que, toda vez que la resurrección no depende de la conservación material de los cuerpos, «los fieles no pierden nada al ser privados de sepultura como los infieles no ganan nada al recibirla».

LA ERA DEL ARTE

El arte es en realidad un producto de la libertad humana; pero no sólo en el sentido en el que lo entiende Kant cuando dice que el trabajo de las abejas no es una obra de arte sino un efecto de la naturaleza (los panales de cera no están construidos con vistas a un fin). La libertad que manifiesta el arte no es la de una intención con respecto al instinto, sino la de la criatura frente al Creador.

La libertad de los humanos en general, esas no-abejas, sólo tiene una historia zoológica; la libertad de los artistas en particular pertenece en su totalidad a la historia, pues fue una conquista de un humanismo sobre una teología. Es una *liberación*. Por eso es por lo que el arte no es un rasgo de especie sino de civilización.

Lo «artístico» aparece cuando la obra encuentra en ella misma su razón de ser. Cuando el placer (estético) ya no es tributario del encargo (religioso). En términos prácticos y prosaicos: cuando el fabricante de imágenes toma la iniciativa, en lugar del comanditario.[4] La profesionalización del artista (que viene del artesano como el escritor laico viene del clérigo) no establece un criterio. Ni siquiera la firma de la obra (se ha encontrado incluso en los dinteles de las sinagogas primitivas y en el borde de los mosaicos judíos de Palestina, a principios de nuestra era). El criterio es la *individualidad asumida, actuante y hablante*. No la firma, o la rúbrica, sino la *toma de la palabra*. El artista es el artesano que dice «yo, yo». Que muestra al público, en persona, no los secretos del oficio o las reglas de aprendizaje, sino su función en el seno de la sociedad en su conjunto. En una situación límite puede no *hacer* nada con sus manos —como ocurre hoy con los «artistas de la comunicación»—, con tal de que *diga* y *escriba*: «Así es como *yo veo* el mundo».

El advenimiento del arte va unido a la creación de un *territorio*, indisolublemente ideal y físico, cívico y ciudadano. Nace de la *reunión de un lugar y de un discurso*. Lo que vale para el arte como *concepto* vale para un arte dado como *género* (teatro, novela, baile, cine, etc.).

Un lugar *ad hoc* para establecerse por su cuenta, separado del templo o del palacio. Como se suele decir: una habitación o una casa aparte. Lugar de salvaguarda, de parada, de visita, que genera el «efecto patrimonio» por acumulación de huellas y competencias. Gliptoteca, pinacoteca, cinemateca, videoteca.

---

4. Francis HASKELL, *Mécènes et peintres. L'Art et la société au temps du baroque italien [Mecenas y pintores. El arte y la sociedad en tiempos del barroco italiano]*, París, Gallimard, 1991.

En concomitancia con el primero, un *espacio discursivo* distinto de la mitología o de la teología; y, siguiendo sus huellas, con mediadores especializados, críticos y comentaristas que se dirigen a un público de entendidos de acuerdo con criterios endógenos (jurados, concursos, festivales, etc.).

La respetabilidad es la domiciliación más la explicación. El tejado hace ley: la cinemateca ha hecho al cinéfilo.

Un día, las escenas dialogadas que formaban parte del oficio religioso salen del coro de la iglesia y se instalan en el atrio. Adosadas a la catedral, pero ya en la plaza pública: nacimiento en el siglo XIII del *misterio*. Más tarde, el drama sagrado abandona el atrio y sus andamiajes temporales al aire libre para instalarse en un local permanente y cubierto construido expresamente: nacimiento en el siglo XVI del *teatro*. Un día, el cinematógrafo de los hermanos Lumière abandona las barracas de feria o la sala del Grand Café, y Méliès en 1902 inventa el Nickelodéon, precursor de nuestras salas de proyección, para mostrar *Viaje a la Luna*: nacimiento a principio de este siglo del *cine* como arte. Un día, el baile sale del edificio de la Ópera, el maestro de ballet toma el título de «coreógrafo», escribe sobre el sentido de la vida y de su arte, y se convierte en objeto de exégesis y de tesis. Los poderes públicos le hacen director de una institución autónoma (Casa de la Cultura o Compañía). Nacimiento en ese fin de siglo de un nuevo arte mayor. La emancipación está unida a la aptitud de reflejarse a sí mismo, en su propia lengua, con los focos de luz fijos en uno mismo.

*   *   *

La *estetización de las imágenes* comienza en el siglo XV y termina en el siglo XIX. Entre la aparición de la *colección particular* de los humanistas y la creación del *museo público*, lugar colectivo, permanente y abierto a todos (1753 para el British Museum, 1793 para el Louvre, 1807 para la Academia de Venecia).[5]

«Museo» es el templo de las Musas, pero ya hemos visto que en Grecia no había Musas para eso a lo que nosotros llamamos «artes plásticas». Pinacoteca y gliptoteca, en la época helenística y romana, son *privadas* (en la mayoría de casos eran botines de guerra almacenados en el domicilio de los cónsules o generales victoriosos).

---

5. Krzysztof POMIAN, *Collectionneurs, amateurs et curieux. Paris-Venise, XVIᵉ-XVIII siècle [Coleccionistas, amantes del arte y curiosos. París-Venecia, siglos XVI-XVIII]*, París, Gallimard, 1987.

El Museo de Alejandría era conocido ante todo por su biblioteca. En el período clásico, los tesoros son amontonados en los santuarios religiosos, como las ofrendas (nuestras «obras de arte») en los templos. Así ocurre con las iglesias y catedrales. Así ocurre con los tesoros medievales acumulados en los palacios, para hacer frente a los deberes de las cargas reales, guerra, préstamos y comercio (más próximos, en ese sentido, a las reservas de oro en los sótanos del Banco de Francia que de lo que nosotros entendemos por colección).

El nacimiento del discurso de justificación sigue de cerca al de las colecciones de particulares entendidos y amantes del arte (Vasari, 1550). Historia y crítica se subliman bajo las luces en la estética filosófica, contemporánea de los primeros grandes museos nacionales.

Ni siquiera los «irregulares del arte» escaparán de esas reglas de homologación siempre válidas. El *art brut* tiene en París su sala permanente de exposición, *la sala del «Art Brut»*, y una especie de academia autónoma llamada «compañía» en el momento en el que Dubuffet producía su legitimidad teórica en sus bellos *Escritos*: a principios de nuestros años sesenta. Así, la «no-cultura» dejaba de ser tributaria de la «asfixiante cultura». Pero convirtiéndose a su vez en una cultura plena, a la que había que rendir tributo. Los «anartistas» contribuyen a que una manifestación se convierta en arte.

El paso del ídolo a la obra de arte es paralelo al paso del manuscrito a la imprenta, entre los siglos xv y xvi. El iconoclasmo calvinista se desarrolla siguiendo las huellas de Gutenberg, y representa la segunda Disputa de las Imágenes del Occidente cristiano. Dirigida a la *sola scriptura*, es decir, al todo simbólico, por la propagación del libro, la Reforma denuncia las perversiones mágicas o indiciales de la imaginería cristiana (que alcanza en el área germánica, con las estatuas de madera pintada, un grado de ilusionismo asombroso, a principios del siglo xvi). Hay que adorar a Dios, no a su imagen, recalca Lutero, retomando el hilo de Tertuliano que acusaba a los paganos de «tomar las piedras por dioses». Erasmo ya había condenado la idolatría pagana oculta en el arte de la Iglesia; y el secretario de Carlos V, Alfonso de Valdés, católico por excelencia, reconocía que el culto de las imágenes de los santos y de la Virgen «desvía de Jesucristo el amor que deberíamos dedicar a Él solo». La Contrarreforma hace que vuelva la imagen, la multiplica, la hincha (con lo que a la postre el protestantismo refuerza aquello que quería debilitar), pero volviendo a un régimen menos peligroso, con un funcionamiento representativo y ya no carismático o catártico de lo visible. Del icono al cuadro, la imagen cambia de signo. De aparición pasa a ser apariencia. De sujeto se convierte en sólo objeto. El reequipamiento visual del mundo católico después del Concilio de Trento se hace con más imágenes pero una menor imagen que antes, como si la Reforma hubiera conseguido al menos esa *diminutio capitis*. La evidente ganancia de poder por parte del artista como individuo que marca ostensiblemente la entrada en la era del arte —por ejemplo, después del «divino Miguel Ángel», el ennoblecimiento de Tiziano por Carlos V— tiene como reverso una bajada de poder ontológico, una caída en presencia real de sus creaciones. La belleza es una magia frustrada, o rechazada. Como el museo es el receptáculo de las creencias degradables de la cultura, el arte es lo que queda al creyente cuando sus imágenes santas ya no pueden salvarle.

En la superficie, la imagen nunca ha estado tan bien como en el Renacimiento; además está en todas partes: en las iglesias, en los palacios e incluso en la calle, pues se pintan incluso las fachadas, «transfiriendo a la mansión la autoridad de las formas plásticas» (Chastel). La época del arte, sobre todo en Italia, que fue su metrópoli, llegó incluso a tratar la arquitectura como soporte de las imágenes (hoy en día, el arquitecto trata al pintor como su ayudante, si es que no le niega el espacio). La imagen humanista se emancipa del culto, produce su propia cultura. Pasa de lo sacro a lo laico, de lo comunitario a lo particular; aunque todavía asentado en la Revelación primera, su valor no está ya indexado en la escala de los poderes divinos.

La idolatría, aparecida con la escritura, se disuelve pues con la imprenta. Ésta, observa Henri-Jean Martin, ha borrado «una forma de lenguaje de las imágenes».[6] El librito xilográfico desaparece hacia 1470 ante el libro tipográfico. El desarrollo de la imprenta se hace en detrimento del libro ilustrado, coloreado, iluminado, con figuras alegóricas. Desaparece, o pasa a segundo plano, la imagen narrativa, el relato en imágenes, como el vitral, el tapiz (pensemos en el Apocalipsis de Angers, nuestra primera cinta gráfica), el dintel, el fresco. La Edad Media fue mucho más una «civilización de la imagen» que nuestra era visual, y la edad clásica la ha cubierto de páginas grises. Hasta la aparición de la litografía en el siglo XIX, el libro de las elites es austero. El libro noble no admite el retrato del autor (Boileau no ilustra su *Arte poética*). La imagen deriva entonces socialmente hacia abajo. Es una regla: si el ídolo es igualitario e incluso colectivista, la imagen de arte aparece en sociedades con separaciones sociales acentuadas.

6. Henri-Jean-MARTIN, *Histoire et pouvoirs de l'écrit [Historia y poderes de lo escrito]*, París, Perrin, 1988, pág. 218.

Gutenberg ha permitido esa revolución que fue el paso de la madera grabada a la estampa, gran proliferador sin el cual el arte no habría conquistado Occidente en medio siglo. Desde el siglo XIV, para darse a conocer en el extranjero y estimular las ventas, los pintores hacen grabar sus cuadros. Y Mantegna, Durero y Rubens crean talleres de grabado. Fuera de China, donde la impresión sobre papel es tan antigua como la escritura, la estampa en madera es antigua y aparece firmada a partir del año 1410. La xilografía servía en una Edad Media que, en su etapa final, tenía la pasión de las imágenes piadosas, para memorizar los sermones de los hermanos mendicantes, ilustrar Biblias manuscritas, enseñar letanías y oraciones. El grabado en talla dulce, sobre cobre, con utilización de la prensa cilíndrica, procede, como la imprenta, de las artes del metal y de la orfebrería, en las que los países germánicos son los grandes maestros. Los primeros maestros anónimos del buril —el Maestro E.S., por ejemplo— son renanos. La talla dulce destronó a la madera grabada, principal medio de propaganda y agitación de la era precedente.

Propulsora de lo ilustrado y, a través de ello, de las ciencias descriptivas (cosmografía, medicina, botánica), la imprenta fabrica el primer múltiplo con soporte metálico (de acuerdo con la moneda), gran promotor del mundo germánico. Durero y Lucas de Leyde. El grabado viene del norte, porque la edición viene del norte, y la carrera de la estampa repite la de lo impreso. Durero, apasionado de todas las ciencias, dedica un libro a las «proporciones de las letras», reinventa caracteres y comenta cada letra de su alfabeto. Un libro circula, se exporta, se compra con mucha más facilidad que un cuadro: es un vehículo de influencias, un acelerador de intercambios, un mediador de estilos, un promotor de plagios. También ha circulado el virus visual, y no se puede oponer la cultura de la imprenta a la de la imagen: las dos, en un principio, se reforzaron mutuamente. El grabado puso en contacto el norte iconófobo con el sur y el sur iconófilo llevó la escuela al norte. El norte de Europa prefiere los libros, el sur los cuadros (sobre todo después del Concilio de Trento). Primacía protestante, prioridad católica. Pesimismo puritano de la letra sola, optimismo terrestre que confía en el dinamismo de las imágenes. El debate sacude a una cristiandad dividida entre Melanchthon y Loyola. Como la Iglesia medieval había estado dividida entre la austeridad cisterciense y el lujo cluniacense, entre la imagen que hace olvidar a Dios y la imagen que recuerda Dios a los iletrados, entre la llamada a los sentidos y la defensa del Sentido. Convulsiva, sanguinaria vacilación: Savonarola quema las «vanidades» de Florencia, antes de ser quemado él. ¿Hay que rozar el paganismo para salvar lo visible con riesgo de la gracia, o bien renunciar al magnetismo sospechoso de las imágenes para cultivar las Bellas Letras y la pureza del Espíritu Santo? La segunda opción fue la de los humanistas, y de Erasmo, que no condena la imagen, y tampoco la toma muy en serio. Los humanistas del norte tratan al arte con desdén. Vinculado al libro, el grabado no era a sus ojos nada más que un compromiso aceptable. Y, sin embargo, incorporó Amberes, Basilea y Fontainebleau al «país de las artes», Italia, amplió el mapa de mestizaje, incorporó lo grotesco, el detalle decorativo, el plano arquitectónico, al mundo de las formas nobles. Mucho antes de la foto, lo impreso permitió la creación del primer museo imaginario europeo. Luego será simplemente mundializado por la reproducción fotográfica. Y más adelante será miniaturizado por la revolución numérica.

Ya hemos visto, con el ídolo, lo que podía ser *una mirada sin sujeto*. Ahora veremos, con lo visual, lo que es una *visión sin mirada*. La era del arte pone *un sujeto detrás de la mirada*: el hombre. Esta revolución tiene su nombre: la perspectiva euclidiana.[7] El tema se desarrolló en Toscana, entre Florencia, Asís y Mantua, en la primera mitad del siglo XV. Los nombres de Giotto, Mantegna, Piero, Masaccio, Uccello encarnan ese giro capital, que es una inversión. Hasta entonces, el ídolo «emitía» hacia el espectador, lo que significaba que tenía la iniciativa. El hombre se beneficiaba de sus virtudes bajo ciertas condiciones, pero no era la fuente; el hombre era visto, no vidente.

Cuando un ciudadano griego o romano, un creyente bizantino o medieval eleva los ojos a la imagen sagrada o divina, tiene que bajarlos, pues «es la mirada del Señor la que se posa en él». Entonces el creyente se santigua y se inclina. Nadie puede apropiarse de un ídolo que irradia. El ídolo no tiene ni autor ni poseedor. Perfecta autonomía. Elaborarlo es todavía recibirlo, pues lo envía Dios. La invención de la perspectiva geométrica destrozó esa humildad. Hizo que la mirada occidental fuera orgullosa, y ante todo determinó su perspicacia. *Perspicere* es ver claramente y a fondo. El laborioso descubrimiento de los arquitectos Brunelleschi y Alberti (que transmitirán el método a los pintores) merece su nombre, pues permitió esclarecer y por lo tanto, evacuar, los misterios, los dobles fondos de lo visible en una transparencia puramente humana.

Ciertamente, todas las culturas visuales del mundo habían teni-

7. Erwin PANOFSKY, *La Perspective comme forme symbolique [La perspectiva como forma simbólica]*, París, Les Éditions de Minuit, 1975.

do su manera de transferir el espacio a una superficie plana. Los egipcios tuvieron la perspectiva por registros, los indios la perspectiva radial, los chinos y los japoneses la perspectiva a vuelo de pájaro, los bizantinos la perspectiva invertida. Se ha dicho que el icono tradicional no tiene profundidad. Bizancio, es cierto, y en parte el Occidente latino han heredado las prohibiciones plotinianas propias de la física espiritualista de los últimos pensadores griegos. Plotino (205-270) rechaza la profundidad porque es materia, como el espacio y la sombra. Situarlo todo en primer plano, plano único, es favorecer la visión intelectual de la Idea, de lo Divino en la Imagen.[8] No obstante, se practica una tercera dimensión. No en *trompe-l'œil* sino en la realidad. No es interior respecto de la superficie pintada, sino que se sitúa entre el icono y quien lo contempla. Es la distancia que atraviesan los rayos portadores de la energía divina para llegar al creyente. Las líneas de fuga van hacia el ojo del espectador. Pero ninguno de esos códigos de la perspectiva se ha extendido fuera de su perímetro cultural de partida, en tanto que la perspectiva occidental se ha subordinado a las otras. Ha fundado el método gráfico moderno de representación espacial apoyándose en un sistema de figuración geométrica universalmente inteligible. El espacio unitario del Renacimiento ha unificado el mundo real. Introducido por el concepto de infinito, que determina el de lo continuo, ha destrozado de hecho los universos cerrados y compartimentados, cualificativos y fragmentados que hasta entonces regían la representación. Reemplaza la obsesiva observación del detalle por un sistema homogéneo y global, donde el espacio inteligible neutraliza los pliegues y recovecos oscuros de lo sensible. El maridaje del ojo y la lógica matemática han tenido por efecto abrir a la mirada la naturaleza física, y no sólo mitológica o psicológica. La *perspectiva artificialis* nos ha descubierto la tierra al liberarnos de los dos. Esa perspectiva nos ha permitido la salida de lo eterno —el equivalente de la «salida del Egipto» para el pueblo judío— poniéndonos delante la prosa misma de las cosas. La inversión metafísica de los polos del universo ha sido ante todo un hecho óptico, y la revolución de la mirada, como siempre, ha precedido a las revoluciones científicas y políticas de Occidente. La formulación por los pintores de las leyes de la pers-

---

8. Para la óptica de esta época, según la cual la vista se efectúa no sobre la retina sino sobre el objeto visto, en el punto de contacto del rayo de luz emitido por el ojo y la luz exterior, la buena perspectiva es opuesta a la nuestra: cuanto más lejos, más grande. Véase André GRABAR, «Plotin et les origines de l'esthétique médiévale», *Cahiers d'archéologie*, I, 1945.

pectiva se ha anticipado en más de un siglo a su estudio por los matemáticos y el perfeccionamiento de una geometría descriptiva. La aparición simultánea de la perspectiva y del arte no coincide por azar con el balbuceante nacimiento de una sociedad de humanistas laicos al margen de las tutelas clericales. Esa laicización ha tenido dos contrapartidas benéficas para la historia del arte: la constitución de un campo estético independiente de la teología, por medio de una historia profana de los artistas y los estilos (Ghiberti, Alberti, etc.); y la constitución de colecciones de antigüedades profanas (medallas, manuscritos, monedas, estatuas) fuera de los lugares de culto. El arte y el humanismo son contemporáneos porque son solidarios en sus postulados.

No vamos a reanudar la discusión de saber si la ruptura capital marca el desenlace de una lenta aproximación a una realidad objetiva por fin devuelta a su verdad, desembocando en una aprehensión directa y fiel de un espacio absoluto; o bien una «forma simbólica» entre otras cien posibles, un método y un código subjetivo, científicamente ilegítimos y culturalmente pertinentes, que se refieren a un estado concreto de civilización. Todo parece dar la razón a Panofsky y su Escuela: se trata de una estilización, no de una imitación. En el teatro del mundo (la escenografía desempeña su función en la invención), el hombre arrebata el primer sitio a Dios. En simetría con el punto de unión de las líneas de fuga sobre el espacio plano del cuadro, el hombre es a la vez actor principal y escenificador de su pequeño cubo escénico. El punto de fuga único de las líneas en el fondo de la pared o de la tela está situado en el eje del punto de vista inmóvil y único, monocular y solitario, ese espectador egocéntrico delante del cual el espacio se despliega como nuevo. Aunque sean pocos los cuadros que han observado el modelo teórico al pie de la letra, la disminución de las proporciones a partir de un punto central no está exenta de consecuencias. La construcción en perspectiva heroíza al constructor: el que, por ser lúcido, conoce las leyes del espacio y, por ser activo, organiza su utilización. Esa subjetivación de la mirada ha tenido innegablemente su precio: la reducción de lo real a lo percibido. Ése es el principio del fin de la mirada transformadora. O la entrada en crisis, para la óptica, de la transcendencia mística (del motor divino sobre el motivo aparente). La geometrización de la superficie a través de la cuadriculación del espacio teatral transforma el mundo exterior en una combinación de volúmenes y superficies, liberado a la postre de sus opacidades mágicas. La esencia de lo visible no es lo invisible, sino un sistema de líneas y puntos. Como si el análisis experimental de las tres dimensiones se operara en detrimento de la espiritualidad, como si lo que se gana en espacio de juego se perdiera en valor de revelación. Fin de las epifanías, inicio de los recursos en *trompe-l'œil*.

El espectador central no es ya poseído potencial sino un poseedor efectivo de la obra, maestro de los números y de las máquinas. El coleccionista *privado* de las maravillas de la naturaleza. El cuadro humaniza pero también privatiza. El reino de la individualidad creadora será más elitista, socialmente más cerrado. La obra de arte sale del espíritu del artista que la dirige a *un* entendido. El ídolo, al venir de otro sitio, se dirige a *todas* las criaturas. Al principio de la era 1 sólo hay un artista, que es Dios. Al final de la era 2 sólo habrá un dios, el Artista.

Más sobriamente: de una a otra se ha pasado cuando las cualidades formales de la imagen, despegándose de su mensaje informativo y transfigurativo, hacen aparecer a una nueva mirada un valor de devolución independiente del valor a devolver; cuando el comanditario de un cuadro o de un fresco no quiere ya una Crucifixión o una Navidad sino un Bellini o un Rafael, pues el artista nace al mismo tiempo que autor, creación tardía y tipográfica de la guarda del libro impreso. En tanto no llega la noción de propiedad, la de personalidad intelectual y artística deriva de las nuevas prácticas de apropiación de los «productos del espíritu». Isabel d'Este, 1501, sobre Leonardo da Vinci: «Si él accediera a realizar una tela para nuestro estudio, nosotros le dejaríamos la elección del tema y de la hora». En Francia, el estatuto de perito tasador, oficial ministerial, es fijado por un edicto de Enrique II (1556). Se ha pasado de la imaginería al arte cuando el pintor no ejecuta ya un encargo y un programa, como un artesano, y el valor de su trabajo no depende tampoco de los materiales empleados por él (muchas onzas de lapizlázuli o de oro) o del número de personajes representados, todas ellas cosas estipuladas en el contrato de encargo medieval. Cuando, después, pone en el mercado una obra libremente compuesta, y cuyo precio no está ya fijado por contrato previo sino por los avatares de la oferta y la demanda; como se hizo inicialmente en Holanda, con Rembrandt y sus compañeros. Con la expansión del retrato, la obra noble deja de ser incompatible con la figura del hombre anónimo: no queda ya limitada a los rasgos del príncipe o del donante en su retablo.

Las eras se dividen en períodos y se subdividen en épocas. Si esa medida vale en geología para el Cuaternario y en prehistoria para el Paleolítico superior, no se considerará superflua para nuestros quinientos últimos años, donde hay razones para apostar que Piero della Francesca y Pablo Picasso no son justiciables en los mismos términos.

Un examen detallado de «la era del arte» distinguiría sin duda un período clerical y curial, aproximadamente de 1450 a 1550, donde el pintor ya no es un fabricante sino un «doméstico»; período de mecenas y príncipes, de 1550 a 1650, con la figura del pintor de corte; monárquico y académico, de 1650 a 1750, con sus artistas oficiales designados (1648: fundación de la Academia real de pintura y de escultura); burgués y mercantil, a partir de 1750, con sus galardonados, en el momento en el que lo impreso recibe un nuevo impulso. En torno a esa fecha se sitúa, al lado de la Academia con un ritmo más lento, esa compleja constelación de actores que se mantendrá en el siglo XIX: el marchante, la galería, el crítico y la exposición. En Francia, en 1748, se nombra un jurado para filtrar las obras expuestas en el Salón (inaugurado en 1667 por Colbert y Le Brun). El Salón suscita la *crítica de arte* que hace sistema con lo *periódico*, lo periódico con el *catálogo* (el primero apareció en Holanda en 1616), el catálogo con el marchante, el *marchante* o la galería con una *clientela* de gustos variados. Esta diferenciación, o privatización del gusto, corre pareja con la caída de la jerarquía de los géneros fijados en la edad clásica por la Academia real: la pintura de historia en la cima, después el retrato, a continuación el paisaje seguido de la pintura de animales y finalmente, en último lugar, el bodegón o naturaleza muerta. Ése es el precio del libre ejercicio profesional, cuando el monopolio académico se encuentra en claro retroceso.[9]

Así, nuestro «artista» ha trabajado sucesivamente para las comunidades religiosas, las cortes principescas (Anjou, Borgoña, Berry, etc.), el rey, su corte y su Academia, los amantes del arte, los críticos y salones, y finalmente, en la época empresarial, la nuestra, para las empresas, los medios de comunicación de masas y los museos. Esta polarización es sólo sociológica, exterior. Si el promotor de las operaciones estéticas de una época regula la naturaleza de las obras producidas es porque, mucho antes, se ha jerarquizado el valor relativo de los géneros. Quien pretende encontrar gracia a los ojos de alguien tiene que responder a sus necesidades, y un prelado, un señor, un monarca, un hombre de gusto o un gran industrial no formulan las mismas exigencias y peticiones. La pintura sagrada ha declinado con el poder temporal de la Iglesia; la gran pintura de historia y mitológica, con la de la monarquía absoluta; el retrato y las

9. Léase, de Jeanne LAURENT, *Arts et pouvoirs en France [Artes y poderes en Francia]* (de 1793 a 1981), Universidad de Saint-Étienne, 1982, y, de Raymonde MOULIN, *Le Marché de la peinture en France [El mercado de la pintura en Francia]*, París, Les Éditions de Minuit, 1967.

escenas de género con la de la burguesía rentista. El «¿para quién?» responde al «¿para qué?». El espíritu del sistema dice: el gobierno del arte pertenece, dentro de cada época, a un grupo mediador central. Entendido por tal el grupo social que, en cierto momento de Occidente, infunde su espíritu y su estilo, porque administra lo sagrado del momento. La Iglesia ha administrado a Dios y la salvación, las cortes principescas, el poder y la gloria, las burguesías, la Nación y el progreso, las empresas multinacionales el beneficio económico y el crecimiento. El detentor de los valores de unificación, es decir, de lo sagrado social, es también el que se queda con lo mejor y los excedentes económicos. El principal coleccionista de plusvalía colecciona las imágenes más valiosas. Como es el que las encarga, las adquiere y las promueve, es también, naturalmente, el árbitro de las elegancias y el índice de los valores. «El que paga la orquesta elige la música.»

9. Una religión desesperada

> Nunca, cuando es la vida la que se va,
> se ha hablado tanto de civilización y de cultura.
>
> ANTONIN ARTAUD

Cuando las iglesias se vacían, los museos se llenan. Muchos ven en el culto planetario del arte el supremo rasgo de unión de una humanidad desunida. Pero si el saber es universal, el universo del sentido es siempre local. Una espiritualidad mundial es una contradicción en los términos. Por eso, si es cierto que en Occidente el dinero ha salvado al arte de su muerte anunciada, es poco probable que el arte salve al mundo.

¿TODAVÍA UNA MUERTE DEL ARTE?

Ars moriens, arte moribundo. Así llama Plinio el Viejo a la pintura en el siglo primero de nuestra era. Dice además que ese arte ha sucumbido a los encantos del oro. «La molicie ha causado la pérdida de las artes y, como no se puede hacer el retrato de las almas, se descuida también el retrato físico.» El arte es el mortinato de nuestra cultura. Merecidamente: pues el arte occidental nace tomándose a sí mismo como fin y objeto, y por eso muere. Rotación de tipo dinástico: «El arte está muerto, viva el nuevo arte». Es un destino, y un blasón.

Por lo tanto, podemos estar seguros de no equivocarnos en absoluto si anunciamos, por ejemplo, la muerte de la pintura. Ese anuncio se ha hecho constantemente, de manera especial cuando la pintura gozaba de mejor salud. «Es increíble hasta qué punto han degenerado las artes desde Rafael e incluso desde los primeros representantes de la *maniera*. Ni en Italia ni fuera de Italia, ha habido más pintores», escribía Bellori en 1672 en su *Vida de Aníbal Carra-ci*.[1] «Los buenos tiempos han pasado», afirmaba Hegel en la época de Géricault y de Ingres, de Gainsborough, de Friedrich y de Goya... Y Baudelaire dice acerca de Manet: «Es el pintor el que ha matado a la pintura». «La pintura está muerta», declara por su parte el ilustre Delaroche después de haber oído la exposición que Arago hacía del descubrimiento de Niepce y Daguerre. En 1931, el gran Élie Faure, tras denunciar «la búsqueda del estilo por el estilo» como un error fatal, anunció en su *Agonía de la pintura* el relevo de las artes plásticas por el cine, «órgano de sustitución que su desaparición reclama». Respondiendo a *La cabeza de obsidiana* de André Malraux con un perspicaz *Picasso le liquidateur [Picasso el liquidador]*, Roger Caillois identificaba hace poco «la veleta negativa» como el más claro síntoma de «la desaparición del arte autónomo».[2] De hecho, la lista de esquelas mortuorias es interminable.

Como las riadas hacia el arte, las «muertes del arte» se suceden siglo tras siglo, pero no se parecen. Hoy todo parece indicar que la última en fecha sea la más seria de esas «escenas originarias». El historiador del arte sabe muy bien que el antiarte de nuestro siglo no fue una melancolía como otras, sino una decisión metódica, argumentada, inspirada. Los dadaístas, que hicieron del suicidio del arte su especialidad artística, actuaron deliberadamente al fijarse en su condición primera: la operación material, la cosa misma, sea por medio del objeto indiferente, el *ready-made*, sea por medio del azar erigido en principio, el *happening*. El Fénix, por primera vez, se desdice, escenifica su propia muerte y, en un nuevo alarde de artistería, convierte en obra su renuncia a la obra, cuasiobjeto, pero, de exposición.

En la historia de las formas, como en la otra, las escenas llamadas finales rara vez lo son. Por lo tanto hay que acoger con una ironía un tanto lasa al enésimo enterrador, sobre todo si es filósofo. Y, no obstante, el mediólogo debe tenerlo en cuenta: aunque estuvieran delante de nosotros los más bellos cuadros del mundo, se inscribirían en una esfera distinta de la del arte, pues, tanto en óptica como en lo demás, hemos cambiado de *elemento*.

La ironía estará tanto más justificada cuanto que rara vez se ha visto a un difunto que se encontrara en tan buen estado. Nunca, en proporción, las obras de arte se han vendido tan caras, nunca los artistas han estado mejor integrados en la sociedad, nunca ha habido más co-

---

1. Cita contenida en André CHASTEL, *La Crise de la Renaissance [La crisis del Renacimiento]*, Ginebra, Skira, 1968.
2. *Le Monde*, número del 12 de diciembre de 1975.

leccionistas de obras de arte que hoy. Nunca se ha visto a tantos consumidores agolparse en los museos: quince millones en 1990 en los treinta y cuatro museos nacionales de Fracia. Y los Estados, como los particulares, invierten cada año un poco más en adquirir, conservar, difundir las obras de arte. El monumento más visitado en el mundo ya no es el Taj-Mahal ni la torre Eiffel, sino el Centro Pompidou. En Europa se abre un museo por día, de modo que este continente está cubierto con un rutilante manto de museos análogo «al blanco manto de las iglesias» de la Edad Media. En diez años, Alemania ha construido trescientos, Japón doscientos, y ya hay más de mil controlados o reconocidos por el Estado en Francia, con más de 70 millones de visitantes anuales, y en los Estados Unidos, desde 1965, las entradas han pasado en un cuarto de siglo de doscientos a quinientos millones por año.[3] Estadísticas ya inquietantes. La proliferación cancerosa de las células, o la asfixia por aglomeración, son argumentos conocidos. Todo el mundo escribe libros: fin de la cultura libresca. Todo el mundo tiene su coche: fin de la era del automóvil. ¿Habrá que decir mañana: todo el mundo ve imágenes, nadie las mira?

¿De dónde viene la paradoja de una muerte-apoteosis, que tendría más aspecto de milagro que de catástrofe?

Del dinero, en primer lugar. Él es el que ha salvado el arte. De él viene todo el bien. Ahí el *One dollar Bill* de Warhol ocupa un lugar totémico en los límites de nuestra era visual. El arte, afortunadamente, es un mercado y si divinizamos al primero es porque, antes y sobre todo, hemos divinizado al segundo. O, más exactamente, el milagro de la supervivencia viene del encuentro entre las características físicas del objeto de arte —objeto sólido, raro, mueble, transportable, no reproductible (o con tiradas limitadas estatutariamente), cedible, sujeto por tanto a una apropiación privada o al almacenamiento— y las propiedades milagrosas del dinero. O sea la alianza de dos fetichismos en uno solo. «El dinero es la vida de lo que está muerto moviéndose en sí mismo» (Hegel). Rotación benéfica para todos: el dinero hace circular el arte que hace circular el dinero (los frescos se hacen raros, como el mosaico: no practican el juego de la movilidad). El dinero realiza los valores del arte y éste irrealiza el dinero, de hecho un signo puro, lo blanquea (como hace la Mafia con el narcodólar en el mercado del arte). Un billete de banco no es una imagen, es un símbolo, pero cuando la imagen se convierte en billete de banco, este último se convierte a su vez en cuasiimagen, obra de arte virtual. ¿Qué gran empresa no tiene su

3. Jean MOLINO, «L'art aujourd'hui», *Esprit*, julio-agosto, 1991.

gran premio de pintura, su fundación, su mecenazgo, su ayuda a una «manifestación de prestigio»? Ciertamente, el arte proporciona beneficios, y no sólo a los inversores (la venta de los productos derivados de una exposición de Toulouse-Lautrec, por ejemplo, corbatas, calzoncillos y pañuelos, totaliza una cifra de negocios superior al costo de la exposición). Pero también absorbe. Sus inversiones comerciales son considerables y en las relaciones internacionales se ha convertido incluso en un arma diplomática: los Estados luchan entre ellos a golpe de «grandes exposiciones» (Turquía y Grecia se disputan el Metropolitan Museum de Nueva York para «ganar en imagen»). Fecunda polivalencia. Las funciones que hacen girar la máquina del «arte» a pleno régimen son mediáticas, económicas, fiscales, diplomáticas, políticas, patrimoniales, turísticas, todo menos, o muy accesoriamente, «artísticas». «Economía y cultura, el mismo combate» quiere decir de hecho que la cultura combate no con sino *por* la economía, en su sitio y detrás de ella. El motor del arte autónomo de ayer ya no está en el arte sino en lo que lo mueve hacia arriba: el advenimiento mediático (hay que dar un gran golpe y hacer que se hable de uno) y la especulación financiera (hay que salvar el dinero dándole gusto al cuerpo). El mecenazgo industrial y comercial es suficiente para que Norteamérica, patria de lo posmoderno, mantenga su rango. ¿Qué quedaría de nuestra religión estética si las obras fueran sometidas a un control mundial de los precios?

EL ALEGRE CAPITAL

El *arte* nació en el siglo XV con el primer capitalismo en los centros urbanos de la economía-mundo de entonces: Venecia, Florencia, Brujas, Amsterdam. La era de lo *visual* corresponde a la supremacía del capital financiero (dinero contra dinero) sobre el capital industrial (dinero contra mercancía). Los pródromos de este relevo se remontan a principios de siglo, y en cualquier caso la primera tela abstracta es *La acuarela* de Kandinsky, que data de 1910. Jean-Joseph Goux ha mostrado la concomitancia entre el abuso plástico y estos otros dos: paso del dinero-oro al dinero escriturario, inconvertible, y el paso de la lengua-nomenclatura (donde una cosa es igual a una palabra) a la lengua-sistema (donde una palabra vale por su diferencia con otras palabras).[4]

4. Jean-Joseph GOUX, «Les monnayeurs de la peinture», *Cahiers du Musée national d'art moderne*, n. 29, otoño 1989.

Por su poder de *presentación*, el ídolo ponía en presencia, en contacto con el Ser en su verdad divina, siempre idéntico a sí y encerrado en sí mismo; de ahí la estabilidad de los estilos de la primera edad. En tres mil años, del Alto Imperio a los Tolomeos, la imaginería egipcia permanece en líneas generales parecida a sí misma. Por su poder de *representación*, el arte nos empujaba hacia un parecer de segundo rango, pero el segundo grado de la apariencia estaba garantizado por una realidad del primero (la realidad mayúscula de Dios, de la Naturaleza o del Hombre). Como el papel moneda estaba garantizado por lingotes. El oro de lo real no se daba a ciegas a cualquier imitador de apariencias; de ahí el sigilo del oficio y de los aprendizajes. En contrapartida, su poder de *simulación* autoriza al papel moneda de lo visual a *garantizarse a sí mismo*. No hay fondos en metálico. De ahí su frenesí circulatorio, sus ansias de manifestación por el intercambio. El cuasiobjeto contemporáneo, signo monetario de valor decisorio, apela a la confianza, a la distinción, al atrevimiento, siempre al borde de un *crack* crítico como el de 1929 (aunque improbable dados los intereses en juego, museos, colecciones privadas, *stocks* de reserva, galerías, familias, mafias, etc.). Esa carrera hacia adelante, como la del capital, si se quiere, es una cadena de caídas reparadas *in extremis*.

El descenso de las imágenes y su conversión en simples signos han estado ritmados por el paso del *reclamo* (pregonar las cualidades de un objeto) a la *publicidad* (halagar los deseos de una persona). El proceso ha coincidido con la transferencia de prioridades, en el *orden mediático*, de la información a la comunicación (o de la noticia al mensaje); en el *orden político*, del Estado a la sociedad civil, del partido a la red, de una sociedad de producción a una sociedad de servicios; en el *orden del ocio*, de una cultura de instrucción (escuela, libro, periódico) a una cultura de diversión, y en el *orden psíquico*, de predominio del principio de realidad sobre el principio de placer. Todo ello desemboca en un orden nuevo, completo y coherente.

En cuanto el deseo suplanta a la necesidad y la mercancía alcanza su «estadio estético», creativos y creadores se fusionan. Arte y publicidad libran el mismo combate. Aquí, la promoción de la obra se convierte en la obra, el arte es la operación de su publicidad. Allí, la mercancía se convierte en espejo de sueños para atrapar al glotón óptico. En cuanto que transforma los productos de consumo en objetos de arte, la publicidad es el arte oficial del posarte. No por decisión del Estado sino por necesidad social. Oficial por funcional (y lo funcional es siempre bello). Como *liturgia de la mercancía* es con toda seguridad nuestro arte sacro, el arte de lo sagrado de nuestro tiempo. Y, por lo tanto, el más *vivo*: el que hace gravitar a los otros en torno a él, el patrocinador del *Zeitgeist* (espíritu del tiempo). El ídolo respondía a la llamada de los hombres en lucha por la supervivencia; el arte, con voluntad de tomar posesión del mundo; lo visual llega cuando ya la lucha por el *look* ha reemplazado a los dos precedentes, esto es, cuando ya nadie tiene ni hambre ni miedo.

Económicamente, el cine depende de la televisión, la cual depende a su vez de la publicidad. Es lógico que la imagen publicitaria imponga su ley a sus precursoras, a las que mantiene. En 1920, el reclamo fue captado por la vanguardia; en 1980 es la vanguardia la que es captada por la publicidad.[5] Delaunay la utilizaba, pero Warhol, ex publicitario, es utilizado y escenificado por ella. Mientras tanto, la publicidad ha pasado a ser el mediador central. De ahí su poder de captación y su condición de canon. Erigida en factor común, se ha hecho cargo no sólo de las obras tras los bienes y el mercado del arte, sino también de lo imaginario político e incluso de la organización de sacralidades colectivas (el bicentenario de la Revolución francesa y los «Derechos del Hombre» más o menos en todas partes).

Si hoy todo se ha convertido en arte (el embalaje, el escaparatismo, la animación y el desfile de carnaval, el grafismo, el diseño, la fotocopia, la peluquería, la perfumería, la cocina, etc.), y si «todo el mundo es artista» (Beuys), ¿no quiere decirse que se ha agotado el registro? La palabra ya sólo designa un juicio de calidad entre otros. «Esto es arte» decimos sin pensar cuando queremos expresar: «esto está bien, me gusta». Pero eso no significa que todo valga. Tiene color de fiesta y ensueño. Definición débil, pero expansión sin precedente. Lo uno permite lo otro. ¿Quién conoce a alguien que no sea un poco artista? ¿Y de qué no hay museo: del sacacorchos, de anteojos, del café? El templo de las imágenes es la ciudad entera. El viejo dios de la belleza, otrora inaccesible o raro, se esconde ahora detrás de todas las actividades sociales y nos hace diabluras en cada esquina de la calle. Ya no es celoso, el fetiche amable cuyos rituales y etiquetas cubren todo el planeta. En la exposición «Arte y Publicidad» del Centro Pompidou en 1991, el visitante encontraba súbitamente en la entrada este panel: «Haga usted una obra de arte con su dinero, enseguida...». Ese «hacer» consistía en poner un billete o un cheque en la fotocopiadora láser de un «artista» de renombre, tras lo

---

5. *Art et Pub [Arte y publicidad]*, catálogo de la exposición en el Centre Georges Pompidou, París, 1990.

cual el billete era devuelto con un número que garantizaba que era una pieza única. La serialización automática de la unicidad: esa desdramatización no habría decepcionado a Duchamp. «¿Quiere usted jugar conmigo?», nos lanza ese Dios-dólar un poco granuja. El jaranero está siempre allí donde haya ambiente. ¿Y por qué no? Basta con ponerse de acuerdo en las palabras.

En la sociedad de la abundancia, los bienes se distinguen cada vez menos, en la necesidad, por su utilidad propia y cada vez más, a voluntad, por su prestigio social. Las imágenes lanzadas al mercado no escapan a esa regla. Abandonan su antiguo valor de uso individual —delectación, admiración, extrañamiento, etc.— y su singularidad concreta de obra para fundirse en liquideces, como *signos* monetarios de *status*, *marcas* de riqueza. En el objeto de arte de la era visual, fiesta cínica en la que uno no mira mucho, el objeto es lo que menos cuenta. Planea sin pesar. Distingue sin distinguirse. Y vale por su precio. Ese devenir signo monetario de la obra lo inscribe como un fetiche deseable pero intercambiable en una cadena sin fin de transacciones, una tanda de jugadas de bolsa y de OPA.[6] Se puede cambiar como un cheque por otro, y Marcel Duchamp ya ponía en circulación, como obras de arte, falsos cheques y obligaciones de casino firmadas por él. Como si el gran Anunciador hubiera presentado la sustitución del Gold Exchange Standard por el World Art Exchange, en el cual el arte reemplazaría al oro en el nuevo sistema monetario internacional.[7] Él es el que garantiza, en cierto modo, los efectos del comercio.

PONTIFEX MAXIMUS

Nada nuevo: el arte va al dinero (como los artistas de ayer a Nueva York, y pronto a Tokio), y el dinero va a lo sagrado. No hay contradicción entre una subida súbita de los precios en Sotheby's y la multiplicación de los concilios, hagiografías y encíclicas sobre el sentido último del cuadrado blanco sobre fondo blanco. Entre los grandes sacerdotes y los peritos tasadores. Los negocios del culto y el culto de los negocios. Palabras como «especulación» y «valores», no lo olvidemos, se emplean en los dos sentidos: temporal y espiritual.

6. La publicación alemana *Kapital* editada en Colonia ofrece la clasificación anual de los cien artistas más importantes (cuarenta americanos, veinticuatro alemanes, cuatro franceses en 1992) para saber cómo invertir y dónde colocar el dinero.
7. Es la tesis de Philippe SIMONNOT, en *Doll'Art*, Gallimard, París, 1990.

210EL MITO DEL ARTE

En el otoño de 1991 se celebró en Venecia (como debe ser) el «World Arts Summit» (Cumbre mundial de las artes) bajo la égida del *Foro económico mundial* con sede en Suiza (más conocido como «grupo de Davos»). La elite de los negocios internacionales se ha decidido por fin a asumir sus responsabilidades estéticas apostando por la «creación de un *espíritu de unidad* global a través de la inevitable diversidad de las culturas». «*El arte,* leemos en el *Manifiesto para una sociedad global,* redactado en inglés (en la era de lo visual, Italia debe hablar americano), *es la lengua de la cultura, la forma única de expresión creativa que nos permite comunicar y construir puentes realmente de dimensiones mundiales.*» Depositarios de los valores más altos, coleccionistas y artistas plásticos están empeñados en restablecer los puentes destruidos entre los individuos y las culturas, mientras que, como hombres de negocios, nos recuerdan que no se limitan a hablar. Construir puentes es en sentido estricto «pontificar», función siempre sagrada. ¿No será el Artista, y no el Papa, el Soberano Pontífice de este mundo, su Gran Comunicador y Comulgante? Ahora ya se admite que el gobierno espiritual de la futura Europa unida incumbe al Vaticano. Nuestros venecianos han visto más lejos que Roma: ellos proponen al planeta un lenguaje común, la belleza, supremo rasgo de unión de las civilizaciones desunidas.

Una historia de la cultura se divertiría con esa graciosa burla del siglo XX al siglo XIX. La religión del arte había sido introducida por poetas que, quebrantando su destierro, se pronunciaban contra el «realismo burgués», pero ahora nos viene de nuevo con el establecimiento de los banqueros. «Amémonos en el arte como los místicos se aman en Dios y que todo palidezca ante ese gran amor», escribía Flaubert, poco antes de que Ingres, «el sacerdote ferviente de lo bello / que de la forma pura ha conservado el molde», confesara que sus «gustos elevados formaban parte de una religión.» Ese culto era entonces la protesta de los grandes solitarios contra la muchedumbre sórdida, una denuncia de los rentistas con lentes y sus obsesiones utilitarias. «La belleza salvará al mundo»: uno estaba más habituado a leer la frase bajo la pluma de Dostoievski que familiarizado con el «G7», pero nadie se lamentará de una regresión de tan buen augurio.

Ahí debemos ver por el contrario la enésima verificación de una ley general que hace solvente y legítima la demanda de religión.

Todo principio de unidad de un colectivo es, efectivamente, sagrado; una función sacralizante es unificadora. Lo que pasa por mística es sólo una lógica mal conocida. Su principio de unidad no escapa a la empresa de grupo porque él es en sí mismo sagrado, aparece al grupo como sagrado porque no puede por menos que escapar de él (el principio pertenece necesariamente a un plano de realidad superior a los elementos del conjunto reagrupados por él). Numerosos sociólogos, y Durkheim en particular, habían *comprobado* ya el carácter social de lo sagrado y el carácter sagrado de lo social. Pero aún había que explicarlo. *La Critique de la Raison politique ou l'inconscient religieux [La crítica de la razón política o el inconsciente religioso]* ha adelantado una *explicación* del misterio en forma de un axioma operacional, la incompletud.[8] No hay copresencia por debajo si no hay ausencia por arriba. Como dice la Biblia: «Cuando ya no hay visiones, ya no hay pueblo».[9]

La necesidad de un culto profético, religioso o no, es dictada, pues, por una invariante organizativa. Los lugares y los objetos de culto varían en el curso de los tiempos y de acuerdo con las sociedades.

Para seguir con el esquema digamos, aunque sea un tanto abusivo, que en las edades antiguas sagrado era el dios en su santuario; en la edad clásica, el rey en palacio; en la edad moderna, el representante del pueblo en su Parlamento; en la edad posmoderna, a la que podemos llamar también Baja Modernidad puesto que ya ha habido una Baja Antigüedad, sagrada es la obra de arte en museo. Brevedad creciente de los ciclos de culto, dilatación de los colectivos implicados. Las eras se acortan, las áreas se agrandan. Las «religiones» han sido sucesivamente clánicas, tribales, cívicas, nacionales, continentales. La religión del arte se presenta como la primera religión planetaria. Para recomponer lo que se descompone esta religión abarca todos los dioses, todos los estilos, todas las civilizaciones. Chartres y Elephanta mezclan sus volutas con las máscaras de Bénin en el seno del Museo-Tierra.

LO SUBLIME Y EL FRACASO

André Malraux celebró en su tiempo la misma esperanza, pero con otra apariencia, que un club de financieros que corriera tras el alma de un mundo sin alma, talonario de cheques en mano. Su

8. Régis DEBRAY, París, Gallimard, 1981. Véase el comentario de Michel SERRES en *Éléments d'histoire des sciences [Elementos de historia de las ciencias]*, París, Bordas, 1989, págs. 358-361.
9. *Proverbios*, 39, 18.

eclecticismo inscribía en el inventario de una espiritualidad laica el conjunto del patrimonio figurativo de la humanidad, para mejor exaltar «el acto por el que el hombre arranca algo a la muerte». «Herencia de la nobleza del mundo», el arte era a sus ojos el instrumento de una redención colectiva pues por él el hombre toma posesión de su destino. El arte triunfa de la muerte de las civilizaciones como de la soledad de los individuos y del aniquilamiento de las voluntades por las modernas fábricas de soñar y otras máquinas de evasión.

Ha llegado, pues, el momento en el que la desacralización del mundo bascula en la sacralización del arte; en el que, emancipado de lo religioso, el arte se convierte en religión, *expressis verbis*, como principio de una salvación secular pero universal. ¿No es encontrar imágenes inmortales acercarse ya a la inmortalidad? Para el autor del *Museo imaginario*, la reproducción permite incluso la transubstanciación a distancia de la hostia: una obra maestra fotografiada abre lo profano a lo que hay de más profundo en el hombre, «su parte divina». «El arte puede ayudar a tomar conciencia de la grandeza que uno ignora en sí mismo.»

Algunos se han mofado del énfasis del ministro de Cultura y sus acentos de cruzado. Nosotros vamos a empezar por aclamar lo que hay en él de admirable. Malraux no reducía el arte a las «bellas artes» (ni la cultura a los placeres del ocio). Estos últimos dependían en Francia, hasta 1959, de una subdirección del ministerio de Educación nacional. El Arte procede de lo esencial de esa parte de la humanidad que la República debe transmitir a cada ciudadano, a condición de que él la haga fructificar. La Cultura tenía, pues, derecho a un ministro de Estado que tuviera posibilidad de convertir una meditación íntima en una política responsable. La estética del escritor tal vez había sacrificado con cierta premura a lo sublime el sentimiento de felicidad, y la física de las cosas del arte a una metafísica del sentido. A sus ojos se iba, con esas figuras y esos volúmenes, de nuestras razones de sobrevivir a la muerte de Dios. El ministro ejerció una política del arte en función de cierta idea del Hombre, y no de un ordenamiento decorativo o de un frenesí especulativo.

Así se nos recordó, en su momento y en excelente francés, que los verdaderos rasgos de unión en el seno de una comunidad van de arriba abajo. Sólo se puede conseguir que los individuos se alíen ordenándolos de acuerdo con una vertical. Y sabemos a ciencia cierta, por la lógica de la incompletud, que el camino más corto de un hombre a otro pasa por un dios (un héroe o semidiós). Es inútil buscar la clave de la bóveda de una colectividad si no es en lo alto. Vayamos más lejos y reconozcamos con Malraux que el continente no pertenece al orden de la inteligencia sino al de la emoción y del ensueño. Un ideal científico o la ciencia como ética no bastan, por sí solos, para hacer de lazo de unión. Una patria es más que una suma de saberes y de intercambios, porque las «obras capitales» que componen el patrimonio de una nación se tienen que extraer de su fondo de imágenes, y no de conceptos. Sólo lo imaginario tiene capacidad de evocación y convocatoria.

¿A qué se debe entonces que la repoblación estética del desierto de los valores fuera un proyecto mortinato? A que esa hermosa vista del espíritu era un error intelectual, consistente, por estúpido que parezca, en tomar una consecuencia por una causa.

En una palabra: no es el arte el que hace el vínculo, sino el vínculo el que hace el arte.

Como la barca del amor, la de lo sublime se ha roto en la vida ordinaria. Las Casas de la Cultura, basílicas del nuevo culto, están hoy abandonadas, como las parroquias de base en torno a los equipamientos socioculturales de barrio. Mundana y molecular, la frecuentación de las obras ha recuperado su antiguo curso, como un río hinchado por las lluvias su cauce. Hay más museos que antes, y exposiciones, y publicaciones periódicas, y conmemoraciones y catálogos, y coloquios y conferencias, y cada vez son más suntuosos, inteligentes, copiosos, confortables, sutiles, pero los hombres no son más fraternales cuando salen de la Pirámide del Louvre que al entrar. Y los «ambientes desfavorecidos» prefieren, a su parte divina, la humana. La relación social no ha mejorado, el coagulante-arte no ha surtido efecto y las desigualdades culturales han quedado como estaban. ¿Por qué?

Se suponía que la obra de arte, garante de una conversión inmediata, transmitiría su maná a distancia, como la reliquia del creyente. De ahí el vocabulario malrauxiano del sortilegio (revelación, estremecimiento, encuentro, comunión, irradiación, etc.). Como los bienes de la salvación operan por sí solos, el único problema era el del aval. Bastaría con organizar el acceso a los museos y a los álbumes, santuarios de la empatía, para agrandar el número de los practicantes, para «transformar en un bien común un privilegio». La democracia por la cultura significaría la superación de las barreras «entre los creadores, los intérpretes, las obras y los hombres» (Pierre Moinot). En las Casas de la Cultura no se había previsto la creación de bibliotecas, y se comprende por qué: el contacto físico con la obra debía bastar. Desgraciadamente, el arte sólo despierta a los que están despiertos; y la gran mayoría no tiene el código para descifrar a Goya o a Clouet. La visión es una recompensa, no una gracia. Y la frecuentación de las obras, un trabajo, no una ceremonia. El genio de los intermediarios no era el de nuestro mago nacional. Aunque asombrosamente dotado para la publicidad, los medios términos no eran su fuerte y desdeñó las limitaciones socioculturales de la transmisión, todos los instrumentos prácticos, y buscó la connivencia. Como la calificación del ciudadano lambda que va a recibir los estigmas redentores no es innata, el rapto artístico no produce una reducción. No se corta en la Educación nacional y en la oscura labor de las viejas meditaciones «paganas»: el libro, la escuela, el periódico. Sólo el que ha trabajado a destajo puede ser profeta.

El Mahabharata tiene una función simbólica en la India, no en París. Y Racine no tiene ninguna en Benarés. Poussin tampoco; a pesar de ello, no necesita traductor. Una imagen viaja mejor que un texto; aparentemente es más liviana. Salva las fronteras y llega a donde se quiere, pero ¿en qué estado? Aseptizada. Neutralizada. Estetizada. En buenas condiciones para la vitrina, o la pantalla. Solitaria, o benigna, da igual. Una imagen no extrae su poder de sí misma, sino de la comunidad de la que es o fue símbolo, y que, a través de ella, habla o entiende el eco de su pasado. Se trata más de fetichismo que de prestar al tótem las virtudes de la tribu, toda vez que es de ella, y sólo de ella, de quien el tótem las recibe. Desprecio ritual del esteta, avatar contemporáneo del idólatra: «Atribuir exclusivamente al término de la relación los efectos de la relación misma» (Antoine Hennion). La cristiandad medieval no debía su unidad al hecho de que hubiera un mismo lenguaje plástico, de Irlanda a Sicilia. Aparte del lenguaje, se beneficiaba de tener dentro esa unidad. Los pecadores de 1280 no se salvaban por la sonrisa del ángel de Reims; el ángel de Reims les sonreía porque ellos tenían deseos de salvarse, y creían en los ángeles. No es una razón para negar lo sagrado, o para calificarlo de ilusorio. Pero sí para situarlo donde está: en una función, no en una cosa. Lo sagrado no pertenece a las imágenes del mismo nombre, que no son contagiosas. Está en la relación del hombre con sus obras, y de esas obras con todo lo demás. Ciertamente, las sociedades pasan, con su código de lectura, y las obras quedan, con sus rasgos y sus colores. Pero no su carisma. Las obras de arte sobreviven a los creyentes que las han suscitado, y en ello el arte contribuye a hacernos colectivamente victoriosos del tiempo. Pero la resurrección estética de las obras del pasado, o su puesta a disposición visual por los medios de reproducción, no hace revivir *ipso facto* la transcendencia que les asignaba y designaba su comunidad de referencia. Lo sagrado no es hereditario. Ni portátil. Nadie se lo lleva consigo, como los muebles, cuando cambia de residencia. Lo sagrado es solidario de una cultura viva y, como tal, no transportable.

EL SABER Y EL SENTIDO

Las grandes religiones daban un sentido a la muerte. Las ciencias del presente se abstienen de ello. ¿Cómo llenar el vacío? Con la cultura, respondía Malraux. Pero, frente a las religiones instituidas, la ciencia está fuera de concurso. Y la cultura, disminuida. La pregunta está mal formulada. El sentido vivido no corre en la misma pista que la fórmula matemática, ni puede «hacer las veces de». La ciencia articula verdades: objetivo, sus resultados transcienden sus condiciones de nacimiento. La ciencia es mundial por vocación. Una cultura articula valores: subjetividad colectiva, expresa una experiencia particular. Es por naturaleza historia y geografía. No se puede pedir a las *verdades* que cumplan la función social de los *valores*, pues no están hechas para eso. La ética del conocimiento nunca ha hecho una religión.

Una vez más hay que elegir: entre los cuentos de vieja, que son locales, y el enunciado falsificable, que es global. En ese hiato entre razón y memoria, entre el orden de los conocimientos y el de las voluntades, reside la imposibilidad de la «aldea global», y de nuestras desgracias actuales. Se puede simular una reconciliación de ambos, en el ámbito de las palabras, y definir con Edgar Morin la cultura como «sistema que hace comunicar —dialectizando— una experiencia existencial y un saber constituido». Pero en los hechos es justamente esa dialéctica la que falta, y no se puede tender un puente con un *wishfull-thinking*, un saber formal como las matemáticas que no tiene lenguaje, y la sabiduría práctica de un grupo vivo, que tiene uno. De lo teórico (teoremas, modelos, leyes) a lo semántico (mitos, ritos, prácticas), la consecuencia no es buena. «La cultura, decía el ex ministro de Cultura —cuando aceptaba no ser ya el único ministro que no sabía lo que era la cultura— es lo que responde al hombre cuando éste se pregunta qué ha hecho en la tierra.» Una sola tierra, pero muchas respuestas. Tal vez tantas como lenguas: tres mil lenguas habladas. El género humano es uno, como la facultad de razonar. Pero las humanidades son plurales, como las razones de vivir en cada nivel del arca de Noé. La respuesta a «¿qué hago yo en la tierra?», pregunta de sentido, une a estos hombres oponiéndolos a esos otros, vecinos suyos. La respuesta a «la suma de los ángulos de un triángulo», pregunta de saber, no opone nadie a nadie, y tampoco acerca. Lo que no divide a los hombres no los apasiona, mientras que lo que los apasiona los divide apasionadamente. Ahí se sitúa el humanismo planetario, y nuestras piadosas aspiraciones a la unidad de los pueblos: en la irreductibilidad de los *valores* y de las *verdades*. La unidad del género humano es un postulado de la razón, imperativo categórico asentado sobre el genoma y la geometría. Pero no sobre una comunidad de significaciones. La suma biológica más progreso científico no basta para anular el peso de las historias. Amarga píldora: la humanidad es en nosotros un sentimiento *natural*, biológico y ecológico. No es un dato *cultural*; ningún grupo puede elegir domicilio en la humanidad (y, dicho sea de paso, el esperanto no es una lengua de cultura sino un artefacto sin profundidad de tiempo).

Sin duda los satélites de difusión y la ubicuidad hertziana, los microordenadores y los mismos *progiciels* para todos, la circulación internacional de las personas, de las divisas, noticias e imágenes, la globalización de los flujos financieros, sin olvidar la muy honorable institución de la Unesco, no están faltos de buenas razones para dorarnos la píldora. No confundamos, sin embargo, la mundialización de la cultura americana con la promoción de una cultura mundial. Y no olvidemos que el patrimonio llamado «cultural» de la humanidad (no científico) designa de hecho un *stock* de monumentos. No se vive *para* salvar los templos de Angkor o las iglesias de Dubrovnik, aunque allí se muera con suma facilidad. Se vive para los valores de donde han salido esos templos y esas iglesias, que es algo diferente. Se vive en, no para las piedras. Todas las sociedades tienen una religión (revelada o no), pero no hay religión universal; en cambio, aunque no todos los hombres son instruidos, hay un saber universal. El problema radica en que nunca se ha visto a alguien morir por un programa informático, como un cristiano, un musulmán, un comunista, un nacionalista por su fe. Vasto programa el del poeta genial: «Cumplir el sueño de Francia: devolver la vida a su genio pasado, dar la vida a su genio presente y acoger el genio del mundo». Desgraciadamente el mundo no tiene genio, es demasiado grande para ello. Sólo tiene «genios del lugar», y el mundo no es un lugar. Ni siquiera un medio. Un horizonte, a lo sumo. La genialidad, como lo vivo, es local. Minúscula. Macroeconomía, pero microcultura. Sólo la muerte es inmensa. Y lo inerte. La Vía Láctea también, y sus silencios infinitos. Repliegue, recodo, intersticio, valle, estuario, encrucijada: sólo el hueco, la cavidad, da calor, crea calor, diferencia. Energía. Lo vivo. El eclecticismo de las colecciones de museo, donde el fetiche de la isla de Tonga mira al último Buren, con un Stella en el medio, no produce sino indiferencia. Frialdad y cortesía. A partir de cierto grado, la amplitud vacía de sentido nuestras grandes retrospectivas artísticas.

Hay una informática y una ciencia mundiales. En cambio, no existe una espiritualidad global, como tampoco existe una estética mundial. Salvo en las enciclopedias, una vez que está terminada. Vitrificada. Expuesta. Desactivada.

La obra de arte no hace nada con un mensaje, pero sin mito parece extenuarse. De ahí la necesidad comprensible de mitificarla poniéndola fuera de las contingencias, por encima de todo y de ella misma; lo que quiere decir, propiamente, superstición. Pero la belleza no puede ser su propio mito, por la misma razón que la humanidad, bajo el nombre de «Gran Ser» no puede ser su propia divinidad. Esta razón constituye una limitación lógica de organización, la incompletud que arruina siempre nuestros sueños de autofundación colectiva (o, en el cuerpo político, de transparencia generalizada). En el fondo André Malraux y Auguste Comte, uno en el arte y el otro en el saber, han perseguido, uno con su religión del antidestino y el otro con su religión de la Humanidad, la misma quimera, una emancipación sin alienación. Las catedrales de la cultura del siglo XX han tenido más subvenciones e incentivos, pero la misma suerte final que las iglesias positivistas del siglo XIX. Se puede abrir un museo, pero no reclutar creyentes por decreto. Uno puede «adorar» la pintura, pero el arte en sí no crea un vínculo de pertenencia. Quien sólo tiene pasión de sí mismo no la suscita. No se puede querer a un mismo tiempo que el arte esté al servicio de sí mismo y que dé a los hombres un sentido de sus vidas. Cuando lo hizo estaba siempre al servicio de una mitología y de un poder exteriores a él. Añadamos que la creación contemporánea se ha hecho demasiado móvil, demasiado veloz, demasiado fragmentada para servir de lazo de unión a una sociedad. La circulación browniana de las imágenes en el mercado perjudica a los imperativos de la celebración colectiva, que exige más lentitud y recogimiento.

La autosacralización de la imagen termina por abolir su esencial alejamiento, su extrañamiento, esa sensación de una insuperable distancia entre la obra, muy próxima, y nosotros, a la que, desafortunadamente, llamamos sentimiento de lo sagrado. Como si la multiplicación de los templos y de los semidioses del arte, unida a la proliferación de los administradores y mediadores de la transmisión cultural, tradujera no una recuperación sino un declive de nuestra fe en la transcendencia de las formas. Como si la virtud comunional de la mirada estética disminuyera con la inflación de los símbolos. El culto del arte, esa salida religiosa de la religión, última creencia de los no creyentes, recuerda una devoción escéptica; y nuestros museos, santuarios para agnósticos. Extraña alianza, pero que conviene a esa religión secretamente desesperada. La veneración artística es un recurso para engañar el hambre espiritual, la última transcendencia permitida por el eclipse de transcendencias (culto, etnia, partido, territorio, nación y arte en sí mismo). Recordemos que ese culto de sustitución apareció entre nosotros con el Renacimiento, cuando se puso en entredicho por primera vez, en términos radicales, la tradición cristiana. Además retrocedió al siglo de la incredulidad, que no fue por azar «el siglo del gusto», pues fue en el siglo XVIII cuando esa superstición adquirió una consistencia doctrinal, mientras que la descristianización de la sociedad culta empezó hacia 1730 (Tolstoi, en el contexto de la religión ortodoxa, lleva a cabo, en el siglo XIX, una obra análoga respecto al esteticismo de compensación de las clases dirigentes rusas). Por regla general, *cuando las iglesias se vacían, los museos se llenan.* No cabe duda que, desde hace un siglo, en Francia existe una correlación entre el descenso en los porcentajes de asistencia a la misa dominical y la subida en las entradas a las grandes exposiciones de arte. Por lo demás, el hinchamiento de los fieles y el refinamiento de las devociones, en el interior mismo del culto, no indica un reforzamiento de la fe. Conocemos las paradojas de la incredulidad piadosa evocada no hace mucho, y con pleno acierto, por Jean Clair: «El aumento exponencial del número de museos parece no tanto un signo de realización como de decadencia espiritual, de la misma manera que la multiplicación de los templos romanos no marca el apogeo sino el fin de una gran civilización.»[10]

El síntoma alejandrino

Los pomposos cortejos de lo insignificante toman el síntoma por el remedio. En esa gravedad hay un matiz cómico involuntario. A una cultura que se ha vuelto *autista*, desvitalizada, se le pide que remedie la pérdida de vitalidad del vínculo social. Como si esa religión estética sin energía comunitaria pudiera responder a las demandas de una comunidad nacional sin religión cívica, pulverizada

10. «De la modernité conçue comme un religion», en *L'Art contemporain et le Musée, Cahiers du Musée national d'Art moderne [El arte contemporáneo y el museo, Cuadernos del Museo Nacional de Arte Moderno]*, París, 1989.

en microcomunidades étnicas. En lucha contra la muerte por procedimientos funerarios, embalsamamientos, hagiografías, catálogos y necromancias diversas. «El que "la cultura responda a la crisis" es un indicio de crisis sin respuesta.» Así, cuando se renuncia a los valores y las cosas ya no atraen, se convierte la belleza en valor supremo, y se hacen Óperas colosales. Esas ilusorias terapias de grupo se basan en lo que se podría llamar el *síntoma alejandrino*. En Alejandría «los discípulos de las musas» eran muy honrados, mucho más que en Atenas, Roma o Pérgamo. Allí imperaban la obsesión conmemorativa, la locura de los inventarios y del patrimonio, la desmesura de las grandes obras y la estetización de la existencia cotidiana (que crece con la anestesia de los órganos de los sentidos). Entre el Faro, el Museo y la gran Biblioteca se extendió entonces un culto «anticuario» del arte, o el almacén de antigüedades en plena Antigüedad.

El fin del politeísmo antiguo tiene cierto parentesco fisonómico, aunque sea a otra escala, con el fin de nuestro milenio cristiano. Gigantismo de las ciudades; inflación de las diversiones, pasión por los juegos y los espectáculos, culto de histriones y gladiadores; fusión de los universos masculino y femenino, promoción del intersexo; desarrollo de una erudición compiladora y polarizada, promoción del intertexto; personalización del animal doméstico; adoración embrutecedora de la infancia; frenesí de lo nuevo, del movimiento, del «se mueve»; erotismo omnipresente; efusiones cosmológicas. Estas cosas se producen cuando «la fuerza y el honor de ser un hombre» (Malraux) dejan de funcionar espontáneamente. La recogida de justificaciones oficiales o hereditarias de la existencia, la apertura de viejos Panteones a los cuatro vientos de una espiritualidad ecléctica, la estéril vanidad de la vida pública, la sofisticación máxima del detalle o la pérdida de las ingenuidades tradicionales, la separación creciente entre las espontaneidades populares y los saberes esotéricos, todo ello acelera la búsqueda del *coagulante sustitutivo* que debe impedir la atomización general. La civilización alejandrina, la más brillante y la menos consistente del mundo antiguo, se imagina haber encontrado su argamasa, su clave de bóveda, en un sincretismo cultural sin orillas. Desvanecidos los cultos de la ciudad, uno se proclama ciudadano del mundo, sin mediaciones. Sacralidad blanda y perezosa, con la que pronto iba a acabar el Imperio Bizantino, adepto de la ortodoxia y lo delimitado.

En la tragedia griega, «la Ciudad se hace teatro» (Vernant/Vidal-Naquet). En la parodia helenística de ayer, o modernística de hoy, el teatro sueña con hacerse Ciudad. Y el teatro vivo de una ciudad de Occidente es, en la actualidad, su museo.

Nunca como hoy tantos museógrafos han cuidado tanto los entornos y sus detalles y, al mismo tiempo, han desdeñado tanto el sentido propio de las imágenes. Como en la escuela la solicitud de la pedagogía dispensa de la preocupación de enseñar, como en teatro el texto desaparece cuando se pone en escena, en nuestros mausoleos el estuche eclipsa a la joya. ¿Cómo establecer una distinción entre el gusto hipertrofiado de esos nuevos templos y el gusto, más secreto, de las tumbas? ¿Entre la conversión de la belleza en espectáculo y la inmemorable pulsión de la muerte? Hay como un júbilo taciturno en la celebración bulímica de los grandes y de los pequeños maestros. En la espiral sin fin, consecuentemente de retorno, pero a una escala todavía desconocida, esa acumulación indefinida de reliquias, religión de la Forma en la que una voracidad estética ostensiblemente pregonada recubre imperfectamente una fascinación jubilosa de la nada.

LIBRO III

El posespectáculo

10. Crónica de un cataclismo

> El problema ya no es saber si un cuadro *aguanta*,
> por ejemplo, en un campo de trigo, sino si aguanta *al*
> *lado de un periódico* de cada día, abierto o cerrrado, que
> es una jungla.
>
> ANDRÉ BRETON

> *Fotografía, cine, televisión, ordenador: en un siglo y me-*
> *dio, de lo químico a lo numérico, las máquinas de visión se*
> *han hecho cargo de la antigua imagen «hecha por mano de*
> *hombre». De ello ha resultado una nueva poética, o sea una*
> *reorganización general de las artes visuales. Andando, an-*
> *dando, hemos entrado en la videosfera, revolución técnica y*
> *moral que no marca el apogeo de la «sociedad del espectácu-*
> *lo» sino su fin.*

EL PRIMER CONFLICTO DE LAS FOTOS, 1839

Intentemos hacer, sin excesiva dramatización, una valoración
serena de los efectos del maquinismo que han trastornado, como
quien dice ayer, nuestro régimen de visión.

¿Desde cuándo, esta mañana?

En definitiva es preferible la manía de las fechas a la miopía de
las palabras. Demasiado nítidas, las líneas de separación son enga-
ñosas. Demasiado vagas, inútiles. Si nos interesa mantener la apuesta cronológica, a pesar de su aparente necedad, es porque fuerza a
resituar la eterna y literaria «muerte del arte» en la historia neutra de
las invenciones. Sustrayéndola a las metáforas de la melancolía
(«todo Imperio perecerá», el del arte como los demás) o de la biología («todo lo que ha nacido merece perecer»). Para confrontarla con
un simple problema de *generación tecnológica*. Simplismo que no
es algo evidente, y que va a menos. La técnica avanza borrando sus
huellas, y cuanto más refuerza su influencia tanto más se escamotea

ella misma. A medida que crece nuestro dominio de las cosas, disminuye nuestra aptitud para dominar, aunque sea con la inteligencia, ese dominio.

La arqueología de lo audiovisual podría muy bien comenzar con
el fuego y las sombras de la caverna, y la crítica de cine con Platón.
La cámara oscura, bajo el nombre de *stenopé*, se remonta a la Antigüedad. Pero mecánicamente, como Jacques Perriault ha mostrado,
la proyección luminosa fija comienza en el siglo XVII con la linterna
mágica, apéndice a su vez de la cámara negra. La imagen animada
aparece en el siglo XVIII, con la invención, bajo la Revolución francesa, del *travelling* por el belga Robertson, creador de las «Fantas-
magorías» que se deslizaban sobre unos raíles, detrás de una pantalla, gracias a una linterna colocada en una carretilla.[1] Así, esta
última hacía reaparecer la imagen de muertos ilustres (Voltaire, La-
voisier, Guillermo Tell). Como la educación religiosa, la vulgariza-
ción científica se ejerce en el siglo XIX con vistas sobre cristal (los
cursos de tarde eran a menudo, en los campos, las proyecciones de
la tarde). Pero todos coinciden en que la prueba única sobre metal, o
daguerrotipo, fabricada por Daguerre, pintor y decorador de teatro,
ya inventor del *Diorama* en 1822, es la que hace entrar la imagen
occidental en la nueva era mecánica. Sin embargo, y para ir deprisa,
la entrada en el Nuevo Mundo de la imagen no se opera a nuestro
entender en 1839, ni en 1859, primera exposición de fotografías en
el Salón de Bellas Artes de París. Ni en 1895, primera proyección de
los hermanos Lumière. Ni en 1928, *El cantor de jazz*, primera película sonora, respuesta del cine a la radio. Ni en 1937, salida del
Technicolor. Ni en 1951, salida del Eastmancolor (film negativo en
color). Se opera en nuestros años setenta con el uso de la televisión
en color. El inicio de la videosfera se situaba en torno a 1968. Este
año, en los Juegos Olímpicos de Invierno de Grenoble, se ensayó y
lanzó en Francia la retransmisión hertziana de las imágenes en color, mientras que la alta definición lo fue en 1992 en los Juegos
Olímpicos de Albertville. La segunda sigue el movimiento, pero la
primera nos parece natural, sin por ello obligarla a marcar un corte.

Ya antes existían el grabado sobre madera y sobre acero, la litografía, aparecida a principios del siglo XIX, y antes, los sellos, las
medallas, las monedas, los naipes y los billetes de banco. La fotografía no fue, pues, el primer multiplicador. Fue la introducción de

---

1. Jacques PERRIAULT, *Mémoires de l'ombre et du son. Une archéologie de l'audiovisuel [Memorias de la sombra y del sonido. Una arqueología de lo audiovisual]*,
París, Flammarion, 1981.

un automatismo en el trabajo manual de las ilustraciones. «La luz sustituye a la mano del artista.» Grabado y litografía (que ya corto-circuitaban el grabado) eran sendas técnicas. El daguerrotipo es ya una tecnología. Un procedimiento impersonal «sin alma y sin espí-ritu» como denunciaba Baudelaire (que nunca sospechó que las má-quinas pudieran tener espíritu). En ese sentido, el 18 de agosto de 1839 no es una fecha sino un punto de inflexión. Entonces se inau-gura la larga fase de transición de las artes plásticas a las industrias visuales. Ese día, Arago, en nombre del Estado francés y en el Insti-tuto de Francia, hace pública la invención de «ese nuevo instrumen-to para el estudio de la naturaleza». La sesión tuvo lugar en la Aca-demia de Ciencias, no de Bellas Artes, y Arago actuó con habilidad dirigiéndose de entrada a sus colegas. El procedimiento no era a sus ojos nada más que una herramienta, un elemento auxiliar del traba-jo científico puesto a disposición de los astrónomos, de los botáni-cos, de los arqueólogos. Pero Delaroche, pintor de batallas entonces en el pináculo, salió de la sesión exclamando: «A partir de hoy, la pintura ha muerto». Aunque a corto plazo, la pintura iba a vivir o a revivir, el cambio de terreno operado no estaba exento de perspica-cia. El antiguo socio de Daguerre, Niepce, entonces fallecido, que había fabricado la primera foto del mundo en 1826, se llamaba Ni-céphore. Como el autor de *Antirrhétiques*, a mil años de distancia. Curioso azar al que dio al primer realizador práctico de la imagen mecánica el nombre del primer teórico de la imagen «hecha por mano de hombre».

La mano contra el espíritu: el Renacimiento, lamentablemente, los había reconciliado, poniendo al pintor casi al nivel del escritor. El captador de sombras va a relanzar, en contra suya, la sempiterna oposición de lo mecánico y de lo liberal. Así fue durante mucho tiempo un hombre sin obra. Un pintor hacía carrera, un fotógrafo ejercía un oficio. No es un creador, sino un artesano, y el éxito de la curiosidad suscitada por sus exposiciones no se puede comparar con el prestigio de los grandes salones del siglo XIX. ¿No hizo falta la ley del 11 de marzo de 1957 para asimilar la fotografía a las obras del espíritu y protegerla como un libro o un cuadro? En lo inmediato, el procedimiento fotomecánico cometía el sacrilegio de introducir un automatismo material en el corazón impalpable de lo vital. Lo repe-tible pasaba por despreciable, pero es siempre por ahí por donde em-pieza una democratización. A finales del siglo XVIII ya se había ini-ciado una mecanización del retrato con el *pantógrafo*, después con la *silueta* recortada con el *physionotrace*, aparato para grabar los perfiles que hizo furor en tiempos de la Revolución, y por último con el *retrato miniatura*, artesanal, expeditivo, que estuvo de moda hasta el año 1850. Aquello era manufactura, aún no había llegado el maquinismo. La imagen argéntica aparece con el ferrocarril, la autorización de las cámaras y el gran almacén. Por la izquierda: se le hace más bien una buena acogida del lado liberal. «Pronto veremos las bellas estampas, que sólo se encontraban en los salones de los ricos amantes del arte, adornar hasta la modesta morada del obrero y el campesino» (*La Revue française,* 1839). Del lado clerical se es más reservado: «Dios creó el hombre a su imagen y ninguna máquina humana puede fijar la imagen de Dios» (*Leipziger Anzeiger,* 1839). «En la pintura, dice Delacroix, espiritualista profundo, es el espíritu el que habla al espíritu, y no la ciencia la que habla a la ciencia.» Doble sacrilegio, declara Baudelaire, pues esa servil copia de la naturaleza «insulta a la vez a la divina pintura y al arte sublime del comediante». Que se pueda representar la comedia *también* en los estudios, y no sólo en los talleres, no era todavía evidente, y el poeta enfrentado a «la sociedad inmunda [que] corrió, como un Narciso, a contemplar su trivial imagen en el metal» no podía tomar en cuenta el retorno de lo ficticio y el nuevo genio de lo falso, que le habrían tranquilizado. Después hemos visto a John Heartfield y el retoque de la propaganda, el fotomontaje y los «Comisarios de archivos» del siglo XX.[2] Hoy sabemos, y esto es un alivio, que todas las imágenes son embustes (y lo serán cada vez más con la numerización).

Aunque las primeras placas de cristal no podían hacer copias, la invención conlleva el procedimiento que desemboca en el Fotomatón y la Polaroid. Como el libro de bolsillo está en el extremo de la Biblia de Gutenberg, pero pasando por el aligeramiento del aparato, la reducción del tiempo de exposición, el negativo de vidrio, el procedimiento del colodión, etc. Si desarrollamos el «a cada uno su Biblia», tendremos el «todos sacerdotes» del reformado, y a la postre el sufragio universal. Si desarrollamos el «a cada uno su imagen», tendremos el turismo universal, y al álbum de familia. Kodak fue a la imagen lo que Lutero a la letra. 1888: «Pulse el botón, nosotros haremos el resto». Hoy en día, cien mil millones de clic-clacs por año. Lo excepcional se ha hecho cotidiano, y la laboriosa operación del especialista se ha convertido en un juego de niños. ¿Decrece el poder de la imagen con la democratización del poder de producir

---

2. Véase Alain JAUBERT, *Le Commissariat aux Archives. Les photos qui falsifient l'Histoire [El comisariado de Archivos. Las fotos que falsifican la historia]*, París, Éditions Bernard Barrault, 1982.

imágenes? El prestigio clerical de los profesionales exige cierto enrarecimiento, y, aunque no sea muy malthusiano, la Kodak de bajo precio no ha perjudicado el misterio del «artista fotógrafo» en su estudio con columna, cortina y velador menos que la Sony vídeo-8 o la Pathé-Baby han perjudicado la del gran cineasta en los inaccesibles platós de Boulogne-Billancourt.

Sin duda la placa de los heliógrafos ha *exaltado* a la postre la paleta de los pintores, liquidando a corto plazo los pequeños oficios lucrativos del pincel. En 1850 la mayoría de retratistas profesionales están arruinados, como lo estarán en 1900 los cultivadores del paisaje de género por culpa de la tarjeta postal. Pero sin ese competidor capital, Cézanne nunca habría podido exclamar: «Yo soy el primitivo de un nuevo arte». Picasso a Brassaï: «La fotografía ha venido a punto para liberar la pintura de toda literatura, de la anécdota e incluso del motivo».[3] Todo ello no le impidió, afortunadamente, descubrir el *Guernica* en un belinograma publicado en la primera página de *Ce soir*. El aparato fotográfico, que autoriza al aficionado a no mirar lo que capta, ha forzado al pintor a pintar mejor. Lo mismo que el cine, cien años más tarde, obligará al teatro a conocerse mejor y, por lo tanto, a depurarse; lo mismo que el directo televisivo impone a la imagen fija un menor realismo y un mayor esteticismo, el trípode obligó al caballete a reexaminar sus propios recursos para mejor delimitar su ámbito de competencia. Y el caballete respondió inmediatamente al trípode con una vuelta sobre sí mismo en forma de recurso a los extremos.

La evolución de la pintura moderna podría, bajo ese ángulo, descifrarse de acuerdo con el modo «estímulo y respuesta». Como una subconversación extendida durante un siglo, ¿se podría decir del género: tú registras, reproducción mecánica, la realidad íntegramente? Yo miro la ficción histórica; ¿qué dices tú de mis grandes composiciones pictóricas, «la entrada de los Cruzados en Constantinopla» y «la muerte de Sardanápalo»? ¿Trabajas en blanco y negro? Mira mis colores (la primera exposición impresionista tuvo lugar en la galería de Nadar, falso rival y verdadero cómplice, en 1874). ¿Descompones tú el movimiento con Marey y sus cronofotografías? Pues bien, dice Seurat, haz lo mismo con la luz, si puedes. Pero he aquí que el cine, seria complicación, se sirve al principio de este siglo de lo ficticio y lo narrativo. Y viene a provocar a la pintura de género y de historia en su propio terreno. No basta con ver, hay que saber, repli-

    3. BRASSAI, *Conversations avec Picasso [Conversaciones con Picasso]*, París, Gallimard, 1964, pág. 60.

ca astutamente el cubista. Evacuación de lo contingente, replegado sobre la Necesidad Interior. Vía libre a lo abstracto. Y al fantasma. Reductos inexpugnables: la Forma pura y el Inconsciente. Kandinsky y Marx Ernst. Lo material y lo temporal ocupados por la imagen mecánica, el arte toma posesión de lo espiritual. Después de Kandinsky, la deriva de Duchamp, muy por delante del «arte retiniano», es el regalo involuntario de la película a la tela, lo contrario sin réplica posible. Después de todo ello vendrán, en el colmo de la astucia, los remedos, las parodias y las desviaciones del hiperrealismo. Esa ironía un poco hipócrita, que toma lo que participa en su juego por una sobrerrepresentación de esplendores fotogénicos. Brillante huida hacia adelante. Hasta la aparición de lo numérico y de la imagen virtual, que va a cambiar de nuevo el reparto. Mientras tanto, «¡viva el artista!». La tienda luchará con valentía contra las grandes superficies «sin espíritu y sin alma». Matisse consideraba que el registro fotográfico había «perturbado mucho a la imaginación porque las cosas se ven al margen del sentimiento». Al exacerbar lo pictórico de la pintura, esa perturbación, al principio sufrida y pronto deliberada, alcanzará finalmente el nivel imaginativo: renacimiento por retroceso al estadio anterior, según el modelo «revolución».

Se ha puesto de manifiesto que las dos imágenes fijas no eran del mismo orden. La pintura procede del icono, y la foto del indicio. Es, más exactamente, una formalización de la impronta, o sea un compromiso entre creación y reproducción. Improntas casi inmateriales, sin espesor ni pesantez, depositadas a ciegas sobre un material fotosensible. La luz no dibuja ni escribe. «El lápiz de luz» es ciego: no hay ni código ni intención. Focal, elección del instante y encuadre son ciertamente intencionados. Pero el cliché final sólo ofrece a la vista la señal física de un agente físico, la azarosa transformación de granos de halogenuro de plata por una emisión luminosa. «Imperfección» llena de promesas, que marcaba el destino de la impresión, realizada a partir de 1880 (el daguerrotipo, objeto único, no podía reproducirse y el calotipo era de uso limitado). El tramado ha permitido la reproducción en gran escala, y la prensa popular cotidiana, a partir de 1914, ha dado su verdadera fuerza de expansión al nuevo procedimiento. El fotograbado degrada pero no desnaturaliza el original. El belinograma lo transporta a distancia sin traicionarlo. Una estatua impresa sobre papel no es ya, en absoluto, una estatua, un cuadro no es verdaderamente un cuadro, pero una foto reproducida sigue siendo lo que es. Es, pues, contrario a la verdad material de las cosas decir, como Malraux, que las artes plásticas han inventado con la fotografía su imprenta. La impresión de un texto manuscrito no ha cambiado sustancialmente. La de una obra plástica, sí. No es la pintura sino la foto la que ha encontrado en la reproducción impresa su pleno desarrollo.

Y de manera especial su *aura*. La foto de arte desmultiplica la obra única, pero la buena instantánea del fotorreportero es en sí misma única. Si ella ha desencantado a la imagen manual, el aparato fotográfico ha reencantado lo acontecido con el «documento sensacional». Lo maravilloso maquinista es el *scoop*. No lo no visto, sino lo «jamás visto». El instante que no conocerá una segunda vez. La cara inaccesible de la diva. El gesto imborrable, irrecusable del deportista, del político o del *quidam*. El estremecimiento se desliza, más allá de los museos, de lo intemporal a la actualidad. Más allá de las iglesias y los museos, ese estremecimiento ha llegado a las páginas de *Life* (1936-1972) y, antes, a las de la revista francesa *Vu* (1928-1940), precursora de *Paris-Match*. El *aura* corre como el hurón, del objeto al sujeto.

EL «REY CINE», 1895

Fernand Léger: «El cine me ha hecho volver la cabeza. En 1923 yo tenía unos amigos que estaban en el cine y le cogí tanto gusto que estuve a punto de dejar la pintura».[4] El caso del autor del *Ballet mecánico* es original, como el de Picabia o de Man Ray, pero marca perfectamente el momento en el que ese arte, nacido de la máquina, se impone a los otros como el arte de referencia. Con sus pesados marcos dorados, sus retoques, su ingenua pasión de embellecer y pronto, a fin de siglo, sus «imágenes deliberadamente borrosas y artísticas», la fotografía ha corrido durante un buen medio siglo detrás de la pintura. Pero ésta ha corrido detrás del cine desde su salida de las barracas de feria. Dibujante frustrado, Nadar se desquita a partir de 1850 haciendo, con otros medios, retratos de celebridades. En 1910 Duchamp, Juan Gris y Picasso hacen montajes o desnudos bajando la escalera con los medios disponibles. El cubismo, que desmultiplica los planos, y el futurismo, que los sincopa, juegan inconscientemente con una técnica que los supera. Más tarde, el crecimiento de la pintura y del cine generará la tira cómica, pero, al lado de ese «arte menor», ya no se cuentan los encuentros en la cum-

---

4. *Peinture cinéma [Pintura cine]*, París, Hazan, 1989, catálogo de la exposición de Marsella, pág. 136.

bre, de Dalí a Bacon, de Monory a Le Gac, pasando, con toda seguridad, por Picasso (los *Sueños y mentiras de Franco* son un *cartoon* pintado). La imagen sonora tiene un poder hipnótico superior. Pero pantalla y tela no son rectángulos homogéneos.

Cada época tiene un inconsciente visual, foco central de sus percepciones (en la mayoría de casos no percibido), código figurativo que le impone como denominador común su arte dominante. Dominante es el *arte de las artes*, aquel que tiene la capacidad de integrar o de modelar las otras a su imagen. El mejor conectado con la evolución científica y las técnicas punteras. Aquel que asegura la más intensa comunión de los contemporáneos, a la vez que sintetiza el mayor *quantum* de sentido y abre al máximo el campo físico de las sensaciones posibles. El más adecuado a la mediasfera ambiente y de manera especial a´ sus medios de transporte. Cuando el automovilista va al cine, no cambia de velocidad. «Darse una vuelta» ya no es ir a ver una exposición sino una película. Lo que impide dormir a los adolescentes, la cima de las glorias posibles, el pico espejeante de *visibilidad social*. Domina quien propaga el rumor, y la sospecha. En 1831, *Cromwell y Carlos I*, cuadro de Paul Delaroche expuesto en el Salón, hizo correr a todo París, pero en 1991 todo París corre a ver el último Jean-Jacques Annaud. «En los *Misterios de Nueva York* y en *Los vampiros* es donde habrá que buscar la gran realidad de este siglo», anunciaban lúcidamente Breton y Aragon en 1929. La foto ha desplazado a la pintura hacia arriba, hacia las elites. El cine la ha desbordado a la vez por abajo (captando la atención popular) y por arriba (en términos de prestigio artístico).

En el reconocimiento del cine como arte, los filósofos han acusado cincuenta años de retraso con respecto a los poetas. Apollinaire, Aragon, Desnos, Brecht, Cendrars y Prévert comprendieron enseguida los retos del procedimiento (hasta trabajar para él). Los teóricos caían de las nubes, pero los escritores apenas si han sido afectados por la invención visual, pues ese híbrido ferial y literario, a la vez populista y elitista, se ha impregnado desde su nacimiento de lo escrito y lo impreso. Y encuentran a un mismo tiempo sus condiciones técnicas (escrito y formas recortadas), sus medios de divulgación (carteles y críticas) y sobre todo su legitimación y sus mitos de fundación, a través del teatro, la novela y el folletín. *Los misterios de París, Los miserables, La dama de las Camelias*, como Julio Verne con Méliès, han sido llevados a la pantalla desde antes de 1914. Aunque finalmente ha liberado al cine del peso de la palabra y aunque no hay nada más elocuente que una película muda (la *Juana de Arco* de Dreyer, como todo el mundo sabe, es más locuaz que

la de Bresson), el cine hablado ha multiplicado por diez los vínculos
con la literatura (Cocteau, Artaud, Malraux, etc.). Como las actuali-
dades cinematográficas de ayer proyectaban sobre la pantalla grande los cánones de la información de prensa, la mayoría de filmes de
repertorio copian grandes textos, novelas y teatro. La psicología,
como la práctica del cine, ha estado sin duda más cerca de la cosa escrita que de la cosa pintada.

La pintura ha sido el psicoanálisis del siglo XVI, el cine el del siglo XX. Se puede resumir visualmente el Renacimiento con un Durero, un Leonardo da Vinci y un Tiziano. Si hubiera que exponer la
trama mental de la época, habría que proyectar un Griffith, un Berg-
man y un Godard. ¿No habrían sido hoy cineastas Durero y Rabe-
lais?

Pero los siglos, como los días, tienen su puesta de sol. Y el elemento cine, diría Hegel, es «cosa del pasado» (aunque aún sigamos
viendo durante mucho tiempo películas admirables).

LA TELEVISIÓN EN COLOR, 1968

A medida que se impone la videosfera, esos dos exploradores
que son la fotografía y el cine se van acercando, *a nuestros ojos,* a la
grafosfera, que los ha alimentado. Prueba de ello es la reconversión
de los reporteros-fotógrafos en la nueva ecología visual, la difícil
supervivencia de las agencias (Magnum, Gamma, etc.). Las miradas, como las culturas, se revelan una a otra, haciendo retroceder el
tiempo. No es Colón el que ha descubierto América —donde enseguida reinstaló a Castilla—, sino nosotros quienes hemos sido descubiertos por América. La difusión de la imprenta nos ha revelado el
universo del manuscrito (o las prácticas del manuscrito como una
cultura singular). La televisión numérica nos revelará mañana la
verdadera naturaleza de la televisión hertziana. *Ésta nos ha mostrado el cine, como la foto la pintura*, pues hoy sabemos lo que no sabían los contemporáneos de la innovación (y aún menos los que lo
han explorado *in situ*): *la foto no es pintura menor*, como tampoco
la *televisión es un cine en pequeño*. Es *otra* imagen. Sin duda en sus
inicios quiso «hacer cine» (Daney), como la fotografía había querido hacer pintura. Y la televisión, en un primer tiempo, revivificó las
virtudes propias del cine como la fotografía había devuelto sus derechos a la «pintura-pintura». En una transición mediológica hay
dos tiempos, como en una sucesión política: el juramento de fidelidad y, después, la evicción. El humilde trípode ha tapado desde hace

ya mucho tiempo al importante caballete, como la pantalla de cine a la escena de teatro y, después, la pequeña pantalla a la grande. El retoño empieza imitando al adulto, nobleza obliga. Le amplía y le hace sombra. Entonces, el *primus inter pares* se envuelve en su originalidad ofendida y quiere hacer pagar caro el favor a su delfín, ese intrigante, ese incapaz. Hasta rendir armas. Hoy es a partir de las *imágenes inmateriales y sin objeto* que se nos revela la singularidad de las imágenes de celuloide y firmadas. No es que tengamos la vista más penetrante que nuestros antepasados. Simplemente somos, como en cada repliegue de la historia, «enanos encaramados a los hombros de gigantes». Aquí como en cualquier otro sitio sólo hay novedad en retrospectiva.

Las mediasferas dependen en última instancia del principal vector material de transmisión. Como su nombre indica, la videosfera comienza con el vídeo. La frontera entre las dos edades de lo visible es raramente visible. La que separa el régimen «arte» del régimen «visual» pasa entre la película química y la cinta magnética, *travelling* y *zoom*, documental y gran reportaje.

En la foto y el cine, la imagen existe físicamente. Una película es una sucesión de fotogramas visibles al ojo desnudo en régimen continuo. En el vídeo, materialmente, no hay ya imagen, sino una señal eléctrica en sí misma invisible, que recorre veinticinco veces por segundo las líneas de un monitor. Somos nosotros los que recomponemos la imagen. Todos los elementos de la imagen de cine son registrados instantáneamente y en bloque. Es un todo. La transposición de una imagen luminosa en señal eléctrica en un telecine (el procedimiento de registro vídeo de un film de cine), se efectúa punto por punto. A continuación, el tubo analizador descompondrá la imagen-vídeo mediante el análisis de los elementos por línea y trama, habida cuenta de que cada elemento o señal vídeo constituye una información. La imagen de vídeo ya no es una materia sino una señal. Para ser *vista*, la imagen debe ser *leída* por un cabezal registrador.

A principio de los años sesenta, en la televisión francesa, los «dramáticos» de prestigio se rodaban todavía en treinta y cinco milímetros; después, en dieciséis milímetros. Pero la aparición del magnetoscopio permite el funcionamiento, más rápido y menos costoso, en vídeo, ya utilizado en las retransmisiones y la actualidad. Hasta 1966, el montaje en vídeo es difícil, y la poca rapidez de los filmes obliga a utilizar una iluminación potentísima. A pesar de la nueva cámara ligera de dieciséis milímetros, la «Coutant», con su sincronía inalámbrica (lo que aumenta la autonomía en el rodaje de exteriores), el vídeo se impone en el estudio como en el reportaje en la década de los setenta (gracias a las nuevas posibilidades del montaje eléctrico y, a principio de los años ochenta, al Betacam).[5]

Recordemos sucintamente algunas propiedades del soporte vídeo: 1) imagen y sonido en la misma pista; 2) no revelado químico en laboratorio (que exige entre una y dos horas para un carrete de filme); 3) muy bajo costo del soporte; 4) posibilidad de transmisión instantánea a distancia (enlace por satélite, mientras que antes el carrete se tenía que enviar por avión).

Todo ello modifica no sólo el oficio de periodista y el régimen de información, sino además todo el modo de percepción del espacio y del tiempo. En el monopista hay, en filigrana, una disminución del grado de libertad de las apreciaciones subjetivas (*a posteriori* se puede comentar de varias maneras un hecho que el documento disponible en el instante sólo muestra de una manera). En la visibilidad instantánea de la imagen registrada está nuestro «tiempo real». En la abundancia del soporte hay inflación vertiginosa del número de imágenes disponibles, y por lo tanto un riesgo serio de desvalorización (influencia y afluencia están en razón inversa). En la capacidad de retransmisión inmediata está la abolición de las distancias. La logística de lo visible gobierna la lógica de lo vivido.

El viejo «historiador del presente», el gran reportero de antaño, con su olfato, su estilo, sus experiencias acumuladas, se convierte en el anónimo «nuestro equipo *in situ*», con su conexión vía satélite programada. Ahora todo es ahora, y no hay por qué diferir la codificación de una información en lenguaje visual o escrito, pues las *cosas vistas*, en cuanto que están disponibles en el mismo instante, no requieren ya un talento o un aprendizaje especial. Descualificación de los profesionales de la mirada o la palabra. Con el vídeo ligero, *el ilustrador como mediador de lo visible, el escritor o el periodista como mediadores de la historia* pierden su antigua primacía, en beneficio del presentador para el que llega la actualidad. La inmediatez del vídeo economiza las profundidades de campo y de tiempo. El control, con su mosaico de pantallas, se convierte en el puesto de mando de las memorias, y por lo tanto, en parte, de las realidades percibidas y vividas. Cuando la *realidad del acontecimiento* tiene como criterio objetivo *el advenimiento de su huella, el acontecimiento se convierte en la huella misma*. Traducción: cuando el periodista-empresa hace una entrevista a un líder extranjero, el acon-

5. Jerôme BOURDON, *Histoire de la télévision sous De Gaulle [Historia de la televisión bajo De Gaulle]*, prefacio de Jean-Noël Jeanneney, París, Anthropos/I.N.A., 1990.

tecimiento, para la empresa que lo difunde, no es lo que le dice el jefe de Estado, sino el periodista en imagen.

Esa descualificación del profesional es el reverso de una democratización de la imagen industrial. La televisión se propone como el difusor natural del vídeo, que también puede pensar en subvertirla. El camescopio es un instrumento de producción ligero y barato. Abre las puertas al rodaje por parte de aficionados, y también a activistas y disidentes. El vídeo es un arma de guerrilla visual, que puede alimentar, en algunos innovadores, el sueño de una contrarrevolución.

¿Cómo imaginar, en todo caso, «el retorno del acontecimiento» y esa «inmensa promoción de lo inmediato» (Pierre Nora) a la que asistimos sin el transistor, el vídeo y las conexiones vía satélite? Al electrón se debe la coincidencia, llamada «directa», del acontecimiento, su registro y su percepción. El material impreso es sin duda el que ha inventado «la actualidad», esa extravagancia que inicia su vuelo en el siglo XVIII, salida de la *gaceta*, catalizada luego, a finales del siglo XIX, por la alianza del *telégrafo* eléctrico y del *diario* popular, poderosamente reforzada por la *radiodifusión* tras la Primera Guerra Mundial. El televídeo podría muy bien hacer implosionar la actualidad por contracción de tiempos poco antes distintos: el tiempo en el que ocurre la cosa; el tiempo de su relación; y, por último, el tiempo de su difusión. Exterior o secundario, el relato superpone a un hecho una inteligibilidad. La transmisión hertziana de las imágenes (o, para el soporte papel, la revolución telemática), haciendo saltar los viejos resortes, conjuga instantaneidad y ubicuidad. Al fabricar el acontecimiento al mismo tiempo que su información, la televisión revela, con toda claridad, que es la información la que hace el acontecimiento, y no a la inversa. El acontecimiento no es el hecho en sí mismo, sino el hecho en tanto que es conocido, o es «retomado». La condición del acontecimiento no es, pues, el hecho, abstracción no pertinente, sino su divulgación. En este punto, el *anchorman*, alegoría visible de la redacción, está técnicamente autorizado a creerse protagonista. Los maestros de los ecos y de las percepciones son los maestros de la historia inmediata. A la velocidad de la luz, ni más ni menos: la circunferencia está por doquier, y el centro del mundo, la pantalla donde yo lo veo. Todos, ministros o particulares, habitantes de Madrid o de Delhi, somos iguales delante de un acontecimiento retransmitido, con una *equivalencia espacial y temporal* que no tiene precedente. Pero hay un solo hombre más igual que los otros, y es aquel por el que el acontecimiento se produce, el que lo transmite. Los héroes de este fin de siglo son sus heraldos.

EL FIN DEL ESPECTÁCULO

¿Por qué ver en la imagen polícroma de vídeo la cesura capital? Por dos razones acumuladas. Primeramente, el tubo catódico nos hace pasar de la *proyección* a la *difusión*, o de la *luz reflejada* desde fuera a la *luz emitida* por la pantalla. La televisión destruye el inmemorial dispositivo común al teatro, a la linterna mágica y al cine, oponiendo una sala oscura a una revelación luminosa. Aquí la imagen tiene su luz incorporada; se revela a sí misma. Al surgir por sí misma, ante nuestros ojos, se convierte en «causa de sí misma». Definición spinozista de Dios o de la sustancia. Si toda proyección supone un proyector exterior a la pantalla, y por lo tanto un desdoblamiento, la imagen catódica fusiona los dos polos de la representación en una especie de emancipación de las cosas. El indicador de la estructura cuántica del universo, si la metáfora no es demasiado atrevida; el vehículo y lo vehiculado son homogéneos. Hemos pasado de una estética a una cosmología.

Después, el color refuerza de manera decisiva lo analógico, la concreción y la capacidad alucinatoria de la impronta. Como el carácter escrito negro sobre blanco, el signo impreso en la página, la abstracción distante del blanco y negro mantiene con su contemplador una separación convencional, desconcertante y fría. El blanco y negro corresponde a un distanciamiento simbólico; el color, a una atracción basada en el indicio. Menos exigente y más ameno, produce «el efecto de realidad», que es la aptitud de una imagen de no aparecer como tal. Pero como el mundo mismo en plenitud y concreción, llegado tal cual hasta nosotros en su envoltura sonora y real.

Con la videosfera vislumbramos el fin de «la sociedad del espectáculo». Si hay una catástrofe, ella estará ahí. Estábamos *delante* de la imagen y ahora estamos *en* lo visual. La forma-flujo no es ya una forma para contemplar sino un parásito de fondo: el ruido de los ojos. Toda la paradoja de nuestra tercera edad reside en que da la supremacía al oído, y *hace de la mirada una modalidad de la escucha*. Se reservaba el término «paisaje» al ojo y el de «entorno» al sonido. Pero lo visual se ha convertido en un ambiente casi sonoro, y el viejo «paisaje» en un entorno sinestésico y envolvente. *Fluxus* es el nombre de nuestra época. El sonido se propaga y posiblemente ha propagado la imagen con él.

Ver es retirarse de lo visto, retroceder, abstraerse. El ojo se coloca fuera de campo, el oído se sumerge en el campo sonoro, musical o ruidoso. Se ve de lejos, pero se oye de cerca. El espacio sonoro absorbe, bebe, penetra; uno es poseído por él cuando puede

poseer seres y cosas con vistas «claras y nítidas» como una idea.
La mirada es libre, el oído servil. ¿No se dice en griego obedecer
upakueien, que significa escuchar? En la audición hay un principio
de pasividad, en la visión de autonomía; uno se puede saltar las páginas de un libro, no las secuencias de una película en la sala, que
nos impone su proyección y su ritmo. La percepción visual es en sí
distanciada, la percepción sonora es fusional, si no táctil. El sonido está del lado del *pathos*, la imagen del de la *idea*. Aquí, afecto;
allí, abstracción. Con todo lo discreto y heterogéneo que sea, el espacio de los sonidos es refractario al *more geometrico*.[6] El oído no
es espontáneamente un órgano de análisis, como el ojo. El oído
ignora la separación del sujeto y el objeto; tal vez también la del
individuo y el grupo, y, si nos remontamos a la historia de cuerpo,
el oído nos transporta hasta antes de la salida del vientre materno.
El feto siente el cuerpo de su madre, bullicio omnipresente, y el
bebé, aún ciego, ya escucha. La imagen va por delante de la palabra, pero el sonido va por delante de la imagen. Hay revoluciones
de la mirada, pero todo parece sugerir que no puede haber un equivalente en el ámbito de lo que se oye. El oído es arcaico por origen
y constitución. Pero lo audiovisual atempera el distanciamiento
óptico por el acercamiento sonoro, en una combinación inestable
en la que lo auditivo tiende a imponerse. Técnicamente se puede
cortar el sonido de la televisión, cosa que no se puede hacer en el
cine. Pero ha habido y puede haber cine mudo, mientras que no se
puede concebir una televisión muda.

Si nos cuesta proyectarnos en una imagen de televisión, más que
en la imagen de cine o en una escena de teatro, es por la simple razón de que *ya estamos dentro*. Interpenetración, inmanencia máxima. El presentador es un invitado entre la gente; y todos vibramos
con él en la conversación, *sobre* el plató. Ahora todo ocurre en la
proximidad. El plató ya no es un espacio fuera de nuestro espacio,
un tiempo fuera de nuestro tiempo. Hay confusión. Entra en crisis la
separación entre sujeto y objeto que mantenía bloqueado el resorte
de las catarsis. Generalizado el nivel único para todos, se ha puesto
en entredicho el dualismo fundador de nuestro espacio de representación clásica, ese corte entre lo visto y el que ve en torno al cual se
articulaba la vieja relación espectacular, ilustrada por la rampa que
separaba en el teatro el escenario y la sala. No es ningún disparate
decir en el momento presente que todo está en todo, pues es la pri-

mera vez que saltamos por encima de la rampa. El *show* está *en* lo
real, y el telespectador casi *detrás* de su pequeña pantalla, no para
mirar sino para participar en un *happening* en el que el periodista
también participa en la fabricación del acontecimiento (que, por lo
demás, sólo lo es porque todos participan en él). Círculo de éxtasis
encantados, donde se rompe el viejo cara a cara entre el ojo y lo visible, cada uno en su sitio, que presuponía la distinción entre la cosa
y su imagen, el hecho y su huella. El cine, huella en diferido, mantenía plenamente la separación. La televisión, por vía directa, la suprime. En el momento presente, la noticia *es* el acontecimiento, la
imagen *es* la cosa, la carta *es* el territorio, y la noción de «tamaño natural» ya no es reguladora. Mucho más seria que la abolición de las
distancias físicas en la telepresencia, aunque evidentemente unida a
ésta, es la abolición de la distancia simbólica en el núcleo de las
imágenes mismas.

La noción finalmente tranquilizadora de espectáculo, tan vitupe-
rada en otro tiempo por los moralistas, tal vez con cierta ligereza, sin
duda merecerá que un día se la rehabilite.

La bomba numérica, 1980

En la historia de la imagen, el paso de lo analógico a lo numérico instaura una ruptura equivalente en su principio al arma ató-
mica en la historia de los armamentos o a la manipulación genética en la biología. De vía de acceso a lo inmaterial, la imagen
informatizada se hace también inmaterial, información cuantifica-
da, algoritmo, matriz de número modificable a voluntad y al infinito por una operación de cálculo. Lo que capta la vista ya no es
nada más que un modelo lógico-matemático provisionalmente es-
tabilizado. Ese paso por la numerización binaria que afecta a la
vez a la imagen, al sonido y al texto hace que se agrupen bajo un
común ordenador el ingeniero, el investigador, el escritor, el técnico y el artista. Todos ellos pitagóricos. El mundo de la imagen, a
la vez trivializado y descompartimentado, declinando una simbólica universal. El islote de las Bellas Artes se incorpora a la circulación general del *software*. Victoria del lenguaje sobre las cosas y
del cerebro sobre el ojo. La carne del mundo transformada en un
ser matemático como los demás: ésa sería la utopía de las «nuevas
imágenes».

Revolución en la mirada, en todo caso. La *simulación elimina al
simulacro*, levantando así la inmemorial maldición que unía *imagen*

e imitación. La imagen estaba encadenada a su estatuto especular de reflejo, calco o añagaza, a lo mejor sustituto, a lo peor superchería, pero siempre ilusión. Ése sería entonces el fin del milenario proceso de las sombras, la rehabilitación de la mirada en el campo del saber platónico. Con la concepción asistida por ordenador, la imagen reproducida ya no es copia secundaria de un objeto anterior, sino lo contrario. Al eludir la oposición del ser y el parecer, de lo parecido y lo real, la imagen infográfica ya no tiene por qué seguir imitando una realidad exterior, pues es el producto real el que deberá imitarla a ella para existir. Toda la relación ontológica que devaluaba y dramatizaba a la vez nuestro diálogo con las apariencias desde los griegos se ha visto invertida. El «re» de *representación* salta en el punto de conclusión de la larga metamorfosis donde las cosas ya aparecían cada vez más como pálidas copias de las imágenes. Liberada de todo referente (al menos en principio), la imagen autorreferente de los ordenadores permite visitar un edificio que aún no está construido, circular en un coche que no existe todavía sino sobre el papel, pilotar un falso avión en una cabina de mando auténtica, por ejemplo, para repetir en el suelo una misión de bombardeo. Eso es en definitiva lo *visual* en sí mismo.

Una entidad virtual es efectivamente percibida (y eventualmente manipulada) por un sujeto, pero sin realidad física correspondiente. Debidamente equipado con sensores y detectores de posición («guantes de datos» y «casco de visualización»), mi cuerpo puede moverse en un espacio perfectamente inmaterial, animado por una simulación numérica, y hacer que éste se mueva a su vez. La paradoja es que, entonces, la Imagen y la Realidad se hacen indiscernibles: un espacio así es explorable e impalpable, a la vez no ilusorio e irreal. Las experiencias de «telepresencia» oscilan todavía entre la experimentación en laboratorio y la atracción verbenera, pero las imaginerías virtuales interactivas equipan ya a aviones, submarinos, talleres o coches de carrera. Los programas informáticos producen así, por un tratamiento gráfico de la información, *imágenes inteligentes* susceptibles de integrar en situación flujos de datos imprevistos a fin de responder a las incertidumbres de una situación incontrolada. «Las imágenes salvan hoy a los que las miran» (Richard Bolt). Son «responsables». Platon y Pascal han tenido que bajar la cabeza; ahora nosotros deberíamos decir en su lugar: «Qué extraño que en este mundo industrial, en el que se admiran los automóviles último modelo, no se admiren en absoluto las imágenes de síntesis...».

La producción industrial se une por medio del ordenador a la creación artística; sonora, con la música electro-acústica y electrónica; visual, con la infografía. Sintetizador y paleta gráfica. Aquí, como en otros sitios, se asiste a un impulso del hecho técnico a partir del hecho cultural. Las máquinas ya no están ahí sólo para *difundir*, con el magnetoscopio, el lector hi-fi, etc.; o para *almacenar* y *archivar*, con las memorias numéricas del C.D.-Rom; sino para *fabricar*. Punto final de un largo proceso, pues la tecnificación de la estética se remonta al Renacimiento: Leonardo es el más conocido de esos artistas-ingenieros, pero cultura imaginaria y cultura sabia han coincidido más de una vez en Occidente. Nuestras artes plásticas son tan poco incompatibles con la máquina que la coproducción ha estado siempre al orden del día desde las revoluciones industriales. La electrónica une ventajosamente el hierro con el hormigón del siglo XIX. Digamos que el movimiento de la hibridación del objeto de arte continúa primando el producto sobre la obra y a través de una cooperación acentuada entre industriales, ingenieros, investigadores y artistas plásticos. Cada nuevo material o soporte ha generado una innovación artística, y la pintura al óleo ha sido siempre distinta de la realizada al temple, la que utiliza la tela distinta de la hecha sobre papel, y ésta distinta del modelado en yeso. No es, pues, absurdo esperar de la pantalla del ordenador un estilo y un género propios. El Futuroscopio está ya ahí, y no faltan los candidatos a suceder a Walter Gropius, ni en Europa, ni en Canadá, ni en los Estados Unidos. Si se agrupan las artes salidas del ordenador bajo el nombre de «tecnoarte» (equivalente visual de la tecnociencia), nada impide *a priori* contemplar el crecimiento en arte mayor de eso que aparece todavía como una simple diversión o una atracción verbenera del género *preshow* con sillones móviles y cine dinámico (estatuto menor que fue, en un principio, el del teatro y del cine). ¿Por qué los «inmateriales» no podrían producir un día una estética original, a la manera del material fotofílmico de antaño? Las «nuevas imágenes», ubicadas hasta ahora en los efectos especiales, las presentaciones televisadas o los videojuegos, ofrecen con toda claridad asombrosas posibilidades lúdicas, irónicas, fantásticas también en cuanto que revivifican lo maravilloso de los textos antiguos con ayuda de impecables trucajes. Y, también, integrando la abstracción en lo audiovisual. ¿Un nuevo período barroco en el horizonte?

Pronunciarse contra los viejos tabúes de la autenticidad, del misterio y del alma denunciaría un ritual un tanto vano. Pero el horizonte podría contener una decepción. En la práctica y por ahora, las nuevas imágenes tienen sobre las viejas el inconveniente de un costo exorbitante, lo que hace que la creación sea por completo dependiente del mercado.[7] Si lo numérico no vende por anticipado, no produce: de ahí su contenido muy a menudo publicitario. No se inventan historias con personajes, se elogian ciertas marcas en base a los productos. Sin olvidar los límites de la práctica efectiva: los infógrafos parten de visiones reales de los materiales preexistentes, esqueletos de alambre, yeso, maquetas o fotografías clásicas, que son bien escanerizados, bien «aflorados» y divididos en *patchs* (unidades de superficie), después analizados en régimen numérico para su tratamiento en pantalla. Así, pues, no hay, o no hay todavía, invención de objetos *ex nihilo*.

El proyecto de una Bauhaus electrónica plantea cuestiones más radicales, y en primer lugar la del *mal universal*: el que suprime la profundidad de tiempo y la singularidad de la factura. Las imágenes numéricas impactan por su aspecto a-cósmico y anhistórico. Difíciles de fechar y situar, esas imágenes son al menos el lado visible de un esperanto visual. La fuerza de expansión de la herramienta simbólica, el carácter internacional de lenguaje binario, es también su debilidad. Es una ventura científica y una desventura estética antes que fenómeno transversal a todos los países y todas las latitudes, pues, en nuestro museo imaginario, lo universal es un punto de llegada, no un punto de partida, *y sólo si no está en la partida no está en la llegada*. Vermeer pertenece a la humanidad, pero porque fue un pintor holandés, y tan holandés como era posible, en su intensidad táctil y su respiración. El peligro consistiría en inventar un código sin mensaje o una sintaxis sin semántica: formas asépticas. El interés y el infortunio de las estéticas totalmente industriales radica en que son propias de todos y de cualquiera, como el lenguaje matemático si se quiere, que sirve a todos los azimuts y lo armoniza y coordina todo porque tiene aplicaciones pero no sentido.

A continuación viene la cuestión del gesto y, detrás, la de lo vivo. Las artes plásticas eran un trabajo del cuerpo en un material; y la imaginería, una forja y un encuentro. La simulación numérica, arte de cabeza, prescinde de nervios y músculos, mientras que el fotógrafo es un cuerpo al acecho, predador de imprevistos y ávido de sus tomas. El ser humano no se implica emocionalmente en operaciones de cálculo, combinatorias de parámetros que excluyen el azar y neutralizan lo impulsivo. ¿Hasta qué grado de inmaterialidad y

---

7. En 1992 se puede estimar en un millón de francos el coste de producción de un minuto de imágenes numéricas. Eso equivale a cien veces el coste medio de un minuto de televisión en plató (10.000 francos). Un telefilm medio de noventa minutos cuesta más o menos entre cinco y seis millones de francos.

abstracción física puede llegar la invención plástica? Con la formalización creciente de las imágenes (y de los sonidos sinéticos), todo
se hace en frío y a distancia, con *control remoto*. En el cine, para una
toma de vistas el operador-jefe se sirve de la cámara *in situ*. El vídeo
de alta definición, se opera desde control, en una furgoneta, a cien
metros del lugar de rodaje. En el sistema numérico se hace variar la
intensidad de las luces, los ambientes, las posiciones de la cámara,
las texturas de las superficies (mate, rugosa, brillante, etc.) con un
movimiento de dedo en un teclado. Más contacto con una materia.
El espíritu se ha liberado de la mano, el cuerpo entero se hace cálculo, el hombre se ha despegado de la tierra. Los colores, liberados de
los pigmentos de antaño, pueden variar a voluntad hasta el infinito y
se podrían encontrar tantos matices entre un tierra de Siena y un aza-
frán como decimales entre dos números enteros. Libertad fabulosa
pagada con la pérdida del deseo. «Nuestro tiempo prefiere los modelos a los objetos, escribe Pierre Lévy, porque lo inmaterial está
desprovisto de inercia.»[8] Eliminadas la resistencia y la pesantez de
las cosas, todo se vuelve fácil y rápido. En principio, pues la velocidad así ganada se pierde luego en las demoras de cálculo necesarias
para interpretar las apariencias. Cuanto más se acerca el ordenador a
lo vivo, tanto más complejas se hacen sus operaciones y, en consecuencia, tanto mayor es el gasto. Ésa es una razón de más de por qué
las nuevas imágenes insisten en la reutilización de los metales, de
los plásticos, de las maderas, de lo inerte en general. De ahí los logos, los volúmenes abstractos y las decoraciones de arquitecturas,
trabajos fáciles. En la jerarquía de los reinos conquistados sucesivamente por las imágenes de síntesis hay algo de emblemático: el mi-
neral es perfectamente simulable (ver el admirable *Terminator 2*); lo
vegetal ya un poco menos, lo animal mucho menos. El ordenador in-
vestiga en este momento las vértebras: sabe hacer dinosaurios, aves,
peces. Estudia los mamíferos, pero el ser humano sintetizado es
siempre una marioneta, a veces un androide, nunca una mirada. Ni
una palabra (las dos van juntas). El rostro, aún más que la voz, escapa al cálculo (el reconocimiento visual es mucho más fino que el
reconocimiento auditivo, en tanto que las voces son más fáciles de .
trucar que los ojos, la piel o las fisonomías). Todo ello es tranquilizador. La simulación numérica puede fabricar auténticos falsos
Mondrian, no auténticos falsos Velázquez.

El problema no es el alma sino el cuerpo, pues donde no hay

---

8. Pierre LÉVY, *La Machine univers [La máquina universo]*, París, La Découverte, 1987, pág. 57.

cuerpo no hay alma, o sea, mirada. ¿Y qué hay de *perdurable en ausencia de los ojos*? Una imagen viva presenta un curioso parentesco con la individualidad. Es una sorpresa que queda. Lo inerte y los algoritmos tienen una esencia repetible, como todo lo que carece de ser. Es lo que pasa. Pero dos caras, aunque sean gemelas (o incluso una misma «naturaleza muerta» pintada por dos pintores), nunca serán exactamente iguales; por eso el rostro humano es sagrado. No como la imagen de Dios, sino como la imagen de otra imagen posible. Por eso es aún más sacrílego quemar un retrato que un paisaje, y un cuadro más que una cinta de vídeo o una foto, porque entonces se destruye una contingencia que no se repetirá más. Los sortilegios de lo absolutamente inimitable han abarcado hasta esta mañana, en un mismo júbilo anhelante, la reproducción de lo real por la mano y la fragilidad de una mirada, tabú moral por su unicidad biológica.

En el tecnoarte, como a menudo antes, el concepto precede al sentimiento. Pero aquí el número predetermina el resultado, no hay montaje posible y lo que se encuentra está íntegramente en el cálculo: desencarnación logocéntrica de la carne sensorial de lo visible. ¿No es despedirse del cuerpo renunciar al sentido? No es que el sentido deba ser aportado obligatoriamente por una consciencia o una intención, pero parece ligado a una singularidad, esa combinación improbable de genes que es un individuo vivo. En la imagen de arte, pongamos por caso el retrato o el autorretrato, había un estremecimiento ligado a la imprevisible aparición de un semejante que no se asemeja a ningún otro. Ese *pathos* de la última vez es lo que había de común en cualquier hombre nacido por azar y mortal por necesidad con la imagen, sea la que fuere, fabricada por él y que la captación óptica de un modelo matemático no parece en condiciones de asumir. Lo irreemplazable de la obra de arte (a la que el falsario rinde homenaje como el hipócrita a la virtud) constituye sin duda una ventaja económica, pero no la agota. La obra es cara porque, contrariamente al producto industrial, no es un bien reproducible. Pero el criterio de no reproductibilidad es una consecuencia, no una causa. La obra no era singular *por* ser cara y facilitar la especulación hasta el delirio. Todo eso venía bien, pero el costo y el precio eran un plus. El arte era lo imprevisto que surge a la vista, a la vida. La obra, como el individuo, es hallazgo, accidente, sorpresa agradable. Una vez que está ahí es necesaria dentro, pero esa necesidad, fuera, es un azar: habría podido no ser. El problema, con esas tecnologías maravillosas y ultramodernas, es su fiabilidad: ellas lo prevén todo. Así lo dice la definición del academicismo.

¿No es puro empecinamiento, retraso de la cristiandad de Oriente respecto de la laicidad occidental, que las liturgias ortodoxas proscriban las imágenes y los sonidos de origen mecánico? No se puede reemplazar, dicen los teólogos de la Ortodoxia, un coro por un disco, un icono por una foto, o un fresco por una serigrafía, sin hacer perder al ritual su eficacia carismática. El icono es la expresión viva de la fe y sólo lo vivo puede responder a Dios, y ser respondido por él. *De te theologia narratur?*

Última interrogación, tras el desenraizamiento de los lugares y la desencarnación de los procedimientos: la desocupación de los resultados. El tecnoarte es más fecundo en procedimientos, procesos y programas que en objetos acabados. Una foto, una película, incluso un videocasette, son objetos cerrados, mostrables, transportables, comercializables. Los museos como los coleccionistas tienen ciertas dificultades en exponer, depositar o proponer «modelos generativos» posibles, ofrecidos a la imaginación lúdica de los visitantes. Un *software* no es un *opus* sino una matriz de operaciones innumerables. Ese defecto de monumentalidad puede parecer anecdótico, y no se dejarán de concebir nuevos modos de circulación para las «artes tecnológicas» (como se llaman las artes propias de la era visual). Aún queda el interesante estatuto de esas obras abiertas a todos en las que la «función autor» se vuelve tal vez anacrónica. Como todas las empresas-talleres disponen de los mismos materiales de fabricación estándar, la escritura del *software* es la que marca la diferencia. Pero el *software* no es una obra; es una herramienta que genera una propiedad industrial (registro de patente), no artística (derechos de autor). Un *software* puede tener muchas aplicaciones: es evolutivo. La obra está acabada y es definitiva. Distingos precarios, dependientes de legislaciones nacionales y eminentemente revocables. ¿Quién es el autor de un filme numérico? ¿El ingeniero o el infografista? Alguien contestará: ni el uno ni el otro, sino el autor del *story-board*. En realidad, y todos están de acuerdo en ello, en la fabricación de un *software* hay trabajo de creación y en una creación numérica hay mucho *software*. La interacción de la ciencia y el arte acelera afortunadamente la mezcla de viejas y perezosas categorías mentales (autor, *bricoleur*, artista, productor, espectador, cliente, jefe de taller, empresario, etc.) heredadas del régimen «arte»: rompecabezas jurídico pero garantía práctica de fecundidad.

LA TÉCNICA COMO POÉTICA

Antiguamente se llamaba «Poética de las Bellas Artes» a la teoría de sus relaciones y diferencias mutuas. El tema es viejo, pero las relaciones y las diferencias persisten. No cabe duda de que nos hemos hecho espontáneamente hostiles a la idea de una jerarquía de las artes. En la Ciudad de los artistas plásticos, que pretende ser fraternal, pintores, grabadores, escultores, cineastas y videístas se codean cortésmente y esa Villa Médicis ideal está obligada a ignorar la competencia por el público y el espacio vital. ¿Qué artista no se ha burlado de esas obsoletas clasificaciones de antaño como de una vanidad especulativa? No cabe duda de que en otro tiempo tuvieron ventajas palpables para las carreras y las pensiones. En el siglo XVII, al declarar al retrato menor, devaluado como estaba por la afluencia de burgueses deseosos de inmortalizar sus facciones, la Academia Real hacía bajar severamente los precios. Promovido como arte en 1660, el grabado en talla dulce retrocede más o menos al nivel de oficio. En 1749, los pastelistas fueron sacrificados en beneficio de los pintores que empleaban el óleo. Ciertamente ha muerto el tiempo de las academias. El antiguo «sistema de las Bellas Artes» ya no es un organigrama, es un campo magnético.

La técnica no actúa por decreto, gravita por fuerza en las carreras y las cabezas. La evolución de las máquinas de visión vale como principio generativo y jerárquico, de manera que el arte no está ya en el arte. El campo de las bellezas posibles se organiza según líneas de fuerza trazadas en los laboratorios, lejos de los talleres, por una dinámica cuya clave está ya en manos de los ingenieros, y no de los artistas.

En esa poética hay un componente patético. El de las luchas por la supervivencia, pues si todas las artes tienen derecho de vivir (conjuntamente), de ahí no se deduce que todas sean igualmente vivas. Cada arte debe hacer lo que los otros no pueden hacer, pues ésa es su originalidad y ahí reside su razón de ser; pero ningún arte, ningún género de imágenes, es inmutable en su dignidad. La vidriera ya no es lo que fue después la placa fotosensible; y la imagen fotográfica ha sido superada por la imagen electrónica. La capacidad lírica de un tipo de imágenes visual, o la intensidad de los afectos que ella es susceptible de producir, su «impacto», varía con el tiempo. Eso es lo que hace que con un talento igual y con dotes comparables, un imaginero sea fresquista en el siglo XIV, grabador en el siglo XVI, pintor en el siglo XIX, cineasta en 1960, y tal vez videísta en el año 2000. Cada época tiene un teclado estético (en el sentido original de la *aisthesis* griega), a saber, una *sensorialidad colectiva*, análoga a la mentalidad del mismo nombre determinada a la vez por una escala de rendimientos emotivos y una escala de prestigios sociales. Cuadro comparativo de las expectativas medias de renombre (como se habla de las expectativas medias de vida) que imanta vocaciones y carreras.

¿El medio propone, el talento dispone? De hecho, las proposiciones plásticas del medio no tienen coeficiente igual, aunque la función figurativa —permanente— no recurre, de una época a otra, a los mismos órganos. Crear formas, por más que se afine, es querer impresionar a la gente y en primer lugar llegar a ella. Hoy se observa que no se llega y se impresiona tanto con una imagen fija y muda como con una gran pantalla, sonido Dolby estéreo. La necesidad figurativa se desplaza según los resultados comunicativos o la capacidad de producir una conmoción física que tenga este o aquel género. Como todo nuevo medio técnico forma y educa en su sentido al público, éste no está ya adaptado al medio técnico anterior, el cual se ve obligado bien a minar o a «pegarse» a su sucesor, bien a contrariarlo sistemáticamente para hacerse el interesante. Curiosamente, el modo de expresión tenido por el más vulgar es a menudo el más innovador de una época. Donde mejor se comunica es donde más se inventa. La desgracia de la historia oficial del arte es que las rupturas estéticas decisivas intervienen generalmente en el dominio menos «esteta» del momento presente. En el momento en el que Valéry imparte sus cursos de Poética en el Colegio de Francia, la poética de lo imaginario que modelará su tiempo se inventa en los estudios de Joinville.

«La idea capital de cada generación no se escribiría ya de la misma manera...» Hasta la imprenta, añade Hugo evocando a Gutenberg y al siglo XV, se escribía en la piedra; de ahora en adelante será en el papel. «Esto matará a aquello.» Después del celuloide, después de la cinta magnética, la *imagen capital* de cada generación también pasa de un soporte a otro. Cada generación de la mirada tiene su *arte patrón*, el que obliga a alinearse a todos los demás. Éste «matará» a aquél: divisa inscrita en filigrana bajo el vector «progreso técnico», que no enumera sabiamente un arte tras otro, séptimo, octavo, noveno, por orden de llegada, sino mordeduras, sacudidas y traumatismos. El juego, con toda seguridad, es sólo de eliminación. «Aquello» puede también resucitar a «esto». Hay una relectura cinematográfica de la pintura, y la mirada de Eisenstein en Da Vinci le da una nueva vida. Después de Orson Welles ya no vemos al Tintoretto con los mismos ojos, pues volvemos a encontrar sus encuadres, sus líneas oblicuas y su profundidad de campo. Resnais nos descubre a un Van Gogh dramaturgo, en blanco y negro. El cine que «embalsama el tiempo», como decía Bazin, puede a veces desplegar ciertas cintas en las habitaciones de los muertos. Y ha inventado una nueva forma escrita, el guión. Como la foto de prensa ha creado la novela-reportaje. Simenon le debe mucho (sus novelas fueron las primeras en presentar una foto en la cubierta). En un combate dudoso: las relaciones interartes son siempre indisolublemente de rivalidad y de solidaridad. Los buenos y malos servicios alternan.

En la escala de las visibilidades sociales, la escultura parece haber retrocedido desde el siglo XIX. Por muchas razones, la última de las cuales no es la ventaja comparativa dada a la pintura por la reproducción fotográfica en dos dimensiones. La escultura y su característica específica, el volumen, no «pasan» por el papel. Los inicios de la fotografía fueron, no obstante, prometedores. Para un tiempo de instalación prolongado, la efigie tenía una consistencia ideal. De ahí la plétora de reproducciones de arquitectura, de molduras y de estatuas en el tiempo, donde, toda vez que la foto sólo tenía la modesta función de registrar y vulgarizar, los escultores —Rodin o Brancusi— podían servirse de ella para difundir mejor su trabajo y acrecentar su valor (como los pintores clásicos habían hecho con los grabados). Hasta el momento en el que los grandes fotógrafos, apoyándose en su dimensión estética, se van a servir del pretexto-escultura para hacer *bellas fotos*, anecdóticas o metafóricas.[9] Hoy lo real de una escultura, la tercera dimensión, reclama el contacto directo. La escultura conocerá sin duda una recuperación del favor público cuando, con el holograma (o procedimientos afines mejorados), un simulacro óptico reproduzca no sólo el volumen sino también los matices del modelado, el juego de luces y sombras, la variación de los tonos. Y nos las sirva a domicilio, como objeto estable de disfrute privado.

El sistema B.D. sin duda ha alcanzado sus mejores resultados en el curso de las últimas décadas. Además de ser promovido a la categoría de arte, ha sido dotado de espacios institucionales, de festivales y coleccionistas, de concursos y discursos. Pero el *vídeo interactivo* podría perfectamente perjudicarle en un futuro próximo. No descalificarlo, pero sí desvitalizarlo privándolo de ese público en primer grado que da vida a una forma poética. Tintín me cautivaba. ¿Pero qué quedará de esas placas y de esos álbumes cuando yo pueda *programar* personalmente las tribulaciones del héroe y acompañarle en directo, sobre la pantalla de mi ordenador, hasta China o el

9. Exposición «Photographie et sculpture», Palacio de Tokio, enero-marzo 1991.

Congo? La aventura en tiempo real, de tú a tú, y todo en un sillón. Si se vuelve *a* la imagen animada, sonorizada, mañana tal vez en relieve, pasado mañana olfativa, yo podría ser a la vez protagonista y coautor. El sistema B.D. es un arte visual surgido en la punta avanzada de la grafosfera. Acerca de ésta hay razones para temer que la videosfera no la embalsame noblemente enviándola a reunirse con la pintura y la escultura en los graves santuarios de la respetabilidad estética.

Por último, la danza. Su ascensión (como la de las paradas y desfiles) es característica de la subida del «indicio» al firmamento: hemos visto que la infancia del signo era el futuro del signo. Hoy el hombre se aparta de los códigos domésticos y los cuerpos domesticados para perseguir el estado salvaje y el movimiento libre. El «lenguaje del cuerpo»: triunfo festivo de la Línea Carne sobre la Línea Verbo. En el desierto afectivo de las nacionalizaciones modernas, la plenitud de los cuerpos silenciosos (como los dibujos de niños y de locos) revitaliza las energías perdidas. Arte *naïf* y mudo, por lo tanto internacional (favorecido en ese sentido por todos los regímenes totalitarios como la menos subversiva de las artes de la escena), la danza ha encontrado en la retransmisión por vídeo una ayuda dinámica. A pesar de sus límites expresivos la plasmación del espacio físico y de la gravitación de los cuerpos, la televisión muestra el esfuerzo corporal, aunque sólo sea perennizando los gestos. Ciertos coreógrafos instalan ya en escena pantallas de vídeo integrándolas en la acción.[10] La danza ya tenía sus títulos de nobleza como arte escénico, cuerpo de ballet, emblema del refinamiento monárquico. Ahora se ha democratizado al abandonar su encierro sagrado o ritual. Después de una nítida *diminutio capitis* en el curso de su paso por la grafosfera, se ha convertido en un arte a la vez mayor y popular, que valoriza la videosfera y se valoriza a sí misma a través de ésta. Alguien preguntará: ¿quién se sirve de quién en la videodanza? Tal vez el intercambio de un prestigio aristocrático y de una audiencia formada por todos los públicos da lugar a un buen contrato, beneficioso para las dos partes. Encuentro feliz de un arcaísmo bruto (el gesto y los ritmos) y de una sofisticación técnica (el magnetoscopio y los rayos hertzianos), la danza contemporánea pone las mediaciones técnicas al servicio de su propia inmediatez física. Alianza de contrarios o juego sobre los dos tableros que la forman en el momento presente (con los desfiles y las presentaciones publicitarias en los espacios abiertos), la danza es la más consensual de las artes vivas.

10. Por ejemplo, Anne de Keersmacker en *Erts*, Bruselas, 1992.

La vida de los géneros recuerda una ronda divertida, que hace pasar cada forma artística del público sin prestigio, en sus inicios, al prestigio sin público, en su fin. ¿No está ahora el teatro, por ejemplo, cerrando un bucle multisecular, desde los tablados del Pont-Neuf en el siglo XV hasta la sala subvencionada del siglo XX? Es difícil para un arte ser a la vez noble y vivo, popular y respetable.

Esa crueldad también se da en el hecho literario.[11] ¿Cómo comprender el desplazamiento de las fecundidades, de un siglo a otro, de la epopeya a la elocuencia, a la cátedra, al teatro, a la poesía, a la novela, al guión de cine, etc., sin adoptar la acústica como hilo conductor? El talento va allí donde es más fuerte el eco. La calidad de las inversiones individuales crece y decrece con las «respuestas» que cabe esperar legítimamente de esta o aquella forma de expresión. La sucesión de las formas literarias más elogiadas ofrece otro ejemplo de ese darwinismo mediológico, donde las mejores formas se eliminan unas a otras, seleccionadas por la mediasfera en virtud de la supervivencia del más apto (en hacerse recibir). Por eso es por lo que siempre es útil relacionar una forma literaria con el estado de las transmisiones materiales. Referido a Francia, el arte epistolar, de Madame de Sévigné a Marcel Jouhandeau, nace con el servicio de correos y muere con el teléfono. La novela por entregas, de Eugène Sue a Simenon, nace con el periódico, se une con la rotativa y fenece con la imagen-sonido. El gran reportaje que le sucede, de Albert Londres a Roger Vailland, pasando por Kessel y Sartre, nace con la telegrafía sin hilos, se une con la foto de prensa (*Paris-Soir*, 1931) y muere con la retransmisión por satélite. ¿De qué sirven las *Cosas vistas* en la línea de Hugo cuando cada uno puede verlas en su casa con sólo apretar un botón?

La tele-visión (visión a distancia) de la historia ha modificado la tele-escritura (escritura a distancia) al desplazar las plumas del relato en caliente o de la ampliación a distancia hacia el *análisis a posteriori*. La tecnología electromagnética ha enfriado lo escrito, y de manera especial ha hecho declinar dos géneros literarios capitales: la *ekphrasis* o descripción de las obras de arte por un temperamento (Stendhal en Italia, si se quiere) y la reescritura en diferido de la historia vivida (el Chateaubriand de las *Memorias de ultratumba* o el *Diario* en la línea de Gide). La memoria analógica (película o cinta), en cuanto que permite que el acontecimiento o la obra se presente *motu proprio* ante nosotros, devalúa la memoria «mediatizada», ar-

---

11. Véase Régis DEBRAY, *Le Pouvoir intellectuel en France [El poder intelectual en Francia]*, París, Gallimard, Folio Essais, 1979.

timaña de artesano. Marginaliza tanto al pintor dominguero con su caballete portátil como, en la información, a Tintín reportero con su estilográfica o su Remington.

También se podría señalar el declive de las imágenes con el de las medidas de policía. ¿Hasta cuándo una tela o una escultura causa escándalo? ¿A partir de qué fecha un comisario no se presenta ya en una galería de arte, en París, para ordenar que se retire del escaparate un cuadro conflictivo? ¿Por qué ya no circulan a escondidas las «fotos sucias»? ¿Y por qué esa o aquella imagen publicitaria moviliza hoy al episcopado francés? Una cronología de las prácticas clandestinas y de los delitos de imagen sería una buena introducción a una historia de la mirada. Los amantes de la pintura lamentarán sin duda aquellos benditos tiempos en los que un diputado socialista, Jules-Louis Breton, interpelaba al gobierno para denunciar el escándalo de las «monstruosidades autoproclamadas artísticas» de los cubistas, y sus «locas carreras de extravagancias y excentricidades», entonces expuestas en el Salón de Otoño. Era el año 1912. En 1925 todavía el comisario general de la Exposión de las Artes Decorativas ordenaba que se cubriera con un velo un desnudo de Delaunay expuesto en el pabellón francés. ¿Qué diputado pediría hoy la retirada de un cuadro expuesto en un pabellón oficial? El cine ha tomado do el relevo: la prohibición de *La religiosa* de Rivette, en 1967, acciona la Revolución del 68, pero sobre todo pone de manifiesto la autoridad social del cine. La historia de nuestros mecanismos de censura sucesivos sigue paso a paso el vaivén de los medios visuales y su grado de eficacia.

Igualmente reveladora sería la historia de las celebraciones, la otra cara de las represiones. Nuestro tiempo es el primero en apasionarse por los manuscritos de autor, al que prodiga todos sus cuidados, teóricos y materiales, y ello tanto más cuanto que el microordenador reemplaza la página en blanco por la pantalla azulada en casa de los autores en activo. Se venera aquello que se pierde. En general, cuando declina su impacto es cuando se quiere ofrecer a un museo un cuerpo de imágenes, lo que da carácter oficial a su jubilación. El efecto patrimonio es también «el pataleo» de las imaginerías con dificultades. No hay, al menos en Europa, museos de la televisión, pero los hay del cine porque éste es viejo, reconocido y está enfermo. En los tiempos en los que el grabado era un verdadero elemento de transmisión no era tenido por un arte noble. Oficialmente alcanzó ese rango a mediados del siglo XIX (la «sociedad de los aguafuertistas» se creó en 1862), en el momento en que la fotografía le arrebataba su función principal, la reproducción de las imágenes pintadas. La democratización fotográfica ha influido en la multiplicación de los museos nacionales de pintura, y en los años setenta, cuando el fluido vídeo invade las pantallas, la fotografía es a su vez consagrada como arte de pleno derecho, con publicaciones periódicas de reflexión, galerías independientes y departamentos especializados en los museos de arte contemporáneo (las exposiciones de fotos han pasado de la sección de «ocio» a la sección de «arte» del *New York Times* en 1975). Entonces los mejores fotógrafos son erigidos en grandes hombres (consagración de Brassaï, Lartigue, Cartier-Bresson). El día en el que las imágenes por *scaner* y resonancia magnética sean objeto de una celebración institucional, acompañada de una apreciación comercial, la medicina habrá encontrado otros modos de visualización de los órganos. Ambigüedad del ennoblecimiento de las imágenes: ¿no marca a menudo esa ambigüedad el cambio de una dignidad por un desinterés? Jean-Christophe Averty, que fue el primero en el videoarte, lo vio a tiempo: «Nunca me he tenido por un artista. Me horroriza la palabra. Yo soy un artesano». Definirse modestamente como un investigador-productor, cuando se es un gran inventor, merma el honor pero mantiene encendida la llama. Como si el instinto de conservación del creador pasara por el rechazo de la conservación en un medio cerrado. Recordemos que la Antigüedad empezó a colocar estatuas en lugares públicos (la pinacoteca era un espacio privado, al principio un simple vestíbulo de atrio) cuando dejó de creer en ellas. Bella y sabia declaración: «La palabra arte me produce escalofríos; eso termina siempre a golpes de martillo en la sala de ventas».[12]

Luego Averty se sosiega: una creación imaginaria fácilmente copiable y difícilmente conservable tiene pocas posibilidades de interesar a los museos y a los peritos tasadores.

12. Entrevista de Jean-Christophe AVERTY en Cartes sur Câbles, otoño 1991, Bruselas.

11. Las paradojas de la videosfera

Evidentemente, lo visual concierne al nervio óptico,
pero, aun así, no es una imagen. La condición *sine qua
non* para que haya imagen es la alteridad.

SERGE DANEY

*Lo visual comienza donde termina el cine. En cuanto que
el último estado de la mirada retoma muchas propiedades del
primero, la señal vídeo autoriza una idolatría de nuevo tipo,
sin componente trágico. La diferencia radica en que si la imagen arcaica y clásica funcionaba con el principio de realidad,
la visual funciona con el principio de placer. Lo visual es en sí
mismo su propia realidad. Inversión no exenta de riesgos para
el equilibrio mental del colectivo.*

EL ARCAÍSMO POSMODERNO

La humanidad «sube» una escalera sin saber exactamente a dónde le lleva, y cada nuevo descansillo de esa escalera, alcanzado con
gran esfuerzo, evoca irresistiblemente no el que acaba de dejar atrás
sino el penúltimo. El actual fetichismo de la imagen tiene muchos
más puntos comunes con la lejana era de los ídolos que con la del
arte. En cuanto que la era 3 de las mediaciones omnipresentes, la
nuestra, pone de manifiesto la inmediatez sin máquinas de la era 1,
nos permite redescubrir la fenomenología de las imaginerías primitivas.

La impresión de ya visto, que en general evoca lo nunca visto, se
debe a que cada trama de «posmodernidad» reactiva un arcaísmo
que surge ante nosotros, cuando creeríamos tenerlo detrás, envuelto
en lo «premoderno». Como la mundialización económica hace resu-
gir en el norte las necesidades de enraizamiento nacional, la acultu-
ración científica de las elites del Tercer Mundo y los integrismos re-

ligiosos, la ubicuidad electrónica reencanta lo visible al suprimir distancias y demoras. El telemando o el mundo exterior que obedece al dedo y al ojo. Un practicante del *zapping*, debidamente conectado, es un brujo feliz porque a la postre demuestra ser eficaz: salta de un continente a otro en un instante. Al pasar de los mapamundis al departamento electrocontrolado de los grandes almacenes (ámbito de lo audiovisual), el planeta Tierra ha sido a la vez miniaturizado y domesticado, de modo que ahora ese planeta puede servirse a domicilio, como un frigorífico o una aspiradora.

El inmaterial vídeo reactiva las virtudes del «coloso» arcaico. Una imagen sin autor y autorreferente se sitúa automáticamente en posición de ídolo, y nosotros nos situamos en posición de idólatras, nos sentimos tentados a *adorarla* directamente, en vez de *venerar por ella* la realidad que indica. El icono cristiano remite *sobrenaturalmente* al Ser del que emana, la imagen de arte le representa *artificialmente*, la imagen en directo se da *naturalmente* por el Ser. De acuerdo con la noción de progreso retrógrado y la de mundialización balcanizante, debemos admitir la realidad de otra paradoja: la sociedad electrónica como sociedad primitiva.

La pequeña pantalla en color satisface, *con creces*, los deseos neoplatónicos de Plotino. Al redescubrir el tejido sin costura de lo visible, nos devuelve la emoción de la presencia inmediata. De la misma manera que el oro de los mosaicos bizantinos vehiculaba directamente las energías divinas hacia el creyente, la brillantez «plana» del mosaico televisión, sin sombras ni valores, nos comunica lo en sí luminoso del mundo. El icono ortodoxo era menos que un ídolo, porque era sólo mediador de la divinidad, y no divinidad; pero al mismo tiempo era más que símbolo, pues, al representar a una persona única (la de Jesucristo o la de un santo), el icono era también único (tan escasamente intercambiable que podía llevar un nombre como una persona humana). La espiral de las imágenes nos hace pasar de nuevo por los mismos puntos, pero no al mismo nivel ontológico. Para el orante, la visión del icono era deificante, y aquello con lo que buscaba el parecido no era de este mundo. La visión de nuestras imágenes de actualidad sólo muestra el mundo profano, precisamente, aquel que el icono tenía prohibido representar. Dios, por ser la Vida, dispensaba de tener que representar a los vivos, condenando así al conjunto del mundo visible a una ausencia primordial y petrificada. Por eso no dudamos de que, para un creyente, hay profanación y obscenidad en situar en planos paralelos una epifanía y un telediario. Los cristianos no están autorizados a tomar la misa televisada por una verdadera misa, pues el misterio de la eucaristía no opera a través de la pantalla (también la fe occidental se vive en comunidad). Un confesor no puede impartir la absolución por teléfono, ni la santa comunión en la televisión. No hay telepresencia real de la carne y la sangre. Pero, transmitida por las ondas hertzianas, la bendición papal *urbi et orbi*, conserva ya, al parecer, su eficacia; innovación carismática que anuncia tal vez otras adaptaciones. Quién sabe si un día no habrá ya más misa que la televisada (de la misma manera que ya no hay otros Juegos Olímpicos que los Juegos escenificados no *para* sino *por* su propia retransmisión). Por ahora, la vista del presentador cotidiano no limpia, ciertamente, nuestros pecados, como la Presencia divina en el rito católico, pero observemos que, a pesar de todas sus diferencias de rango, los dos soportes humanos de la revelación tienen en común la frontalidad. Ojos con ojos, cara con cara. Nuestro *anchorman* (o *anchorwoman)* mira a quien le mira, como el Salvador de Rubliov. Simula pues leer un prontuario, pero el efecto está ahí: un ojo nos mira fijamente sin vernos, nos interpela directamente, como un índice apuntando a las personas de acuerdo con el esquema althusseriano de la «interpelación al sujeto» propia de la convocación ideológica o catequística (*America wants you*). Nadie ha visto a Jesucristo de espaldas. Poivre d'Arvor y Dan Rather, tampoco. Son por naturaleza Seres de frente, anversos sin reversos, cuerpos gloriosos sin pantorrillas, nalgas o nuca: puras subjetividades no objetivables. Esos hombres-troncos no son el Verbo sino lo Real encarnado, o sea, el Acontecimiento en su luminosa Verdad. La imagen fotográfica era fija y la imagen fílmica era proyectada, diferida. Improntas, pero enfriadas, desplazadas. El indicio televisivo muestra el advenimiento de la vida en caliente. Como su iluminación infusible, la pequeña pantalla difunde, sin saberlo ni ella ni nosotros, el nuevo Evangelio: el mundo sensible es su propio conocimiento, realidad y verdad no son más que una cosa. Información falsa, pero gratificante. Ilusión, pero ilusión que tiene la fuerza de nuestro deseo. ¿No es nuestro deseo más antiguo que basta ver para saber? ¿Hay más bella promesa de felicidad, hay mejor garantía del mínimo esfuerzo? Tu mirada ve cómo es el pulso del mundo, te introduce en el núcleo de las cosas (la función testimonio, en la sociedad cristiana y de acuerdo con el Evangelio de san Juan, está unida al órgano de la vista). La Buena Nueva se anuncia *sub specie aeternitatis*, las noticias, *sub specie temporis*. Pero la nueva divinidad es la actualidad: la Encarnación llevada a su término. La pequeña pantalla no hace vibrar la luz del séptimo día, la de la visión apocalíptica que nos ha de permitir a la postre ver a Dios en su plenitud (bajo todas sus caras). Además ilumina, aunque más mo-

destamente, los siete días de la semana irradiándonos de realidad. El
icono cristiano decía: tu Dios está presente. El icono poscristiano:
que el presente sea tu Dios.

Del ídolo al ídolo; ésa sería entonces la carrera de la imagen en
Occidente, con el «arte» como intermediario de dos idolatrías. La
primera, por exceso de transcendencia; la segunda, la nuestra, por defecto. En régimen ídolo, la imagen, declinación del prototipo divino,
tenía demasiado componente *off*: estaba como aplastada por lo sagrado que la dominaba o la atravesaba. En régimen visual, la imagen
ya no tiene tanto *off*: genera su propio componente sagrado.

Nuestro ojo ignora cada vez más la carne del mundo. *Lee* grafismos, en vez de *ver* cosas. De la misma manera que con los productos de síntesis, la dependencia de la industria respecto de las materias primas disminuye cada día, así disminuye la dependencia de
nuestras imágenes respecto de la realidad exterior. Por eso nuestra
idolatría-bis recupera la magia, pero ya despojada de lo trágico (ahí
estaría la vuelta de espiral). Para lo trágico hay que tener al menos a
otro delante —condición mínima— o «tenerse a uno mismo como
enemigo». En una cultura de miradas sin sujeto y de objetos visuales, el Otro se convierte en una especie en vías de desaparición, y la
imagen en imagen de sí misma. Narcisismo tecnológico, o sea, repliegue corporativo de la «comunicación» sobre su ombligo, funcionamiento en bucle de la gran prensa, mimetismo galopante del
medio, alineación espontánea de los órganos escritos o de los medios audiovisuales, unos de acuerdo con otros. El relanzamiento autentifica la patraña y la proyecta de nuevo creando con todas las piezas el acontecimiento como el gran hombre. Lo visual se comunica,
sólo tiene deseo de sí mismo. Vértigo del espejo: los *mass-media*
cada vez nos hablan más de los *mass-media*. Y, en los periódicos, la
página «comunicación» se agranda a la vez que se reducen las informaciones (del mundo exterior). Con ello se demuestra que en un
mundo íntegramente mediatizado las mediaciones no pueden ya
sino mediatizarse también, hasta borrar ese espacio vacío, esa carencia exterior que hasta ahora había estructurado como un remor-
dimiento nuestro fuero interno y al que llamábamos «lo real».

Lo visual sirve, sí, y también para no mirar a los otros. En particular a los individuos particulares. ¿Señal de lasitud o de renuncia?
Como ya no se puede ver a los hombres en pintura, se han hecho logos de simples señales visuales. Gorvachov, Arafat, Reagan, Castro,
el Presidente de la República francesa, etc., no son individuos sino
marcadores, la señalización sustitutiva de los grupos humanos que
simbolizan y que ya no tienen ganas de mirar a la cara y sobre todo

de examinar con detalle. Se disuelve la angustiosa multiplicidad de los rostros y los cuerpos. El alivio de la mirada por la metonimia del Jefe: uno para todos. O la etiqueta en lugar y en vez de la imagen, mientras que el reflejo señalético sustituye a la discriminación óptica y crítica. Lo visual indica, decora, valoriza, ilustra, autentifica, distrae, pero no muestra. Y está destinado a identificar el producto en un segundo, y no a ser mirado por lo que es en sí mismo. La imagen desestabilizaba, lo visual da seguridad. Ésa es incluso su función social, tan irreemplazable como antigua. El «cliché» conoce un éxito tribal, como en otro tiempo el proverbio. «No busquéis en otro sitio, no perdáis vuestro tiempo yendo más lejos, todo está en el marco. Yo no oculto nada.» Ni fuera de campo ni campos opuestos. Si el mundo es el que resiste, desborda, desordena o contradice mi representación —definición mínima de lo «real» en tanto que categoría—, ya no estamos muy lejos del fin del mundo, en el sentido filosófico de la expresión. Y es el más dulce, el menos apocalíptico de los Apocalipsis. *El mundo se ha convertido efectivamente en una representación.* Esta reabsorción tiene un nombre: idealismo absoluto. *Esse est percipi.* Ahora ya tenemos los medios tecnológicos para realizar el principio formulado por Berkeley (obispo irlandés muerto en 1753), según el cual la esencia de los objetos consiste en que son percibidos por nosotros. Objetos, o sea, adultos y niños, territorios, puentes, tejados, fábricas, etc. La anulación no puede ser más *agradable.* Hace bajar las tensiones psíquicas y morales en los telespectadores o interactores de los «videojuegos», así sustraídos a las incomodidades de la lucha de las conciencias. Es siempre un poco desagradable precipitarse sobre otro, y cruzar las miradas molesta. Afortunadamente, *lo visual opera de acuerdo con el principio de placer, mientras que la imagen funcionaba por el principio de realidad.* Lo visual envuelve a la aldea en sus muros, mientras que la imagen producía una ruptura en nuestras defensas. Y se oponen mutuamente, como la información, que aporta un conocimiento, a la comunicación, que comporta una connivencia. Pero atención: la locura amenaza a cualquiera, individuo o sociedad; se convierte por sí misma en su propia realidad.

Ver el sur del planeta con los lentes del norte: ¿hay algo más agradable (para el norte)? La percepción del siglo tiene lugar por encima del ecuador, pues nosotros somos los que tenemos satélites de difusión, repetidores, el cable y las cámaras. El idealismo tecnológico no es la congoja, es la soledad del hombre blanco. Nosotros levantamos y bajamos a voluntad el telón sobre la *colored people,* cuando el momento y la escena nos convienen. Alguien dice «¡crisis!» como si dijera «¡motor!» y, zas, abre desmesuradamente los ojos. Cautivador. Repetición, lasitud, la intriga se complica. Entonces uno mira a otro sitio, sin preocuparse de guardar ningún elemento de la escena precedente. La guerra del Golfo fue una guerra «visual», y, por eso mismo, invisible y sin huellas entre nosotros. Vietnam fue una guerra en imágenes porque se veían vietnamitas y americanos, de pie, de cara y de espalda, no representativos y no delegados, en su estado, por así decir, e *in situ* (y no sólo la efigie de Ho Chi Min frente a la efigie de Johnson o Nixon). Una guerra para reporteros y fotógrafos, tal vez su canto del cisne. Después, la videosfera ha puesto a dieta a los profesionales de la imagen, en situación de paro técnico: ella ya sólo necesita «figuras emblemáticas», una por género, categoría social, profesión o especialidad. Ese escamoteo de lo múltiple por lo único es definido como *star-system*. Los profetas de la nueva edad tienen algo de razón al sostener que «la guerra del Golfo no tuvo lugar» (1991). Y, así, preguntan: ¿en qué territorio físico? ¿En qué cuerpos, iraquíes o kurdos? La idea de que un muerto no filmado es todavía un muerto, o de que un cohete Tomahawk es sólo una señal de radar en una pantalla de control, no es ya una prueba en la era visual (y, por lo tanto, ya no produce ningún impacto). Se habla acertadamente de «cobertura mediática». De hecho, lo visual cubre. Lo podemos comparar a una verificación de poder, y el poder ciega a quienes lo detentan. ¿Sobrevivirá el deseo de descubrir cosas y personas *bajo* dicha cobertura al sentido común de la videosfera?

Evidentemente, esta última se ha entregado a la labor edificante y al sermoneo. Problema: además de ésa hay otra, que es moral. ¿Cabe pensar todavía en una moral allí donde la otra desaparece? Y en primer lugar una moral de la imagen, la cual, además de cierto respeto de su objeto (o «sujeto»), supone una reciprocidad posible de los ángulos de vista. El plan de bombardeo filmado en picado por parte del bombardero representa un enfoque económico. El plan del bombardero visto de abajo arriba por los bombardeados, ofrecido en alternancia con el primero, determina un punto de vista ético. Es más ingrato pero la ficción lo permite (cuando es Coppola el que rueda), aunque resulte caro. ¿Se hará eco la videosfera del ruido y el furor? Sin duda que recogerá el ruido de las guerras ambientales, pero, ¿podrá ser el acontecimiento algo más que la suma de los efectos especiales?

La noción misma de historia, como la de guerra, de contradicción o de lo trágico, implicaba la primacía de lo escrito y el tiempo acumulativo que le corresponde. Esas invenciones proceden de la grafosfera. La videosfera actualiza «el fin de la historia», cuando el maestro se encuentra a solas con sus reflejos y sus ecos. Lamentablemente, la guerra es un extraño ejercicio en el que tiene que haber dos. Es probable que en lo sucesivo no se conozcan más que operaciones de policía, y en el rodaje de un hecho las cámaras no estarán ya en manos de los delincuentes sino de las fuerzas del orden. Una vez liquidado Hegel, los que violan el orden jurídico mundial no son ya enemigos o antagonistas, sino delincuentes, es decir, sospechosos a los que hay que *identificar* visualmente por ficha antropométrica informatizada. Lo visual opera del lado de las fuerzas del orden. Los ladrones no tienen punto de vista.

Así, el triunfo icónico ha engendrado la *surimagen*, forma acabada de la no-imagen, toda vez que la imagen absoluta ya no es imagen de nada más (si no es del *software* en el ordenador, o, en la televisión, de ese *software* colectivo que es la opinión). Caso clásico de inversión en situación límite: la rana que se hace más gorda que el buey no se parece más, *in fine*, a una rana que a un buey. Así ocurre con el signo visual en su relación con el referente: el hipericono estalla. Por eso es por lo que cada vez hay menos imágenes en la civilización de las pantallas (llamada «de imagen» por antífrasis).

TELECOMUNICACIÓN Y CINECOMUNIÓN

Nuestro «visual» es a las antiguas artes visuales lo que la sonorización es a la música, la ilustración a la pintura o la comunicación a la expresión. Digamos que hay «comunicación» cuando la oferta se ordena de acuerdo con la demanda, y «arte» cuando la oferta de imágenes puede concebirse independientemente de la demanda. Una *comunicación* es indexada en base a la *difusión*, la cual no es la razón de ser de una *creación*. Pero incluso si no se puede esperar de una máquina de difundir imágenes, como la televisión, lo que hay derecho a esperar de una máquina de producir imágenes, como el cine, estas dos industrias de lo imaginario no se pueden ni excluir ni confundir.

A pesar de su pesados aparatos de captación de imágenes y sonido, a pesar de sus imperativos comerciales y contables, el cine era o es todavía, en su proceso de fabricación, una artesanía. Hay un lazo muy especial entre productor y autor de películas, análogo al que une al editor y al escritor. Ese lazo marca la diferencia entre el *productor* de cine y el *programador* de televisión. «Por lo demás, el cine es una industria» (Malraux). Traduzcamos: de la difusión. Un

Esbozo de una psicología de la televisión que terminara en un desdeñoso incidente de este género haría reír: si el cine tiene la ambigüedad de una industria de arte, que debe fabricar en serie prototipos, la televisión es, íntegramente, fabricación y difusión, industria. La *obra* de cine se comunica, pero no está hecha, como el *producto* televisivo, *para* comunicar. El operador de una cadena (privada o pública, la segunda alineada de acuerdo con la primera) vende un público a los publicitarios. Por eso es por lo que él dice «el público es nuestro único juez». Instantánea. Un productor de cine busca un público para un autor, y esa búsqueda puede requerir tiempo. Una obra tiene *espectadores*, voluntarios que son empujados hacia una sala de proyección. Un producto, *consumidores* que cursan por telemando su pedido selectivo sin salir de su cuarto de estar. Aquí, un *baño catódico*, con todas las metáforas líquidas en uso: llave de paso, flujo, papilla, jarabe, caldo. Allí, un *distanciamiento catártico*. El séptimo arte llama a los realizadores «escenificadores», pues sigue naturalmente la línea de las «artes escénicas». Difusión y proyección son dos consistencias materiales de la imagen. El flujo y la isla. Dos densidades de la mirada. Televisión y cine se distinguen como *el estado* visible del *acto* de ver; como el «tener a la vista» del «pasar revista»; como el verbo griego *horao*, ver, percibir, del *theaomai*, contemplar, considerar (de donde provienen teatro y teorema).

Como la fotografía ha liberado a la pintura de la exigencia del parecido, la televisión ha liberado al cine de sus deberes documentales, digamos de los «temas de sociedad» y de la cotidianidad social. Trivializando la imagen, el medio más ligero obliga a su precursor más pesado a insistir en lo extraordinario para justificar su existencia. Foto o televisión, la hermana pequeña, a la vez estimuladora y competidora, es la mejor propagandista del gran hermano al que ella marginaliza. La cómplice principal es también la enemiga íntima. La foto ha permitido la revista de arte, la apertura a todos de las colecciones particulares, el transporte a domicilio de la obra inaccesible, la democratización del gusto. Así, mediante la compra de los derechos de difusión, la televisión sostiene económicamente la producción, convierte en tesoro una cartera de películas, desmultiplica la audiencia. Con el videocassette lleva el cine a los hogares más desfavorecidos del Tercer Mundo, como la reproducción llevaba a la habitación del estudiante las obras de los museos.

La televisión transporta la película, que ahora ya pasa por ella, y, como la pintura a la fotografía, el cine hipnotizó hace ya mucho tiempo a la televisión. Tanto es así que el cine se ha convertido incluso en un arma absoluta de los programadores de cadenas de información general.[1] En Italia, la televisión ha matado al cine vivo; en Francia, le ayuda a vivir, o a sobrevivir. Aquí o allá, cine y televisión forman una pareja, infernal o burguesa. Rossellini ha pasado de uno a otra, con esperanzas; y Averty hace resucitar a Méliès, sin esperanza. Pero cualesquiera que sean los mestizajes y las uniones en pares, los protagonistas no tienen la misma genealogía. Si el cine desciende del teatro (y también del circo, del *music-hall*, etc.), la televisión mira del lado del teléfono (aunque todavía en una sola dirección). Ésta proviene de la historia de las telecomunicaciones, aquél de la historia de las bellas artes.

El contrapunto de la grande y pequeña pantalla parte de la oposición química/electrónica, celuloide/cinta, teatralidad/intimidad, pero no se detiene ahí. No opone sólo la imagen como momento de excepción *en* la vida cotidiana a la imagen normalizada *de* la vida cotidiana. Para discernir lo que tienen de incomparable dos imaginerías tan próximas entre sí es necesario precisamente comparar. Así, la República y la Democracia (o, si se prefiere, la democracia republicana a la francesa y la democracia liberal a la americana), *idealtyp* que ningún sociólogo puede observar a simple vista, sólo se comprenden la una por la otra.[2] Es tan aberrante confundir estos dos modelos de civilización porque América absorbe a Francia como amalgamar esos dos modelos de imágenes porque la televisión se come al cine. Es cierto que cada vez más obras de cine se destinan a la televisión y a su público, efecto de embudo harto sorprendente. Es evidente que hay un cine estandarizado y telefilmes de gran calidad (Jean Renoir y Rossellini han trabajado para la televisión, Santelli y Kassovits honrarían las salas de cine). Y Godard, periodista en su fuero interno, habría podido perfectamente ennoblecer la televisión sin traicionarla. Precisemos pues. Por cine se entenderá aquí «el filme de autor» y por «televisión» la información en directo o la emisión de plató. Reducción sin duda alguna, pero en la médula de las cosas, en el concepto propio de cada uno de los géneros, que es también su punto de excelencia.

Contrapunto de las miradas más que de los productos, ajeno a toda condena de un «bajo» en nombre de un «alto», de una «cultura de masas» en nombre de una «cultura cultivada». Oponer un ser hu-

1. «Le film de cinéma reste le principal produit d'appel de l'audiovisuel pour les spectateurs», Joëlle FARCHY, *Le cinéma déchaîné [El cine desencadenado]*, Presses du C.N.R.S., 1992, pág. 303.

2. Régis DEBRAY, «République ou Démocratie», en *Contretemps. Éloges des idéaux perdus [Contratiempos. Elogios de los ideales perdidos]*, París, Gallimard, 1992.

raño a una noble criatura, ese maniqueísmo académico sería al menos imprudente, por mucho que alternen, a corto plazo, la quincalla y la joya auténtica. En las bellas artes como en el cielo, todos sabemos que los últimos serán los primeros. Los sarcasmos que han acompañado durante los primeros decenios al cine vuelven a aparecer, casi idénticos, entre los detractores de la televisión. «Pantomima para un bebé de tres años» (Paul Souday). «Diversión de los ilotas» (Georges Duhamel). «El peor ideal popular... el fin de una civilización» (Anatole France). En estética como fuera de ella, el aporte mayor llega por el género menor. En consecuencia, se expone al ridículo quienquiera que ridiculice lo pequeño de hoy en nombre de lo grande de ayer, y el *thriller* o la publicidad han hecho más por la renovación del cine que René Clair o Cecil B. de Mille. Tratar el cartel como género noble, el grafismo como síntoma, el *clip* como esqueleto del *Zeitgeist*, sin olvidar el *taggeur* del metro, es justamente nuestra apuesta. Formulemos, pues, como axioma que televisión y cine tienen igual valor y dignidad sociales: los dos se dirigen a las masas y quieren y deben agradar. Una vez rendidas esas armas, nos volveremos a Serge Daney, el Cristóbal Colón del Nuevo Mundo visual, para dirigirnos en su compañía al nuevo Eldorado. Los fulgores de un explorador funámbulo en el balancín ultrasensible, corriendo de una imagen a otra, entre lo mensual del celuloide y lo cotidiano de la electromagnética, los *Cahiers du cinéma* y *Libération*, se suman a los más perspicaces y sabios exploradores de la nueva economía de lo audiovisual, como René Bonnel por ejemplo, para marcar los contornos de la videosfera.[3]

Un cine es un lugar público donde cada uno de los presentes se siente *solo*; delante de la televisión, en casa, cada uno se siente *todo el mundo*. La gran pantalla trata de usted, pero luego implanta el tú a tú; la pequeña pantalla tutea, pero se dirige a todos en conjunto. Hay excepciones, aquí *Los diez mandamientos* y allí Hervé Guibert, pero ir al cine sigue siendo una fiesta personalizante, mientras que encender el aparato de televisión es un placer solitario pero despersonalizante. ¿Sentiría el órgano del «individualismo democrático»

---

3. Serge DANEY, *Ciné-Journal*. Cahiers du Cinéma, París, 1986, prefacio de Gilles Deleuze; *Le Salaire du zappeur [El salario del practicante del zapping]*, París, Ramsay, 1988; y *Devant la recrudescence des vols de sacs à main [Ante el recrudecimiento de los robos de bolsos de mano]*, Aléas, 1991. *La vingt-cinquième image. Une économie de l' audiovisuel [La imagen vigesimoquinta. Una economía de lo audiovisual]*, de René BONNEL, es la obra de referencia para las relaciones cine-televisión (Gallimard, F.E.M.I.S., 1989).

cierto desprecio por lo individual? Sumados después («total de entradas en París»), los espectadores forman aquí un *público*, suma de encuentros únicos, y allí, los telespectadores, un agregado estadístico instantáneo, una *porción de mercado*. Es verdad que el cine se dirige hoy, prioritariamente, a los menores de veinte años y la televisión a los de más de sesenta y cinco (sin contar a los enfermos y los impedidos). ¿Sigue siendo la literatura el arte de la segunda edad? La primera edad recibe así sus imágenes de América, la tercera, al menos hasta ayer, de las Buttes-Chaumont (hoy condenadas). A cada uno sus estudios y sus cálculos. Muchachos y viejecillos se descuentan por separado: box-office y audimat. La primera cifra puede corresponder a una *influencia*, cuyos ecos se acumularán en el curso del tiempo, la segunda forma una *audiencia*, parpadeante y sin huellas. Una película de autor encuentra a su público por azar; lo arrastra, lo rapta, lo seduce, premio que ningún estudio de mercado o encuesta de opinión puede prefigurar: toda *producción* cinematográfica es una apuesta, cuando no es publicidad. La *programación* televisiva no es del orden de la llamada sino de la fijación de una meta: apunta a un modelo para adaptarse a él. Entonces se sustituye la indeterminación de la obra por el determinismo del producto, la magia por la sociología. O las tinieblas de la noche por la luz del día. La razón de ser de una emisión es su recepción, mientras que el valor de un mensaje se mide por su escucha: «cinco sobre cinco» es un parte victorioso. Mediatría, exactitud sin apelación, sin recurso posterior. Pero la historia del cine puede repetir los argumentos, y de hecho los mejores son refritos (ley de la obra maestra, obligada a inventarse un público a la medida). La pequeña pantalla es el espejo de la aldea: cada país desarrollado tiene la televisión que merece. Por eso las emisiones de casa se exportan muy mal. El buen cine viaja; la buena televisión, como el buen vino, es sedentaria: a nadie le gusta mirarse en el espejo del vecino, que más bien deforma. La televisión consume noticias o imágenes del extranjero pero en familia o en tribu.

La televisión tiene el alma mayoritaria, como el demócrata. Reforzando a los fuertes, asegura las relaciones sociales de los individuos relacionados, hace sonreír a los sonrientes, vedettiza a las «vedettes», añade su aura al oro. Sombra luminosa de un medio ambiente, lo visual está del lado del que gana y sigue la línea de la mínima resistencia. La televisión es el *feed-back* positivo de las sociedades liberales («positiva» es la perniciosa retroacción, la que hace que un mecanismo se acelere). El cine tiene vocación minoritaria, modo republicano: si la televisión es una herramienta de los vanidosos y la oportunidad del conformista, su leyenda es hecha por orgullosos y extravagantes, en tanto que sus obras maestras provienen de los márgenes y el fracaso inmediato las magnifica (*Ciudadano Kane* fue un fracaso total en su presentación). Con Charlot, el cine consagró simbólicamente al hombre de abajo. La televisión, con *Dallas*, a la gente de arriba.

Ciertamente, el cine es «un arte económico» (Toscan du Plantier). Incluso más que la televisión, pues el espectador paga cada vez para ver. Nunca ha escapado, como en su tiempo la pintura, a la influencia de los poderes establecidos. Como la televisión, que no se ha emancipado del Estado sino para someterse al dinero (y los que se jactan, aquí y allá de haber «liberado» a la televisión son auténticos mamarrachos). Pero sin apoyo público y exclusivamente bajo la ley del mercado (al menos en Europa), el cine estaría ya muerto, material de archiveros y hostia cultural. En el cine hay que invertir cada vez más dinero para atraer a una sala a los abonados de la imagen. Pero una película con un presupuesto bajo no está condenada de antemano, mientras que una emisión «difícil» sí lo está (a las doce y cuarto de la noche, o sea, con uno o dos puntos de audiencia). Lo imaginario, lujo indispensable, devora fortunas; el oro y el icono están unidos desde hace miles de años.[4] Esa extravagancia produce placer antes que envidia: toda fiesta cuesta dinero, la del ojo también. Pero el aplaudímetro, *Dow Jones* de los valores de comunicación, debe acudir a justificar los excesos suntuarios de una variedad televisiva (tres millones de francos la hora), mientras que el coste de una panorámica sublime con paisaje y figurantes a miles no se puede justificar, en una película, por otra cosa que su necesidad interna, su coherencia como conjunto.

La televisión, «ventana abierta al mundo», *encuadra* a los que miran a través. El cine, *cuadro* de lo real exterior, desocializa y despersonaliza. Un teléfago es un sedentario controlable, un cinéfilo un nómada incontrolado. Una buena televisión refleja a su audiencia, el buen cine rompe el espejo. Aquélla fabrica indígenas, éste «traidores del ambiente» o cosmopolitas. Un «hijo del cine», como el adolescente de Daney, va al cine en su momento para olvidarse de los platos que tiene que lavar, del distrito XI y de las mezquindades de la posguerra. Él mismo, convertido en practicante del *zapping*, debe reasimilar a Francia tal como es y cerrar de nuevo las ventanas.

---

4. En Francia en 1991: 3.655,9 millones de francos para el cine. 5.521,7 millones de francos para los medios audiovisuales: ficción 3.958,7 - Animación 899,1 - Documento 601,9 - Magasín 32,4 - Espectáculo 29,5 (*CNC Info*, n. 21, mayo 1992).

¿Cuándo un telediario ha mostrado un plano de geografía, un mapa-mundi, para *situar* un país, una ciudad, una región en crisis en el atlas (o un cuadro cronológico para situar un acontecimiento), como se hacía en otro tiempo en los documentales de *Connaissance du monde [Conocer el mundo]* o en las noticias de actualidad Pathé-Gaumont? Eso rompería «el efecto de realidad». En lo audiovisual no hay espacio geográfico significante sino simplemente señalético y abstracto: el mapa meteorológico (o la geografía egoísta).

Aparato ideológico, por lo tanto narcisista, la televisión evidencia una pertenencia. Promotor de escapadas, mentales y físicas, el cine nos separa de nuestras raíces (haciéndonos un poco menos planta o legumbre). Función prioritariamente social, aseguradora y socializadora de la imagen doméstica; función evasiva y huidiza del sueño en sala. La una, en el mejor de los casos, es *testimonial*, adherida a las realidades en curso o pasadas; el otro puede ser *profético* (Jean Renoir, Godard o Kubrick), pero sin saberlo ni quererlo (a la manera de los pintores). Un crítico de televisión hace la crónica del tiempo que pasa: es un editorialista político disfrazado. Un crítico de cine (en el tiempo del cine) entrega por escrito fragmentos de eternidad visual: «un sacerdote fracasado» según la expresión de Daney. El sistema de los estudios en América hace del productor el maestro de obras de la película (por su derecho en el *final cut*), rango reservado en Europa al realizador. En efecto, el cine literario resiste. Pero la televisión europea se rige ya por normas americanas y en una cadena McDonald's el jefe de cocina es un don nadie al lado del propietario. La función de autor, en una cadena de televisión, recae cada vez en mayor medida sobre el *productor*, ahora ya reemplazado por el *programador*. El autor será entonces directamente el *presentador* y la carta semanal desfilará sin pena ni gloria, en la cadena precisamente.

El valor de un Renoir, de un Welles o de un Wenders no depende del «tema tratado»; en la televisión un tema interesante hace que la retransmisión sea interesante. Una buena película es un estilo; una buena emisión es una situación. Y un buen telefilme, ante todo un buen tema. Es la diferencia que hay entre connotación y denotación, poesía y prosa. Un «icono» se adhiere a un universo que no lo contenía. Un «indicio» es un fragmento del universo al que remite. Una película es un suplemento de las cosas y una cinta un duplicado. El cine nos habla del mundo y de los hombres, pero este arte con vocación realista quiere un caos filtrado, mediatizado por un punto de vista, una subjetividad cuadrante, dialogante, recortante y montante. En cambio, la televisión alcanza su mejor nivel cuando el caos de una situación hace irrupción en la imagen, en el estremecimiento irreemplazable de lo eventual. Aquí, la incertidumbre marca el apogeo, manifestación en directo, retransmisión *live* de los Juegos Olímpicos o debate en el Parlamento. La estrategia de la realidad será para ella la mejor. Prueba de ello es el *reality-show* o haga usted mismo de héroe. Ya no hay necesidad de comediantes ni de guionistas para simbolizar. Directamente de fulano a fulano, cada uno convertido en su propio mediador, sin transposiciones narrativas y, lo más importante para la economía, retribución mínima, sin derechos de autor. *Reality-show*, cortocircuito genial y colmo del artificio, cima de ese arte de lo involuntario y de lo accidental (que, naturalmente, puede ser provocado o trucado), tan opuesto a la premeditación cinematográfica como el documento al melodrama, o lo crudo a lo cocido. La inmediatez o la cima de la ilusión mediática: creer que se puede tener acceso directamente a una experiencia vivida sin ilusiones expresamente pensadas e interpuestas.

Una buena película perturba; una buena serie interesa. La una graba en el fondo de nosotros una corta pasión, la otra resbala sobre nosotros como un acceso de buen humor. Nuestra simpatía es para el héroe televisado, pero la novela como la película puede suscitar simpatía. Como si no hubiera el mismo grado en la individuación de los tipos. Al margen de la ficción y del documental histórico (donde destaca y, sin embargo, los programadores no la quieren en *prime time*), la televisión, en la que el consenso define el medio, es el órgano central del «on», con un umbral de tolerancia a los originales muy limitado. El cine es un archipiélago de «yo y sólo yo», donde cada cineasta es únicamente responsable de lo que él muestra, sin coartada colectiva. En cuanto que nos impone su ego arbitrariamente, el acto cinematográfico tiene algo de autoritario. Una proyección se dirige a ti que estás callado en un sillón, con la boca cerrada y los ojos fijos, en posición de hipnosis consentida. En cambio, frente a un programa de televisión uno va y viene relajado y charla tranquilamente con las manos en los bolsillos. Nada nos obliga, somos libres. ¿Algo no nos gusta? Pues echamos mano del *zapping*; hay para todos los gustos. O apagamos el aparato, así no molestamos a nadie y además no nos duele, pues no hemos pagado. La imagen-movimiento recompensa la inmovilidad física de los espectadores; la imagen-estudio compensa con su fijeza la falta de atención del consumidor. Aunque paralizado, el cinéfilo consume más energías: la verdadera vida está en otro sitio, hay que sudar y seguir mentalmente las líneas de fuga de las imágenes. El teléfago tiene derecho a ir a orinar durante el espacio publicitario, pero en su cabeza permanece inmóvil. En la pequeña pantalla, la verdadera vida no está detrás o al lado, fuera de campo, sino aquí y ahora. Más allá no hay nada. El mundo es lo que es, tú también, así es, punto final.

Fuente de luz y fuente de autoridad coinciden; toda luz viene de Dios. La pequeña pantalla, hemos dicho, lleva su luminiscencia incorporada. Por eso el cine, por dogmática que sea su posición de imagen, hace respirar lo real, pues, contrariamente a la televisión nunca se da íntegramente por lo real. En ese mundo en el que se exhibe todo lo que se gana, en el que los pobres y los feos tienen el derecho (o el deber) de mirar a los ricos y los guapos, pero no el de ser mirados por lo que son en sí mismos (sino como elementos curiosos o soportes), el acierto es su propia prueba y su moral. El curso de la Historia es el Tribunal de la Historia. «Hemos tenido razón porque hemos ganado», fórmula emblemática: el hecho determina el derecho. El hecho es incriticable, como la televisión (puesto que criticarla es criticar al público para el que está hecha). Como decía Walter Cronkite al final de cada noticiario: *And that's the way it is* [Y así es como es]. ¿Podría ser de otro modo?

Digamos, acentuando el trazo, que fascista es lo visual, no el lenguaje. Lo visual fija los objetivos en aquellos que tienen la máxima apariencia, confirmando así el poder de los que ya lo tienen, pero esa redundancia evacua la válvula de los posibles y la desviación simbólica de la ley. Nadie replica al presente puro, y, en la televisión, todo es siempre presente, inmediato, evidente, irrefutable. Para reaparecer, el instante pasado debe hacer como si no fuera pasado, erigirse en cuasipresente, actuar de nuevo como simultáneo. Es *el instant replay*, pasado vergonzoso inmediatamente reconducido como presente, opuesto al *flash-back*, pasado glorioso y catalogado como tal, magnificado por la memoria, de modo que, a la postre, su alejamiento lo cambia. Esos dos modos de marcha atrás, más que dos maneras de detener el tiempo, simbolizan sendas maneras de vivir el momento presente: como un absoluto (videosfera) o bien como un relativo (grafosfera). Dos morales del tiempo. La imagen de cine hace grave a lo ligero, la imagen de vídeo hace ligera a la gravedad.

Un sentido *se encarna* en planos de carne y hueso. Bloques, grumos o concreciones tienen una pesantez, un espesor o una densidad muy alejada de la fluidez clara de las imágenes televisivas. Carne y hueso son como sombra y luz. Gran tradición de las iluminaciones de estudio, cuando el operador jefe ajustaba las luces como un pintor su motivo. «Arte de plena luz por obligación» (Daney), la imagen de televisión ignora el claroscuro. No necesita para nada ni a Henri Alekan ni a Claude Renoir. Se pueden yuxtaponer siluetas sin carne en un espacio exento de profundidad y suculencia. Exento de vértigo. El cine, «arte de expresiones corporales» como la danza (y la coreografía no está sólo en Minnelli o Stanley Donen, sino antes en el andar de Gary Cooper y el balanceo de John Wayne), proporciona una especie de goce sensomotriz por la relación física y cálida que une la visión entre el cuerpo de los actores y nuestro propio cuerpo. Los cuerpos sobre un plató de televisión parecen efigies, simulacros sociales o señalizaciones intercambiables, utópicas, sin casa ni hogar. Cuerpos sin carne, sin líneas de atracción ni movimientos de amor. Aquí el ojo no penetra el espacio. Resbala sobre superficies abstractas, de un volumen a otro, en una relación que ya no es física sino puramente óptica o geométrica. Digamos: política. El cine tiene la virtud «de acercar lo lejano y alejar lo cercano» mediante todo un juego de distancias, fugas y rupturas, donde el sujeto produce su libertad en cuanto que decide en cada instante lo que ha de estar cerca o lejos de él. La imagen de televisión, en cambio, recibe su espacio en vez de ordenarlo. «Ya no hay primeros planos porque sólo hay primeros planos» (Daney). Esa libertad del que mira a través de la cámara, prueba de un dominio interior sobre el mundo exterior, explicaría la capacidad del cine para acceder con éxito a lo simbólico, donde la imagen televisiva permanece en el ámbito de la señalética o lo imaginario. El primero agranda, el segundo reduce. El adolescente se hace adulto a través de la gran pantalla; el adulto, adolescente a través de la pequeña.

La televisión catequiza. Se dirige al deber más que al ver, hace un deber de hacernos ver todo lo que cuenta. Encarna el Juicio de la Sociedad, equivalente para nosotros del juicio de Dios. Una película implica una *responsabilidad* individual, como siempre que en la vida se toma partido por algo; una emisión, que presenta sin mostrar, si mostrar es indicar desde cierto punto de vista, requeriría más bien de la responsabilidad colectiva. El cine es un hecho moral, la televisión un hecho social. El primero proviene del humanismo, pues construye una realidad bajo la responsabilidad de una mirada, el cineasta. La segunda tiene predilección por lo humanitario puesto que une lo edificante al episodio de la vida real. Bastante «inmoral» en sus propios procedimientos internos, olvidadizos, falsificadores, engañadores, poco atenta a las consecuencias de sus imágenes y de la cadena de sus temas, la televisión consigue, no obstante, dar lecciones de moral a los demás, en este caso nosotros. Nos ofrece las penas y alegrías de cada día. Fatal a las grandes causas, la pequeña pantalla es nuestro cura de aldea. «Asegura» la función pastoral, aunque sea jerarquizando al día los acontecimientos, los personajes «en alza», por lo tanto a la vista, y los personajes «de capa caída», o sea fuera de campo. La «parrilla» de programas conjura el caos. Es ya un aseo del desorden ambiental. Misa a hora fija, El J.T. es aún más seguro para los fieles. Misa a hora fija, pastor-estrella de cara conocida, orden inmutable de los espacios programados (política, economía, sociedad, extranjero, cultura al final).

La ventaja del cine es el tiempo que pierde. Su oportunidad son sus duraciones. Sus duraciones y sus pausas. Esos tiempos intencionadamente muertos sin los cuales elipsis o escorzos perderían todo efecto, todo sentido. La imagen de cine pertenece todavía al tiempo de la grafosfera, que es acumulativo. Una buena película construye temporalidades en las que se vive bien, como vidas en la vida, refugios y hogares abiertos a todos y cada uno. Todo arte es un dominio del tiempo. Éste es el dominador último de lo visual, que debe prevenir el *zapping* con un «cada vez más deprisa» erigido en lema del explorador. La videosfera, que proscribe la duración, no se asusta al ver las imágenes en las emisiones perseguirse unas a otras, pues sólo el instante es real (a sus ojos). Pero ese instante inaprehensible no cesa de anticiparse a nosotros, como un fuego fatuo, espejismo excitante y decepcionante, titilación sin fin para nosotros, pobres espectadores eternamente en pos de una imagen-segundo, de un modo, de un tema, de un escándalo, de un genocidio, en nuestro presente televisivo que corre siempre más que nosotros. Alcanzarlo expone a la modorra. Nada se despliega ante nuestros ojos asombrados, no se argumenta, no respira. Clip y corte, clash y flash. Jadeo, agotamiento del tiempo de la publicidad. Alguien toma la palabra en un *talk-show* o un debate, que uno corta al momento para oír algo más urgente, una información de último minuto, una voz mejor timbrada. «Más deprisa, por favor, el tiempo corre.» La audiencia podría practicar el *zapping* si se requiriera atención, si se desarrollara un argumento. Como la felicidad democrática, la verdad audiovisual es una inminencia siempre decepcionada. La cinta de información de una gran película que ha sido reemplazada *in extremis* por la cinta de información de una segunda gran película, que a su vez... Lo visual nos quiere, pero prefiere el *coitus interruptus*. Para nuestro bien sin duda y para reanimar nuestros ardores. «Apenas nos queda un minuto...» Por qué y para qué hay que conectar en un minuto es un misterio que nunca se aclarará. Y tanto mejor. Ese enigma da a la regla de la interrupción, de la exclamación y del borborigmo un halo a la vez patético y fatalista que transforma el estrangulamiento de los habladores en una especie de sacrificio ritual a una divinidad de las tinieblas de decisiones implacables: la Hora.

Hay una historia del cine, el cine *es* historia. Como la novela. No hay historia de la televisión, porque es sólo un instante. Como el periódico. Una película sin éxito no muere *ipso facto*: va a parar a un catálogo o a la cinemateca. Una emisión que tiene una buena acogida, aunque sea recogida por el, a menudo inaccesible, Instituto Nacional de Audiovisual, muere tras su paso por las ondas, y es difícil que un año después haya alguien que pueda vanagloriarse de ver lo que registró en el magnetoscopio. Las películas que hemos visto siguen flotando después, durante mucho tiempo, en nosotros como retazos musicales. Sin conocerlas a fondo, reconocemos enseguida la melodía, y el conjunto de una película está en cada uno de sus planos. Los momentos de actualidad televisada que quedan en nosotros centellean como un caleidoscopio, mosaico sin forma, crónica sin cronología, notas sin autor. La televisión da la hora, no el año. Esa fugacidad explica sus ansias de fidelización, su obsesión por la «cita regular» con el espectador. Necesita marcar el tiempo porque lo trivializa. La televisión es el tiempo que pasa y el tiempo que hace, no el que cristaliza y se ordena, el «adquirido para todos» de que habla Tucídides. ¿Engaño o acierto? Las dos cosas a un tiempo, tal vez. La cinemateca guarda un patrimonio de emociones, el I.N.A. (Instituto Nacional de Audiovisual) un depósito de chispas. En otras palabras: entre dos imágenes idénticas, el cine necesita el enlace, pero la televisión gana al *puzzle*. El uno tiene que *montar* las imágenes que el otro se puede limitar a *yuxtaponer*.

La imagen proyectada obedece a una lógica de *totalización*, la imagen difundida a una lógica de *fragmentación*. De la duración, de los géneros, de los acontecimientos, de los públicos. Allí donde éste suscribe un contrato de visión con un bloque potencial, pueblo o público, para proponerle un discurso o un relato; a la segunda le basta con hacer vibrar por contacto pequeñas intensidades locales. La televisión distrae a poblaciones, por categorías y sectores, sin «formar» comunidad.

Familiarista, la televisión no hace, sin embargo, familia (esto explica sin duda aquello). Ni banda ni red. Había cineclubs, pero no hay teleclubs. Sobrealimentado, el teléfago no se alimenta a la manera de Edipo, como un cinéfilo. La televisión no tiene fuerza formadora, genética, genealógica. No incita a la identificación: en la adolescencia, todos soñaban con parecerse a Cary Grant o a James Dean, pero los presentadores de televisión sólo hacen soñar a los arribistas, no a los aventureros. La televisión no hace crecer (en cambio, puede infantilizar a los adultos). ¿Quién ha nacido a la historia delante de su televisor? Un discípulo de Lacan diría: «La pequeña pantalla está del lado de lo imaginario, la grande del lado de lo simbólico». Godard, más simplemente: «Aquí, tú levantas la cabeza, allí bajas los ojos». En el baño visual uno tiene más posibilidades, es cierto, de emocionarse que de rebelarse.

Pensar es decir no. Quiérase o no, la televisión dice *sí* al mundo tal como va; el cine, «*sí, pero*»; la pintura le decía sí, hasta Manet. Después, y es todavía su propia fuerza, la pintura le dice más bien *no*.

VISIONMORFOSIS

Cualquier persona de cincuenta años más o menos instruida, criada con la antigua química de las imágenes y las palabras, se siente a veces *desplazada: has-been* grafosférico que tiene que buscar nuevo acomodo en la videosfera. Más bien se debería sentir gratificado: es la primera vez en la historia que el tiempo corto de una generación coincide con un cambio de mediasfera. Inapreciable regalo ver con los propios ojos cómo se viene abajo un sistema de pensamiento y de vida. La bisagra chirrió entre 1960 y 1980. Hay un mundo entre nuestras cabeceras de reparto de ayer y de hoy. Salto sexual y transatlántico de B.B., fetiche del cine europeo, a Madonna, la heroína planetaria de la *videoage* americana. Salto inminente del teléfono al visiófono. Reptaciones complicadas de los veteranos (todo se desarrolla en unos diez años). Todos somos, en mayor o menor medida, unas Ginger y unos Fred de la cultura textual que repiten un glorioso número de *tip-tap* que hace un *flop* en la antena. Contrariados pero domesticados, esperamos prudentemente en nuestro rincón la señal de entrada en escena de la presentadora. Una vez olvidados Ginger Rogers y Fred Astaire —Marlon Brando y Gérard Philipe, *Viva Zapata* y *Fanfan la tulipe* ya sin fuerza referencial—, la parodia ha perdido su encanto. El mismo argumento, la misma coreografía, pero ya no pasa la corriente. La distinción del cinemaniático les parece pobre imitación a los teléfagos. Aquellos a los que la cinemateca de la rue d'Ulm, en París, había hecho crecer habían ido a reunirse con los acorazados Potemkin, las tempestades en Asia, los Zapata o las *Batailles du rail* con la idea de que, volviendo la espalda a lo abstracto, el Individuo, terminarían por alcanzar lo Concreto, la Historia y las «masas». Veinte años después, se ha producido este descubrimiento, primero visual, después conceptual: «las masas» son una abstracción improbable, y el Individuo lo concreto en sí mismo, el soporte de diamante de la pirámide Democracia. De hecho, un pueblo no entra por la pequeña pantalla. Encuadre imposible. ¿La

Revolución? Del teatro filmado, una sala a la italiana, la vanguardia
en el escenario, el pueblo en el patio de butacas. ¿No es la Democracia la vigesimoquinta imagen (la que añade en cada segundo la televisión a las veinticuatro del cine)? Velocidad, desconcentración,
cada uno en su casa, sin malos olores ni colas de espera. Entre *Na-
poleón* o *Potemkin* no se ha pasado de una verdad a una mentira: las
películas de Abel Gance o de Einsenstein estaban tan trucadas, eran
tan peligrosas, manipuladas y manipuladoras, como nuestras diverti-
das bandas publicitarias. Al cambiar de marco, de ritmo y de pantalla, se ha cambiado de «ismo». El individualismo competitivo es menos peligroso que el comunismo y sin duda que el fascismo, pero es
también una ideología.

La pequeña pantalla no tiene buen aspecto, pero más que una
modeladora de mentalidades, en ella reconocemos a la Selecciona-
dora del Ser más operativa del momento. La telegenia es una euge-
nesia *soft* y el racismo del *look*, el único al que se prohíbe prohibir.
Todo sonrisa, el sobrino segundo de Mengele en el andén de llegada ve llegar hasta él las ideas, las personalidades, las morales, los
proyectos políticos, las obras de arte, los libros más solicitados, que
descienden desordenadamente del tren: ¿izquierda o derecha? ¿*Screen*
o no *screen*? ¿*Look* o no *look*? Criterio: ¿es *escenificable* la idea?
¿Se la puede transferir a un plató, a un folletín, a una tira cómica, a
un telefilme? Los candidatos simbólicos a la supervivencia social
tienen una carrera determinada por su *valor de imaginería* respectivo. Éste medirá su *coeficiente epidémico*, o su aptitud para la difusión, que dirige la programación. La selección genética de las ideas
sociales va de abajo arriba.

Un pellizco de sociología divertida. Observemos las casas ideales en circulación: la moral humanitaria de suma urgencia, los derechos del individuo (y no del ciudadano, invisible), la diplomacia de
las apariencias, la política de los golpes, la selección fotogénica de
los patronos y los candidatos, la apreciación de los textos en la cara
y la voz del escritor, el *talk-show* como norma y formato del debate
de ideas, la caricatura editorial, la traducción en imagen sonora de
los títulos de la prensa escrita. El discurso que no se puede visualizar es tenido por una insignificancia. ¿Se parece todo eso a las tartas
de crema? ¿Son todos los recursos del *design* como esas sillas admirables que hacen daño en las nalgas porque han sido concebidas
sólo para que la gente las mire? ¿Esos *cuadros* sin carne hechos para
el papel satinado de las revistas de arte? ¿Esos *edificios* inhabitables
e inutilizables, sin relación con el pliego de condiciones o su destino propio, pero que sirven para hacer bonitas maquetas, o bellos cli-

chés en las páginas de las revistas? ¿Arquitectura del «gesto» o golpe de vista? ¿Los *grafismos* y las *maquetas* de libros, que casi impiden leerlos pero tan admirables en sí mismos? ¿Esas prendas de *estilista* que nadie se pondrá pero tan atractivas en los *spots*? ¿Esos productos vendidos por *packaging*? ¿Esas investigaciones disparatadas de *software* en las empresas? La imagen-signo normaliza las producciones y anula las funciones.

Lo visual ha subyugado a las antiguas elites de lo escrito, tradicionalmente iconófobas. La báscula registra los mejores resultados entre los profesionales de las palabras, los más alejados, por oficio y tradición, de los valores de exposición. En 1960, dos personas «cultivadas» que van a cenar hablan de lo que han *leído*; en 1990, esas mismas personas hablan de lo que han *visto*. Nuestras cenas fuera de casa tienen como tema de conversación los programas televisivos de la víspera. En términos de localización cerebral, el hemisferio izquierdo de nuestras sociedades, los profesionales de lo simbólico (objetividad, distancia, exactitud), tiende a funcionar a su vez como el hemisferio derecho, dedicado a lo imaginario (subjetividad, emoción, afecto). La clase simbólica (sin olvidar, naturalmente, al autor de estas líneas) se desimboliza, regresa del análisis al contacto, de lo leído a lo visto. Se droga al icono de sí, atrapado en un «¿pero has visto?» por la enfermedad de nuestro tiempo, el narcisismo. Y su hermano pequeño, el voyeurismo. Los más atrevidos filman su agonía en directo; la información a granel ha sustituido la toma de posición por la toma de pose en los lugares de reportaje. Reflejos de adaptación que proceden más de la ecología que de la moral.

La televisión (y en segundo lugar la radio) fija la escala de los prestigios y las retribuciones, en la cual el hombre de pluma está ya inscrito bajo el mismo rótulo que el político o el comediante. Aparecer o perecer. La mirada pública valoriza, y el precio que una estrella —en el ambiente intelectual, político o periodístico— puede pedir por una conferencia o una animación está exactamente indexado de acuerdo con su frecuencia de aparición en la pequeña pantalla. Aumentar su visibilidad se ha convertido en el imperativo común. Ésta empieza por la búsqueda ya obligatoria de la ilustración para la sobrecubierta del libro (quebradero de cabeza de los autores pero providencia de los documentalistas), problema en la mayoría de casos resuelto con la foto del autor en la cubierta.

El descenso del poder intelectual *en cuanto tal* ha sido, pues, renegociado con la *visiomorfosis* de la clase litigante. La mutación ha tenido como signo exterior una transferencia de arrogancia: humildad nueva de los escribas a la antigua. La preeminencia de una profesión se mide por su margen de impunidad. Odiosos son los maestros de lo visual, como lo eran ayer los maestros de lo escrito (la categoría no es, ciertamente, la suma de los individuos). Se creen autorizados a todo, y con razón, puesto que casi todo depende de ellos. Plagiar, mutilar, injuriar, hacer el esnob, anular encargos en el último momento, no contestar a las cartas ni a las llamadas, despertar a las cinco de la mañana, destrozar los nombres propios, desgraciar títulos y citas: con los vicios que se toleran a nuestros nuevos señores, ¿cuántos conservarían derecho de ciudadanía? Indignación inútil, el soporte manda. Esa volatilidad genera aquella desenvoltura. La videosfera es superiormente chabacana, cosa que me deja frío, pues sus memorias materiales son profusas y lábiles. Sanción improbable. Más: grosería y éxito son, en esa esfera, sinónimos. Desfallecimientos, faltas y patinazos tienen la virtud —magnética— de borrarse mutuamente en beneficio de una autoamnistía sonriente y casi maquinal.

Lo impensado colectivo

Prescindamos de la anécdota y fijemos la mirada en las raíces.

La imagen que nos hace pensar no piensa. No se descubrirán sus puntos ciegos sin apartar primeramente la mirada. Para fijarla, por ejemplo, en un libro.[5]

La imagen física (indicial o analógica: foto, televisión, cine) ignora el enunciado negativo. Un no-árbol, una no-llegada, una ausencia se puede decir, no mostrar. Una prohibición, una posibilidad, un programa o un objeto —todo lo que niega o rebasa lo real colectivo— no pasan a la imagen. Una figuración es por definición plena y positiva. Si las imágenes del mundo transforman el mundo en una imagen, ese mundo será autosuficiente y completo, una secuencia de afirmaciones. *A brave new world*. Sólo lo simbólico tiene marcadores de oposición y negación.

La imagen sólo puede mostrar individuos concretos en contextos concretos, no categorías o tipos. La imagen ignora lo universal. Por

---

5. Aquí se puede empezar por el de Daniel Bougnoux, *La Communication par la bande [La comunicación por la banda]*, París, La Découverte, 1991. Véase también, del mismo autor, «L'efficacité iconique», en *Nouvelle Revue de psychanalyse*, n. 44, otoño 1991.

lo tanto, se la ha de llamar realista, no *nominalista*: sólo es real el individuo, lo demás no existe. Lo dicho es aún más válido referido a la imagen de televisión, condenada al primer plano. Lo audiovisual es, en sentido propio y neutro, *idiovisual*. Francia, la Humanidad, el Capital o la Burguesía, al igual que la Justicia o la Instrucción pública, nunca pasarán al J.T., pero sí lo hará un ciudadano francés, ese hombre, ese empresario o aquel santo. «Todos los hombres nacen libres e iguales en derecho» es una proposición abstracta y descontextualizada *técnicamente* prohibida en la pantalla. La generalidad y la impersonalidad de un enunciado de derecho hacen imposible la traducción en imágenes de categorías jurídicas (como la de ciudadano, de propietario o de pretor), exceptuadas argucias redhibitorias. El Derecho no tiene derecho a la imagen.[6]

La imagen ignora los operadores sintácticos de la disyunción (o esto o aquello) y de la hipótesis (si..., entonces). Las subordinaciones, las relaciones de causa a efecto, como las de contradicción. Los contenidos de una negociación social o diplomática —su razón de ser concreta en definitiva— son, para la imagen, abstracciones. No el rostro de los negociadores, sus figurantes. La intriga no cuenta tanto como el actor. La imagen sólo puede proceder por yuxtaposición y adición, sin un solo plano de realidad, sin posibilidad de introducir un *metanivel* lógico. El pensamiento por imagen no es ilógico sino *alógico*. Tiene forma de mosaico, sin el relieve multiestratificado de una sintaxis.

Por último, la imagen ignora los marcadores de tiempo. Sólo se puede ser contemporáneo. Ni adelantarse ni atrasarse. ¿La duración? Una sucesión lineal de momentos presentes equivalentes unos a otros. Lo duradero («Mucho tiempo, me he acostado temprano»), lo optativo («Levantaos deprisa, tormentas deseadas...»), lo frecuentativo («A menudo me ocurre que...»), el futuro anterior o el pasado compuesto no tienen equivalente visual directo (al menos sin la ayuda de una voz en *off*).

Esas cuatro deficiencias son hechos objetivos, no juicios de valor. Y todo el arte cinematográfico consiste en «girarlos». Su fusión cristaliza una subjetividad colectiva. Los valores del tiempo son los «vacíos» de la imagen convertidos en «llenos»; su ideología, una *iconología sui generis*. Lo que define «el nuevo pensamiento» es sin duda el eterno impensado de la imagen actualizada por nuestras

---

6. Véase, de Michel MIAILLE, «Le droit par l'image», en *Droit des médias [Derecho de los medios de comunicación de masas]*, Facultad de Derecho de la Universidad de Nantes, 1988.

máquinas de visión. La Razón icónica se ceba inexorablemente en la «Razón gráfica» y la superposición de las dos hace nuestro momento cultural, fotografía movida sujeta a dos lecturas opuestas, según que se mire a partir del pasado o del futuro. Jacques Ellul, teólogo que protesta de la grafosfera, anuncia una catástrofe espiritual.[7] Pierre Lévy, filósofo prospectivo e informado de las potencialidades de la telemática, un nuevo Renacimiento.[8] Son dos visiones del presente.

Todos coinciden en decir que las jóvenes generaciones están «libres de todo adoctrinamiento», «exentas de todo prejuicio», «alejadas de todo catecismo» y «sólidamente adheridas a lo real». Es probable que así sea, pero, al hacerlo, ¿no han sustituido un catecismo por otro? A saber: los dogmas y prejuicios del texto impreso por los de la imagen de vídeo. Lo audiovisual no tiene necesidad de catequizar para hacer doctrina. El primado de lo espontáneo sobre lo reflexivo, del individuo sobre el colectivo, el derrumbe de las utopías y los grandes relatos, la promoción del puro presente, el repliegue sobre lo privado, la glorificación del cuerpo, etc.: no hay una sola entre todas las características elogiadas o criticadas de esa nueva mentalidad colectiva que no se pueda interpretar como un efecto trivialísimo de lo visual.

Por eso es por lo que vemos el mundo construido *simultáneamente:* el mundo y el sujeto que lo percibe. Lo que es construido por la máquina de representar, finalmente, es un acuerdo de los dos. Armonización inconsciente y muda, por lo tanto eficaz. El sujeto está hecho para el objeto, el objeto para el sujeto, los dos hacen sistema: ¿por dónde introducir un elemento de asombro si todo encaja a las mil maravillas? Un nuevo régimen de imagen acredita su propio régimen de verdad, de manera que no se lo puede criticar ni siquiera observar desde el interior. En cambio, será más fácilmente objetivado desde el punto de vista del régimen anterior (lo que da inevitablemente un aspecto reactivo, de resentimiento o reaccionario a todo distanciamiento del bloque evidentemente en vigor, para mayor alegría de este último, que encuentra así su mejor legitimación). La imagen de TV es una manera de ver la imagen de TV, que excluye la visión de la visión. Salvo pulsar el botón.

7. Jacques ELLUL, *La parole humilée [La palabra humillada]*, París, Éditions du Seuil, 1981.

8. Pierre LÉVY, *La Machine Univers [La máquina Universo]*, París, Éditions La Découverte, 1987, y *L'Idéographie dynamique [La ideografía dinámica]*, París, La Découverte, 1991.

La ineptitud para la negación formará espíritus positivos, abiertos al lado bueno de las cosas, tomando el mundo por medio del cuerpo, sin las vanas negatividades de otros tiempos. Atentos a su entorno inmediato, atentos a su equilibrio privado, buenos padres y buenos maridos. Pero también espíritus conservadores, no tan dispuestos a cambiar el mundo como a labrarse un sitio en él, llevados a un escepticismo de buena ley por un «a la postre todo viene a ser lo mismo». La falta de valores de oposición o de superación produce efectivamente la equivalencia generalizada de las realidades exhibidas, cada una acosando a las demás y todas igualmente válidas. ¿Nihilistas en el horizonte? Son los mismos.

La ineptitud para la generalidad formará individuos atentos a los individuos, «atentos a la singularidad de los seres» (Pierre Lévy) y de las situaciones, más dados a la caridad concreta que a una justicia abstracta. Personas más abiertas, disponibles y que se atreven a decir «yo» (en la televisión lo adecuado es emplear la primera persona del singular: el «nosotros» y el «ellos» no funcionan). Pero también más vulnerables e influibles, pues actúan por sí mismos, sin amarras ni referencias simbólicas. Fascinados por el éxito individual, arribistas y cínicos, incapaces de sacrificios, no creen en nada que no sea dinero, y sobre todo no creen en la ley, expresión de la voluntad *general*. Un solo evangelio: el ego. Egoístas de buen corazón. Son los mismos. «El nominalismo es la vía real que lleva al materialismo. A decir verdad, es una vía que no desemboca sino en sí» (Althusser).

La ineptitud para el orden: seres «conscientes de la ambigüedad de lo real» que prefieren el eclecticismo al espíritu de sistema, que maniobran hábilmente en situaciones fluidas, libres de las palabras vacías que tanto daño nos han hecho (Revolución, Nación, Proletariado, República, etc.), «dispuestos a construir imágenes del mundo no verdaderas sino viables» (Pierre Lévy). Espíritus desestructurados, desprovistos de espíritu crítico, crédulos, dóciles y pasivos, sin exigencia ni rigor. Son los mismos.

La ineptitud para la flexión temporal: seres inmersos en su tiempo, que viven intensamente el instante, distentidos, que valoran mejor lo efímero, sensibles a los valores locales y la proximidad, apegados a lo «micro» y a lo «concreto», aptos para los compromisos rápidos. Pero seres sin memoria ni reserva interior frente al acontecimiento, tan poco inclinados al respeto de la palabra dada ayer como a la preparación meticulosa de los compromisos de mañana. Que lo quieren todo y al momento. Y para los que «una moral que enseña a esperar y a actuar pacientemente será una moral rechazada» (Jacques Ellul).

Cada época del espíritu, cada medio de transmisión, tiene sin duda sus criterios de inteligencia. Malraux distinguía tres: «La inteligencia es la destrucción de la comedia, más el juicio, más el espíritu hipotético». Ninguna de esas operaciones se puede hacer en imágenes, ni por ellas. En cambio, se pueden hacer sin y, probablemente, contra ellas. A lo que parece, la videosfera lo ve de otra manera. Articulado, lineal, objetivo, el Quijote de lo escrito verá en torno a él una sociedad cínica y fluida que se corresponde con la fluidez cínica de las imágenes de TV. Espíritus alógicos y sin vínculos, cortos de vista, a imagen de nuestros programas-mosaico, sin pies ni cabeza. En un mundo en el que la anécdota vale como demostración, la afasia se convierte en un ideal de integridad, en cuanto que se puede decir todo de todo y el ruido permanente se parece al silencio. Por el contrario, un Sancho Panza de las veladas de vídeo, divagante y digresivo, practicante consumado del *zapping*, se alegrará de haber nacido en un mundo inventivo, que fusiona iniciativas y puntos de vista, en el que todo puede ocurrir, un mundo rico en asociaciones libres y evocaciones poéticas, donde los valores emocionales de contexto, de simpatía y de participación física vienen a salvarnos del hastío y del frío cinismo de las abstracciones lógicas.

12. Dialéctica de la televisión pura

El cuadro de las antinomias de lo audiovisual recuerda el de la Razón pura. Cada tesis tiene su antítesis y ninguna puede refutar a la otra, de manera que el iconófobo y el iconódulo están condenados a vivir juntos, y a veces en el mismo individuo. La yuxtaposición de los argumentos, que ayudará a disipar algunas ilusiones, confirma que, en el fondo, la cuestión de la imagen no ha avanzado notablemente desde el siglo XVIII.

Lutero temía que la proliferación de la letra impresa, de la que, no obstante, tanto se benefició, se volviera contra la verdad del Libro incitando a una lectura superficial. Los hermanos Lumière y Heinrich Hertz no parecen haber tenido la misma premonición respecto de la imagen industrial. Aun así, es un hecho que demasiadas imágenes matan la Imagen. La inflación icónica tiene su ley de Gresham, como la otra: la mala expulsa a la buena. Álbumes, desplegables, revistas, carteles, rótulos y pantallas nos bombardean con incitaciones visuales, hasta borrar las diferencias entre obras y productos; a la postre, todos pierden intensidad. El ogro óptico elimina el sobrante del entorno con la displicente agilidad que denuncia la conversión en signo de nuestras imágenes. Nuestra mirada resbala sobre cuadros y fotos como sobre la *primera* plana del periódico o el cartel del metro; vemos una película como si· fuera un *spot* publicitario; y nuestra pequeña pantalla como la acera por la que uno anda, como los coches en la autopista cuando se quiere adelantar. La imagen falla porque falta el tiempo.

Ésa sería la enfermedad debida al éxito del vídeo: la visualización como verificación, entre el *teasing* y el *news*. Ya no se trata de ver sino de controlar que todo se desarrolla *como se ha previsto*. De la misma manera que el «todo es arte» indica un mundo en el que el arte ya no es algo grande, el «todo a la vista» marca tanto el declive de la mirada como su triunfo. Hay que creer que las bellas imágenes multiplican los malos videntes. Turistas, cuanto más ametrallamos paisajes y monumentos, menos los contemplamos. El predador de imágenes se preocupa poco de sus presas. Sólo ve para vencer y cantar *vini, vidi, vici*. Mecanismo conocido: cuanto más corren los vehículos, tanto menos se mueven los cuerpos. Como la ubicuidad electrónica se transforma en inmovilidad física, y el «tiempo real» en una modalidad de lo intemporal, el ojo cansado de escuchar termina por oír como un oído que flota. ¿No es a la postre, para él y para nosotros, transformar el mundo en imágenes de síntesis una manera de acabar con los ojos?

La *Crítica de la razón pura* llamaba «dialéctica» a la «lógica de la apariencia» y «dialéctica transcendental» al estudio de las ilusiones naturales, *inevitables pero no inexplicables*, alimentadas por el espíritu acerca de la naturaleza del alma, del mundo y de Dios. Las escenas de discordia a las que dan lugar los conflictos de ideas sobre la naturaleza de la videosfera exigen, conservando las debidas proporciones, un cuadro de antinomias del mismo estilo. De la misma manera que no se puede demostrar que el mundo tiene un principio en el tiempo, y tampoco que no tiene un principio en el tiempo, se puede demostrar que la videosfera sirve y no sirve a la democracia, la verdad, la paz entre los pueblos y la libertad del hombre. Una tesis dialéctica de la razón pura «tiene por objeto no una cuestión arbitraria que uno puede formular por placer, sino un problema que toda razón humana encuentra necesariamente en su camino».[1] Así ocurre con la audiovisión pura, donde uno sólo puede esperar que va a hacer que los argumentos se vuelvan inofensivos, «pero jamás que los va a destruir». El lado bueno de esa antítesis «en la que la razón se alimenta de sí misma e inevitablemente» es que cada uno, esté a favor o en contra de la televisión, está seguro de no decir en absoluto una tontería. El malo es la ausencia de criterio susceptible de separar de una vez por todas a los melancólicos y los eufóricos. Los buenos y los malos usos de la pantalla (si usted explica, ante una determinada catástrofe aérea, que a fuerza de reemplazar las imágenes

---

1. KANT, *Critique de la Raison pure [Crítica de la razón pura]*, tomo II, París, Flammarion, 1944, pág. 14.

por cifras, las pantallas de control privan a los pilotos de todo contacto directo, visual, con el entorno físico, lo que es harto peligroso, alguien le puede responder que, aun así, está muy contento de poder aterrizar de noche y con niebla gracias a las simulaciones numéricas).

El órgano de la democracia

Primera antinomia de nuestro ojo de Esopo: «la televisión sirve a la democracia»; «la televisión pervierte la democracia». Los profesionales de la imagen, que viven de ella, se atienen más bien a la tesis; los especialistas de las ideas, que aquí pierden, a la antítesis. Cada uno sabe que la televisión es el objeto que los intelectuales odian y que los políticos se ven forzados a amar. ¿Cómo escapar de la unilateralidad de los puntos de vista?

La televisión es democrática, dirá la tesis, «pues todo el mundo la ve y todo el mundo habla de ella» (sic). Igualdad de acceso «indispensable para el ejercicio de la democracia».[2] La televisión pone coto a la destrucción de los lazos sociales, operada desde antes de su aparición por la civilización industrial. Nuestra aldea de sustitución, nuevo espacio público, permite integrar en el espacio político, como en las grandes fiestas colectivas, a los viejos, a los enfermos, y a todas las capas marginales que, en otro caso, quedarían excluidas. «Nunca antes tantos ciudadanos participaron en la vida pública, fueron informados, se expresaron y votaron de manera tan igualitaria» (ibíd.). Se añade aún que, al convertirse precisamente en espectáculo y seducción, la política se ha hecho menos elitista, más atrayente para un mayor número de personas sencillas. Que sin la televisión el elector medio, que no lee mucho, no sabría nada de los programas y de los partidos que concurren a las elecciones. También se elogian sus efectos de apaciguamiento y tolerancia. Al desactivar los odios colectivos y reducirlos a disputas personales y retóricas, lo audiovisual disminuye la tasa de histeria, reemplaza la diatriba por el diálogo, la excomunión por la comunicación, los golpes en la cara por el duelo oratorio.[3] Es, pues, «el órgano más democrático de las sociedades democráticas» y «un formidable medio de comunicación de las personas entre sí» (Dominique Wolton). Providencialmente

---

2. Dominique Wolton, «La télévision, instrument de la démocratie de masse», Le Monde, 1 de febrero 1992.

3. Gilles Lipovetsky, L'Ère du vide [La era del vacío], París, Gallimard, 1983.

adaptada a un régimen en el que los electores, en la línea de la gran prensa y de la radiodifusión, la información televisada extiende el ágora a los campos y los suburbios, universaliza la ciudadanía, afloja el torno burgués de la letra. Su victoria ha hecho triunfar la transparencia sobre el secreto, la sociedad civil sobre las maquinarias de poder tradicionalmente opacas, acercando cada vez más a gobernantes y gobernados. En suma, la política no sería ya «el arte de impedir que los hombres se metan en aquello que les concierne», pues su campo de visión no cesa de agrandarse; y, asimismo, tampoco sería «el arte de preguntarles sobre aquello que ignoran», como añadía Valéry, pues los telespectadores encuestados saben ahora a qué y a quién atenerse. Breves, pero parcialmente fundamentadas, estas observaciones componen el discurso más verosímil del sociólogo acreditado, la *doxa* mayoritaria del momento.

La antítesis no parece menos defendible, pues se diría que, efectivamente, nuestro seudoespacio público ha conseguido lo que quería y, al menos en los países desarrollados, ahora nos quiere conjugar avance mediático y regresión democrática al mismo tiempo y al mismo ritmo.[4] No es difícil mostrar que la televisión despolitiza la política, desmotiva al elector, desresponsabiliza al responsable y fomenta peligrosamente la personalización del poder. Hagamos un breve esbozo.

Máxima invariante: «gobernar es hacer creer». Variación tecnohistórica: ¿qué es lo más creíble? Hoy en día, la imagen. La imagen es ley. De hecho, determina los índices de popularidad, la composición de los gobiernos, las jerarquías en el Estado, el calendario y los contenidos del discurso público. Al menos la mitad del tiempo de un jefe de Estado y de partido es destinado a «comunicación». En la corte, el «asesor de imagen» suplanta al técnico, al ideólogo y al literato en funciones de favorito, por la sencilla razón de que el príncipe le necesita a cada momento. Darse a conocer, o cómo quedar bien, se ha convertido en la primera norma de la profesión. De demostrativa, la estrategia del poder se ha hecho mostrativa; la retórica se convierte en escenografía. Pero como «el medio es el mensaje» y la televisión es en sustancia «entretenimiento», el que habla y el que actúa, el político y el cantante, el tribuno y el saltimbanqui cada vez están más juntos, pues el medio obliga (Reagan, Montand, etc.). La cosa pública se convierte en una variedad de variedades, el medio político en una colonia del *show-biz*. Supresión de las fronteras que deslegitima

---

4. Véase a este propósito, de Jean-Claude GUILLEBAUD, «Les médias contre le journalisme», *Le Débat*, n.º 60.

y muy pronto descalifica a la «clase político-mediática». Lo que han ganado en influencia los especialistas de la distracción y los profesionales del contacto se corresponde con el prestigio que ha perdido el hombre de Estado. Más exactamente: hay un divorcio entre la lógica del Estado, esa máquina de producir textos (leyes, reglamentos, notas, circulares, etc.) y la lógica del espectáculo, que obliga a captar o retener la opinión montando números ostentosos. Divorcio creciente entre la larga duración de las estrategias racionalmente requeridas y el día a día ávido de las prácticas de opinión. La televisión (que, en la tesis, movilizaba a los indiferentes), a fuerza de fomentar las diferencias entre todos los actores de la escena audiovisual, se convierte en factor de la indiferencia cívica (y en los Estados Unidos, donde las campañas electorales tienden a reducirse a *spots* publicitarios pagados de treinta segundos, la abstención es masiva). De la misma manera, el órgano censado —en la tesis, hacer compartir la responsabilidad— se convierte aquí en factor de irresponsabilidad. Al preocuparse excesivamente por su imagen personal, el que se supone que tiene que decidir deja de decidir y toma la sombra por la presa. Al sacrificar cada día en mayor medida los deberes de su cargo a la llamada de las cámaras, sustituye la realización y el seguimiento ingrato de las reformas programadas por «el efecto de presentación», siempre agradable.

La imagen televisada puede verse como un factor suplementario de desigualdad. Cuando lo esencial de la vida política de un país se desarrolla en la pequeña pantalla, «el ágora electrónico» no es ya de Atenas sino de Cartago. La escritura fundó la democracia griega de hecho y de derecho. Permitió la igualdad de todos delante de la ley o *isonomía*. Inscrita en tablas, en una estela, mostrada en pleno día, la escritura puede ser controlada o interpretada por todos los ciudadanos. Norte y Sur, ayer y hoy, alfabetización y democratización son inseparables. Se dirá que la imagen-sonido es aún más democrática, pues incluso los analfabetos tienen acceso a ella. Eso es olvidar que las sociedades aristocráticas —por ejemplo Esparta— siempre han favorecido la oralidad, tan impropia como la imagen de la regla de derecho. La videosfera favorece a la aristocracia del dinero, perjudica a la del diploma. En cualquier caso, evidencia una pesantez oligárquica que la grafosfera republicana, por la escuela laica y el periódico de barriada, había atenuado considerablemente. La imagen se come económicamente la letra como el pez grande al chico. Basta con una laringe o una impresora para articular o publicar un discurso, pero para proponer una imagen electrónica a millones de telespectadores (o un cartel en cuatricromía a los viandantes), hacen falta en primer lugar capitales. La irrupción simultánea del dinero en la imagen y de la imagen en la persuasión colectiva contribuye a reabsorber el espacio cívico en el espacio económico, reduce un poco más la igualdad de derecho sobre las desigualdades de hecho y reserva a los más afortunados las funciones directivas. El acto de persuadir se analiza como una operación de compra (de espacios y tiempos), y uno se dirige al ciudadano como a un consumidor, debidamente sondeado, muestreado, clasificado y listado por el *marketing* de los diversos jefes de las empresas hegemónicas. En ese sentido, la dominación de la imagen sobre la letra impresa ha sido un formidable acelerador de corrupción del juego en sí mismo y de los jugadores políticos. El asombroso costo de las campañas electorales y del mantenimiento diario de una «buena imagen» incita a la caja negra, al desvío de fondos públicos y a la vuelta en tropel de los caballeros de la industria.

La desigualdad en democracia mediática no está sólo en la capacidad individual de emisión, entre los nuevos pobres que reciben y los nuevos ricos que fabrican, difunden y seleccionan el material televisivo. Está también en la capacidad de hacerse ver, personalmente. En todos los lugares públicos (restaurante, teatro, avión, etc.), la presencia de la cara ya vista en algún sitio junto a lo nunca visto se convierte en un derecho. La visibilidad como criterio de una sociedad de órdenes: de un lado, los visibles, que son los nuevos nobles, emisores de opiniones autorizadas; de otro, los innobles, o no conocidos, que no tienen acceso a las pantallas. Democrático es el régimen que organiza y canaliza los conflictos. Es de desear que la separación entre los individuos con imagen, como en otro tiempo con capa y espada, y los hombres sin imagen no se convierta en una contradicción fuerte, pues todavía no disponemos de un marco de tratamiento adecuado para ese nuevo tipo de levantamiento de la masa, la revuelta de las sombras contra los VIP.

La regencia televisiva reduce las posibilidades del pluralismo. Es un factor de alineación y no de expansión de las minorías. La regulación de la oferta de mensajes por la demanda, o ley de *audimat* (ahora ya extendida a toda la esfera social), regula de rebote el contenido de las interpelaciones cívicas, tanto más fáciles de agrupar (y, por lo tanto, eficaces o «cotizantes») cuanto que han sido reducidas a su mínimo común denominador («enhorabuena a los franceses, es hora de cambiar las cosas, la juventud es el futuro, construyamos juntos una mayoría de progreso», etc.). Gertrude Stein: «Una rosa es una rosa, es una rosa, etc.». Una «información» es una «información», que es una «información», etc. Para llevar a cabo una amplia operación de limpieza es mejor no decir nada sino con la sonrisa. La comunicación óptima se da cuando la información es cero. La democracia no es la ley de la mayoría (Hitler fue elegido democráticamente), sino el respeto de las minorías. La competencia económica homogeneíza los medios de comunicación populares (los grandes semanarios se hacen intercambiables, como las grandes cadenas privadas o públicas). Anunciado por Balzac, al reflexionar sobre la agencia Havas, el famoso «periódico único» ha llegado: es el diario televisado. Cadena única, imagen única. Sin duda los individuos que miran los mismos programas no ven las mismas cosas, pues afinidades y pertenencias filtran de manera diferente las imágenes recibidas. La recepción fragmenta la emisión. Recordemos, no obstante, que las imágenes interiores no resisten durante mucho tiempo la repetición de las imágenes industriales (el rostro endiosado de la actriz se superpone en mis sueños al otro, pálido y arrugado, de la misma persona que cada día pasa junto a mí en la calle).

La omnipresencia de la imagen aparece como un factor de *desregulación* de los mecanismos de delegación democrática. No sólo porque valoriza el contacto más que el contenido, y sacrifica la argumentación articulada a la «frase breve» (recurso adoptado igualmente en la prensa del día siguiente). Al cortocircuitar las mediaciones del espacio jurídico-institucional, la imagen desvitaliza los cuerpos reguladores de la República: Parlamento, Justicia, Escuela, Prensa escrita. Lejos de prolongar el Parlamento, el estudio de televisión termina por tener uno, y esa transferencia de soberanía priva de sus prerrogativas a los delegados, regularmente elegidos, del Soberano, en beneficio de mediócratas y de «imagineros» no elegidos, que ahora disputan a los mandatarios del pueblo la facultad de fijar el orden del día de los debates nacionales (ese *agenda setting* que es el verdadero signo de poder en la palestra internacional e interior). Es saludable que los medios de comunicación controlen los actos de los gobiernos, pero ¿quién controlará a los controladores, si entre los cuatro poderes de la democracia mediática el poder mediático es el único que no admite contrapoder? De hecho, él es el que acelera la pulverización de la voluntad general por desintegración de sus conjuntos constitutivos en beneficio de una acumulación inerte de voluntades particulares estadísticamente agregadas. ¿Vuelta al cara a cara del líder y de millones de mónadas debidamente aisladas y conectadas? ¿Resurrección del hombre providencial por la pequeña pantalla? ¿No tiene ella, en efecto, un talante plebiscitario? Nuestro aislador de masa tiene sólidas cualidades bonapartistas o cesarianas (y su triunfo no ha coincidido por azar con el declive de los parlamentos y de los partidos, con el reforzamiento de los Ejecutivos y de cierta tecnocracia). La aldea audiovisual agrariza a su manera las sociedades posindustriales. El último estadio de la comunicación alcanza así «el mal estado de las comunicaciones» de la Francia parcelaria y rural de 1848, tal como Marx lo describe en su *18 Brumario*, y que permitía «enviar a todos desde lo alto la lluvia y el buen tiempo». ¿Se va a convertir en campesino del siglo XIX el televoyeur urbanizado del siglo XX? Sería una lástima, en ese estadio, volver a la nación, saco de patatas, «simple suma de magnitudes del mismo nombre». Esos estimables tubérculos, «en cuanto que no se pueden representar a sí mismos, tienen que ser representados».[5] Pero con la diferencia, vuelta de espiral obliga, de que mientras el medio descalifica al tribuno atronador o al jefe carismático, desecha la Cólera, el Rictus o el Período en beneficio de lo trivial y lo bondadoso, la pequeña pantalla promueve un poco en todo el mundo este calientefrío insólito: el cesarismo indulgente o el intimismo autoritario. Son conocidas las metástasis de la comunicación audiovisual en la lengua pública, o las obligaciones del francés videosférico: frases de menos de ocho palabras, sacrificio de los polisílabos en beneficio de los monosílabos, prioridad de los términos afectivos (compañero, amar, sentir, etc.) y dinamismo (construir, avanzar, etc.). El teleevangelista tiene un máximo de quinientas palabras; el líder moderno, otro tanto.

Una democracia quiere ciudadanos *activos*, que se agrupen y se correspondan. La televisión, sometida a un sondeo permanente, impulsa a abandonar el espacio público, como una dulce asignación a residencia. Reduce el vínculo social a una relación sin intercambio. La ley del icono o *iconomía* eleva a la condición de categoría política la *oikonomia* griega (de ahí viene nuestra «economía», mientras que una y otra devuelven a los ciudadanos al espacio doméstico (*oikos*, la casa, lo opuesto al *agora*). Así tenemos nuevamente lo público subordinado a lo privado, la ley al *lobby*, el Estado republicano al Dios Sociedad, lo universal a lo particular y el sujeto de derecho (jurídico o político) al individuo de hecho (psicológico o sociológico). O sea, la democracia republicana en completo desorden. El receptor *individual* presenta, en resumidas cuentas, para cualquier gobernante la ventaja de reducir los riesgos de que se formen grupos y se produzcan motines, esto es, de que «se agrupe el pueblo» (el *populus* romano). Uno lee el periódico y acto seguido se

---

5. Karl MARX, *Le 18 Brumaire de Louis Bonaparte [El 18 Brumario de Louis Bonaparte]*, París, Éditions sociales, 1969, pág. 127.

dedica a sus actividades. Con la pantalla doméstica, el militante político y sindical debe permanecer en su sitio para estar informado, y también para saber lo que pasa en lo que queda de su partido o de su sindicato. Aún tendrá menos razones para participar en una reunión o una deliberación. Sólo saldrán a la calle los jefes; la manifestación permite que le filmen y, por lo tanto, que le vean los militantes. Despolitizar es ante todo inmovilizar. Como el único colectivo masivamente autorizado por los medios audiovisuales sigue siendo la familia o parentela, en cuanto célula biológica (o sea, lo contrario de la asociación voluntaria o cívica), las máquinas de ciudadanía como la Escuela y el Ejército ya no son remplazadas. El espejo en el que la Ciudad se ve y se habla es una antiCiudad. El principal órgano de socialización en la videosfera desocializa, mientras que la «neotelevisión» de proximidad es todavía más compartimentadora que la «arqueotelevisión».

Entonces, ¿instrumento predestinado de las libertades individuales, cuya expansión no ha acompañado por azar sino acelerado el fin del comunismo, o clavija obrera del peligroso maridaje del individualismo consumidor y de la democracia política cuya cohabitación nada indica que vaya a durar mucho tiempo? Cada uno cortará de acuerdo con sus humores y sus intereses. Sería ingenuo ver en el imperio del vídeo la *causa* de una crisis política. Es también *efecto* suyo (como sugería recientemente Jean-Claude Guillebaud). Si la gestión mediática de una decisión hace las veces de decisión, ¿no es porque el político, acosado por el desarrollo científico, la interdependencia de las economías y el atenazamiento del Estado-nación entre lo regional o lo mundial, no tiene nada más grande sobre lo que decidir? Así, el acto de gobierno, al vaciarse, llenaría la escena con gesticulaciones, mientras que la embriaguez espectacular compensaría la reducción de los márgenes de iniciativa.[6] «Cuanto menos profundizo en las cosas, más tengo para ver», dirá para consolarse el ciudadano espectador. Y el actor: «Como mis actos no tienen importancia, procuremos al menos aparecer». Hacer como si: ése sería el papel providencial asignado a lo audiovisual en la nueva democracia. El teatro político es de siempre (y el Parlamento, entre nosotros, es un anfiteatro). El nuevo residente en éste: a falta de intriga y de apuestas, la teatralización de la acción se convertiría en la acción misma. Lejos de pervertir la política, ¿hay que elogiar a lo mediático por mantener la ilusión?

6. Jean-Claude GUILLEBAUD, «Les médias et la crise de la démocratie», *Le Débat*, 1991, n. 68.

LA APERTURA AL MUNDO

La segunda antinomia se referiría al espacio: «la televisión abre al mundo», «la televisión escamotea el mundo». Alguien elogiará acertadamente un factor sin precedente materializado en la apertura a los otros, el fin de las fronteras y el advenimiento del ciudadano universal y la era posnacional. Al promover en toda Europa las lenguas vernáculas, al nacionalizar a Dios y las iglesias, en detrimento de la antigua catolicidad romana, la imprenta ha contribuido a disgregar los imperios (empezando por el Sacro Imperio Romano-Germánico) y ha precipitado el advenimiento de las nacionalidades, y por lo tanto de las guerras europeas. La propagación de las ondas hertzianas y la transmisión de las imágenes por satélite favorecen claramente un movimiento inverso: la internacionalización de los comportamientos y «la construcción de Europa». Además tiende a suprimir la noción de frontera heredada del siglo XIX (continuando el movimiento iniciado no hace mucho por la radiodifusión). Sin la imagen electrónica e incluso sin CNN, un agricultor de Ardèche nunca habría visto con sus ojos morir de hambre a un niño africano, a un estudiante chino detener una hilera de carros de combate, a una niña colombiana agonizar en el lodo, a Elsin subirse a un tanque o a Reagan montado en su caballo. Todo lo que deslocaliza civiliza, y la televisión sirve incontestablemente a la toma de conciencia planetaria y a la causa humanitaria. Cousteau, Tazieff y otros, con sus reportajes, han divulgado la moral ecológica como ningún libro ilustrado habría podido hacer. Y el admirable Ushuaïa (o sus equivalentes de ayer y de mañana) nos hace visitar cada sábado noche más regiones, más folclores y más faunas, monumentos y lugares que habría podido ver en toda una vida un explorador profesional de principios de siglo.

Todo eso no es falso, y tampoco verdadero. No viajamos a domicilio en un atlas cualquiera. No somos nosotros, de entrada, sino «la actualidad» la que selecciona nuestros lugares de destino. Sin acontecimiento fuerte no hay imagen-emoción, y sin imagen fuerte no hay secuencia de información. Las imágenes de países lejanos no aparecen, pues, en nuestras pantallas, durante unos minutos, sino en caso de tragedias, de guerras o catástrofes. La actualidad construye la historia que construye la geografía: o sea, a la inversa de las determinaciones reales. Así no hay ni visión en perspectiva de esos acontecimientos ni localización en un mapamundi de esos países. Después vienen cualesquiera otras imágenes de la actualidad mundial. Nueve de diez provienen de dos o tres fuentes estándar (Visnews en primer lugar) que abastecen a las pantallas de casi todos los países y en particular a los más pobres. «La información es libre», no el acceso al mercado de la información. El elevadísimo coste de las transmisiones electrónicas y de las plazas en el paisaje audiovisual nacional y *a fortiori* mundial agrava aún más los monopolios tradicionales de las agencias de prensa («Más de mil millones de personas, cada día, basan sus juicios de valor en materia de acontecimientos internacionales en las informaciones de Associated Press»). En todas partes, tanto en el norte como en el sur, los periódicos pertenecen al poder y a las «buenas familias». Pero los nuevos ricos, vividores y capitanes de industria, se apartan de la letra impresa para invertir en la imagen. Sobre el «menú» diario propuesto a escala mundial por los grandes grupos, cada uno es libre de elegir «a la carta». Las miradas son más nacionales que las imágenes, y las identidades culturales marcan tanto las programaciones generalizadas como los receptores de información. Pero, ¿es casualidad que la gente más adicta a la televisión del mundo, el pueblo americano, sea también el más provinciano, el más introvertido y, en definitiva, el menos y peor informado sobre el mundo exterior? En todas partes, de Gran Bretaña a Grecia, las diferencias entre pantallas nacionales se reducen cada vez más y la CNN impone tanto su calidad como sus criterios de selección en el mundo entero, sobre todo en período de crisis: no hay una voluntad europea por la sencilla razón de que no hay un sistema audiovisual europeo. Progresivamente, la imagen electrónica planetariza el ojo americano, concepción muy particular de la universalidad. ¿Se trata de un «acercamiento de los puntos de vista» o de una superposición de las imágenes? Ha habido cines nacionales, y sobre todo europeos. Pero la televisión ha nacido *americana*, y fagocita al conjunto de las televisiones europeas, cualquiera que sea el peso real de sus identidades vernáculas. Contrariamente a nuestras películas, todas nuestras emisiones copian las del otro lado del Atlántico, con el retraso provinciano de rigor: nuestros *sit-com*, *talk-show*, *meet the press*, *reality-show*, *news*, etc., han sido importados en su forma original. Todos sabemos, sin embargo, que en buena lógica de mercado cuanto más singular es un producto mejor se vende. Pero la regla no vale ya cuando la diferencia de costos de producción y de los umbrales de rentabilidad es de 1 a 10. El efecto de tamaño, unido al volumen de las inversiones, basta para poner de manifiesto la superioridad de la imagen media americana sobre la europea.

La televisión ciertamente ha abierto los corazones y los espíritus tanto a los sufrimientos como a las opresiones otrora invisibles; prueba de ello son la nueva y saludable vulgata de los Derechos del Hombre y la moda del «caridad-*business*». La televisión ha creado una especie de opinión mundial de modo que ahora es más difícil masa-crar impunemente. Pero *toda imagen difundida es una relación so-cial metamorfoseada en emoción individual*, agradable o dolorosa. Nuestro planeta mediático es una determinada relación Norte-Sur mediatizada por objetivos y lentes. Satélites, cámaras y laboratorios están en el norte, el cual tiene la exclusiva de los derechos de rodaje, montaje, producción y difusión. La imagen industrial, instrumento de sensibilización respecto de las desigualdades mundiales, es tam-bién la expresión más sensible de esas mismas desigualdades, entre los contemplados del Sur y los contempladores del Norte. El etnólo-go occidental en misión se beneficiaba ya de esa posición envidiable, la del *voyeur* que no es visto, del inspector nunca inspeccionado, pero trataba de hacer de ella un medio de conocimiento, incluso de comunicación en dos sentidos, aunque para ello tuviera que perma-necer bastante tiempo en el territorio sometido a estudio. Nuestras excursiones audiovisuales hasta las zonas de penumbra son rápidas como incursiones de comandos y somos nosotros los que hacemos el comentario de esos fogonazos. El hemisferio Sur no es captador de vistas, sino que es captado en las redes del nuestro. Nosotros hemos legitimado y sublimado a la vez, como «deber de injerencia», nues-tro derecho de mirada exclusiva sobre el prójimo, monopolio técnico que se ha convertido en obligación moral. Ojos que no ven, corazón que no siente. Conclusión: «¡Vivan las cámaras!». Ciertamente, pero, desgraciadamente, no son cámaras automáticas, no van a cualquier sitio, en cualquier momento, a meter lo que sea en la caja.[7] La geo-política de esa compasión casera que dice no hacer política, no inva-lida en nada nuestras operaciones de salvamento, muy respetables; desaconseja sólo transformar la «moral de extrema urgencia» en un nuevo imperativo categórico. En la era de la integración en redes mundiales de la información central no hay *Deux ex machina* óptico, y un deber (de injerencia) prácticamente fundado en el deber (de nuestras pantallas) no es ni puede ser kantianamente universal. Uni-versal será, pero como era en otro tiempo el sufragio del mismo nom-bre, reservado a la mitad masculina de la población.

7. Las cámaras francesas, privadas o públicas, por ejemplo, dan pruebas de una clara reticencia a «injerirse» en las profundidades sociales del África francófona, o de Arabia Saudí. Una bomba iraquí en una aldea kurda tendrá más probabilidades de pa-sar por televisión que una bomba turca. 40.000 ejecuciones sumarias de opositores, durante ocho años, en el Chad de Hissène Habré, apoyado por Francia, no han susci-tado entre nosotros ni campañas de solidaridad ni gestos de indignación en los me-dios audiovisuales, etc. (Commission d'enquête tchadienne, *Libération*, 21 de mayo 1992.)

La descolonización ha puesto fin en Occidente al monopolio de la representación política del género humano, y el sistema de las Naciones Unidas, con ciento setenta Estados representados, se ha hecho realmente universal. Pero la industrialización de la imagen y del sonido confiere a los países más desarrollados el monopolio de las representaciones culturales de la humanidad, de manera que el Norte ha recuperado con una mano la exclusividad que ha perdido con la otra. La nueva ecología de la mirada abre sin duda el campo de la visión de todos y cada uno, pero hace más problemático el «diálogo de las culturas», al agrandar como nunca el foso entre ricos y pobres. Un país pobre puede tener buenos poetas, buenos novelistas e incluso un buen periódico, pero no puede tener una buena televisión. Y aún menos un cine competitivo. Tagore y Gide podían hablar de igual a igual, como Mishima y Yourcenar; pero no Spielberg e Idrissa Ouedraogo; o la CNN con la Doordashan india. Nueve hombres sobre diez contemplan la vida a través de las imágenes que les suministran de ellos mismos Atlanta y Hollywood. Y el americano, cuyas imágenes dobladas o subtituladas se aceptan por doquier, no soporta, en su patria, una imagen extranjera subtitulada. Esa involuntaria asimetría de las miradas suscita una ceguera colectiva en el club, bastante cerrado, de los creadores de imágenes del mundo actual. Y un desabrimiento notable de su propio universo simbólico, cuyo emblema sería el *non-disturbing scenario* recomendado para nuestros filmes de elevado presupuesto o nuestras series televisadas, construido sobre el mínimo denominador común (el que menos herirá a las convicciones y las costumbres posibles). Cuando «el mundo propio» de una minoría de los habitantes de la Tierra se convierte en el propio del mundo entero, pasar de una cara a otra del espejo llega a ser, para el mismo occidental, una hazaña del solitario cuando no del marginal. La mundialización de nuestros simulacros hace más improbables esos conflictos, «malas compañías» y extrañamientos que han sido siempre, entre nosotros, disparadores de la innovación. En ese sentido, Occidente se perjudicaría a sí mismo si le diera por calificar a su «parcela informativa» con el hermoso adjetivo de universal y a erigir su superestructura técnica en «conciencia moral del mundo».

LA CONSERVACIÓN DEL TIEMPO

La tercera antinomia se referiría al tiempo: «La televisión es una formidable memoria, la televisión es un funesto filtro». El objeto técnico avala la tesis, el uso social, la antítesis. La síntesis no es para mañana.

«Oh tiempo, suspende tu vuelo...» Y así ha sido. La mecánica y la química se han encargado de ello. Fotografía y fonografía han satisfecho el deseo del poeta: detener lo que huye, perennizar el instante. Y Lamartine, antes de su muerte, levanta su anatema de la fotografía, «plagio de la naturaleza por la óptica». Radio y cine han continuado y mejorado el embalsamamiento del tiempo. Técnicamente, la televisión es el mejor de los aparatos para perennizar la vida. Ahora el documento, o momia, el soporte material, si se prefiere, de las huellas dejadas por un ser vivo, puede ser liberado del desgaste del tiempo. El registro en un soporte magnético ya había permitido la conservación de los flujos radiofónicos y, además, la constitución de *archivos analógicos*, desmintiendo así el inmemorial proverbio «las palabras vuelan, los escritos permanecen». En Francia, desde 1954, el cinescope, aparato de registro sobre película de las imágenes de vídeo, permite conservar las emisiones en directo de televisión y, desde 1960, el magnetoscopio permite almacenar lo que se difunde cada día. Así se ha formado un patrimonio de documentos hasta entonces efímeros, base de nuestras videotecas. De ahí ha surgido un considerable suplemento de memoria. Su descodificación, confiada a las máquinas de lectura, no exige ya una cualificación especial (lectura/escritura) sino cierta capacidad de compra. Desde entonces, como quiera que el efecto patrimonio ha borrado la diferencia entre el viejo mundo del conocimiento y el nuevo de la información, archivable y almacenable como el otro, tanto los documentos más perecederos como las obras más sólidas se habían ganado el derecho a *permanecer*. Sin duda la señal de vídeo se conserva mal. En cuarenta años, una película de dieciséis milímetros no cambia; en cuatro años, un soporte magnético es irreconocible. Pero la transferencia a soportes numéricos, compactos y fiables permitiría en principio eternizar la totalidad de nuestro material efímero y de nuestras efemérides. Así, técnicamente nos hemos liberado de la irreversibilidad del tiempo que fluye. El tiempo pasado, el ayer, puede convertirse en hoy y en mañana.

Todo eso es cierto, y lo contrario también, pues la huida sin retorno de las imágenes de cada día es un orificio de vaciado para las memorias, y una disuasión para la inteligencia. Esa huida fetichiza el instante, deshistoriza la historia, malogra el deseo de establecer la mínima serie causal. Un periódico se conserva en sí mismo, un diario televisivo no. Si no se graba previamente, una secuencia de imágenes no se puede detener ni recuperar como se hace con un conjunto de páginas. No hay más discernimiento que el basado en el retraso o la reconstrucción, y no hay otro juicio crítico que el basado en el rechazo del esquema estímulo-respuesta. Sólo la autoridad carismática se sirve de los fogonazos y de los accesos emotivos. Si la obediencia y el fanatismo se avienen muy bien, las emociones y los sobresaltos del directo son incompatibles con esa liberación colectiva en diferido —mediante proposiciones escritas, bajo un reglamento común y en un recinto preservado—, por la cual una tribu puede convertirse en una ciudad. Y una democracia resistir a la demagogia. La libertad, del ciudadano y del espíritu, funciona en la re-presentación, no en la presencia; después, no en el momento; por el argumento, no por el afecto. La libertad necesita tiempo para recortar, verificar y confrontar. ¿Quién no sabe que la democracia directa (cuando se vota a mano alzada, sin interrupción, al unísono y al instante) se convierte tarde o temprano en una tiranía? ¿Qué otra cosa es el fondo un dispositivo político civilizado sino una máquina de ralentizar los tiempos de respuesta, de enfriar emociones e impulsos, sacudidas y ráfagas, de establecer distancias? En este sentido se ha de tener en cuenta que la originalidad de la televisión (en comparación con el cine) y su superioridad (como la de la radio) sobre los medios de información escrita, especialmente en tiempos de crisis, radica en la supresión ininterrumpida de las distancias, las demoras y los retrasos.

Entonces lo mostrado gana por dos veces a lo escrito. En primer lugar, es más rápido; en segundo lugar, es más caliente. Calma a la vez nuestra impaciencia (con noticias frescas) y nuestro temor a quedar solos (lejos del grupo). Los períodos de crisis, simulados o no, refuerzan los lazos comunitarios, calientan el cuerpo social, empujan al reagrupamiento tribal. Radios y televisiones están entonces mejor equipados para hacer de caja de resonancia. El polo de comunicación se impone al polo de información, como lo audiovisual, que une más, a lo impreso, que separa mejor. Durante la guerra del Golfo, asomados a la pequeña pantalla, «participamos» mucho, pero no aprendimos casi nada. Y con razón. La comunicación apacigua, la información perturba. Las dos nos hacen falta, y el periodismo tiene la temible tarea de encontrar la correcta distancia entre esos dos polos opuestos en la que se negaría a sí mismo.[8] Si la transmisión enlaza con el acontecimiento, en caliente, se convierte en co-

8. Léase a este propósito, de Daniel BOUGNOUX, de quien yo he tomado la oposición comunicación/información, «Qui a peur de l'information?», en *Reporters sans frontières [Reporteros sin fronteras]*, 1992.

municación bruta, transmisión de afectos epidémicos, emoción en estado puro, con fuerte coeficiente consensual. Si se separa de él para elaborar un relato o un análisis en frío, en el diferido o la «diferencia» derridiana, se convierte en «editorial» o en sermón. La situación de crisis incita a todos y cada uno a reducir al mínimo el «corte semiótico» entre el acontecimiento en curso y su simbolización. No es fácil encontrar la solución (los verdaderos problemas tal vez no tienen solución). Tanto más cuanto que el directo, *on the spot*, transforma a los periodistas en actores con enunciados «performativos» y no «constativos». Es un hecho que entonces imagen y comentario pueden modificar el curso de las cosas, incluidas las operaciones militares sobre el terreno, cuando el análisis escrito *a posteriori*, desconectado, resulta ocioso e ineficaz.

La reducción histérica de las duraciones, en detrimento de las continuidades explicativas y de las visiones en perspectiva de lo accidental, el centelleo de las noticias y la remisión a cero de la historia humana, cada mañana, por un mercado de la información que no puede vender sino lo nunca visto, todo eso ha nacido con la imagen electrónica. Ésta prolonga, si la quiere trivializar a cualquier precio, una escalada de los procesos temporales que entre nosotros se inicia en torno al año 1840 con el telégrafo eléctrico y la agencia Havas, pero el paso al límite del directo absoluto no está exento de peligros, incluso para el periodismo. La fobia de lo repetitivo y el miedo de aburrir terminan por provocar aburrimiento y reiteración. La oleada de la actualidad, ese «mar siempre renovado» en el que cada ola se deshace en otra que en el fondo es la misma, recuerda una nauseabunda eternidad. A fuerza de querer primar el acontecimiento, la cultura del *scoop*, en cuanto que impide mirar detrás, ya no ve venir nada, pues impide ver las grandes líneas de fuerza, el ritmo profundo de las cosas. ¿Cuántos acontecimientos que se explicarían perfectamente con un modesto retroceso en las cronologías no permanecen opacos a los que siempre quieren ir por delante? Si algo acontece cuando se sabe cómo acontece, el ritmo propio de nuestros medios audiovisuales, sin mala fe ni manipulación particular, transforma la hiperinformación en desinformación. Liberarse de la fascinación del presente para recuperar el orden de las causas y el sentido probable es ante todo liberarse de la fascinación de las imágenes transmitidas a la velocidad de la luz.

La cuarta antinomia concierne al valor de realidad. «La televisión es un operador de verdad, la televisión es una fábrica de señuelos.»

Más aún que la muda y fija fotografía, la imagen vídeo comparte con la gran familia de las captaciones indiciales la fuerza irrefutable de lo constativo: «Esto es lo ocurrido». Al llevar a su cima la soberanía del referente, la imagen entrega el certificado de autenticidad tipo. La prueba por imagen anula los discursos y los poderes. Cuando cuatro policías blancos de Los Ángeles niegan delante de un juez, con toda la autoridad de su función, haber apaleado a un automovilista negro, dejándole por muerto en la carretera, basta con un pequeño vídeo de aficionado, de 81 segundos de duración, para poner fin a una gran crisis político-judicial (caso Rodney King, 1992). Así queda superada la duda judicial. Una junta militar latinoamericana anuncia a través de la prensa la muerte en combate de un extranjero, a la vez que niega su detención: desgraciadamente para la junta militar, un fotógrafo aficionado había sacado una foto del desconocido en una aldea perdida tras su detención, y hace que se publique poco después en la prensa. Por lo tanto, el extranjero no ha sido ejecutado como estaba previsto. Se celebra el proceso, y él niega haber llevado armas a la guerrilla: desgraciadamente para él, un guerrillero ha sacado fotos de los insurgentes que son recuperadas y luego reveladas; una de ellas prueba más bien lo contrario. El extranjero es condenado a la pena máxima.[9] Roland Barthes evocaba el poder mortífero del objetivo. Su poder de resurrección no es menor. La supresión de la ausencia, la repetibilidad de lo único son cesuras decisivas. Química o magnética, la imagen maquinal encarna ya la autoridad suprema, lo real. ¿Sería entonces verdad la tesis?

Pero «el efecto de realidad», óptimo en la pantalla de vídeo, tiene trampa, pues carece de causa. Delante de esas imágenes en directo, y en tiempo real, uno puede pasar espontáneamente al otro lado de la pantalla, a la realidad registrada. La imagen es entonces abolida como imagen fabricada y la presencia seudonatural se niega como representación. Ahí está la mistificación: lo arbitrario se presenta como necesario, el artificio como naturaleza, pues hay una subjetividad detrás del objetivo, todo un trabajo de presentación y de selección detrás de la imagen seleccionada entre mil posibles y mostrada en lugar de ellas, un juego complicado de fantasías, de in-

9. Resumen de «L'affaire Debray», Bolivia 1967.

tereses y a veces de azares: ¿por qué ese país, ese acontecimiento, ese fin de frase o ese personaje en vez de otro? Lo indicado oculta el índice, y el marco al enmarcador. Ese *qui pro quo* tiene un nombre: «la objetividad periodística». Pero ninguna mirada es objetiva, aunque sea la del «profesional», e incluso las cámaras automáticas son emplazadas, accionadas y detenidas por una voluntad humana. Mostrar un hecho o un hombre es hacerlos existir, pero lo contrario de la certificación es la anulación social de lo que se ha decidido no mostrar. Y el objeto de esa decisión, lo no mostrado, no es tematizado; en la información audiovisual aún menos que en la escrita. En definitiva, la autoridad de lo real inmediato favorece el escamoteo de las mediaciones (a la vez técnicas, psicológicas, ideológicas, políticas, etc.) y acredita esa mentira naturalista: la visión sin mirada, o la escena sin puesta en escena.

La transmisión en tiempo real legitima aún más el paso de «eso es» al «es realmente eso». Ver las cosas cuando pasan nos produce la sensación de que leemos el mundo como si fuera un libro abierto. La coincidencia del hecho y de su imagen incita a tomar el mapa por el territorio. Ésa sería la alucinación-límite de la era visual: confundir el ver y el saber, la chispa y la luz. La inherencia de lo verdadero en su objeto, anulación hecha de pacientes rodeos por lo abstracto es ilusión epistemológica propia de la videosfera. La instantánea *adequatio rei et imaginis* cortocircuita la lenta y compleja *adequatio rei et intellectus*, que se aprende en principio en la escuela. Ahora bien, el sacerdote de la videosfera, el periodista televisivo, ha desplazado y marginalizado al profesor, sacerdote venido a menos o secularizado de la grafosfera.

Es frecuente, pero también inevitable (puesto que el primer plano es la originalidad de la pequeña pantalla y el punto de excelencia del vídeo), transferir el certificado de realidad del orden de los hechos o de las cosas al de las personas. «En la televisión no se puede mentir, las caras hablan por ellos.» Certificado minimalista e intimista, pero «el detalle que denuncia implacablemente» (la mano que se crispa, el mechón de pelo que cae sobre la frente, el ojo que difama, etc.) se supone que es todo lo que se puede decir. Un mundo *visto de lejos* no tiene los mismos criterios de verdad cuando es *visto de cerca*: cada formato modela sus creencias (y el gran cuadro de la pintura de historia tenía sin duda exigencias diferentes, no menos arbitrarias, de los nuestros). Nuestra veracidad ha elegido domicilio en el primer plano, pues el plano medio es ya menos auténtico. Así, la televisión pasa por revelar la textura moral de las personas, comprendida la más privada de los hombres públicos. Eso no es falso, como lo prueba el hecho de que en los Estados Unidos el senador McCarthy y sus imposturas no hayan sobrevivido al paso del micro a la pantalla. Eso no es verdad, como lo prueba el caso de Richard Nixon. Los ejemplos y contraejemplos se podrían multiplicar *ad libitum*.

La nueva mentalidad colectiva no es tan empírica ni está tan libre de prejuicios como ella dice. Ha reemplazado el dogmatismo de la Verdad por «el despotismo de la expresividad» (Michel Deguy). Practica el culto de la fisonomía y la superstición del rostro, esa carne de la carne en la que el Verbo se manifiesta. De manera más trivial, nuestras grandes figuras tienen interés en mostrar una cara agradable (sólo la grafosfera podía poner a Jean-Paul Sartre por las nubes). Ese crédito renovado a las apariencias físicas hace más que popularizar la antigua «fisonomía de Lavater», aquella «ciencia» que enseñaba a conocer el interior del hombre por su exterior. Acredita la mutación profunda de la idea de libertad, idealizada antaño como reino de la *autonomía* (o subordinación aceptada a la ley universal) y concebida en el presente como reino de la *espontaneidad* (habida cuenta de que cada uno es para él su ley). La naturalización de la libertad ha hecho que el orden de lo verdadero del universo de los signos se deslizara hasta el de la señal. Ahora ya se pega a la piel. La verdad no es obtenida, ni elaborada, es un «ya está ahí» salvaje y espontáneo refugiado en el fondo de los cuerpos, que *la expresión* simplemente hará pasar del interior al exterior (como se extrae el jugo de un fruto). La verdad en videosfera es original, no final. Se cree que el origen habla de sí mismo en los primeros movimientos del cuerpo, los únicos buenos. De ahí la valorización del espíritu de la oportunidad y del brío de las réplicas, en otro tiempo feudos del hombre culto, marcados hoy por una «verdadera naturaleza». Y la creencia de que el autor o la víctima de una experiencia fuerte será el mejor actor de su retransmisión. Ésa será la inversión televisiva de la paradoja del comediante, y el actual éxito de los primeros planos. Tal vez hemos perdido el derecho de ausentarnos de nuestro cuerpo desconectando el interior del exterior (goce de los introspectivos: impedir que las reservas mentales pasen a primer plano). De todo eso derivan tantas emociones verdaderas como falsas, pero ¿cómo distinguirlas? Para hacer estallar la pantalla lo mejor es ser natural y decir la verdad. Parecer «ser uno mismo» es un arte que, sin ser el feudo exclusivo de los hipócritas, se aprende como los otros (aunque nos cueste entender que una determinada «aparición» o una determinada «asombrosa improvisación» que ha hecho la fortuna de alguno de nuestros grandes comediantes políticos, intelec-

tuales u otros habían sido preparadas y repetidas cuidadosamente).
«Todo el mundo ve perfectamente lo que parece ser por fuera, pero
muy pocos tienen sensibilidad para percibir lo que tienes dentro»:
las nuevas técnicas de hacer creer no han invalidado el consejo de
Maquiavelo al Príncipe. También sonreír es una técnica, obligación
de apariencia que no compromete a nada. La espontaneidad mediática, como el genio, es una larga paciencia: cuestión de disciplina y
aprendizaje.

Dejemos a un lado las ironías. Aunque es verdad que el juego del
ser y del parecer no tiene edad, técnicamente no nos equivocamos si
nos fiamos de la expresión de los ojos, de los pliegues de las comi-
suras, de la orientación de los orificios nasales y de las arrugas del
entrecejo, pues es más fácil engañar al oído que a la vista. Aunque
los progresos en la numerización de las películas argénticas va a
permitir que se modifiquen los decorados y los movimientos en las
imágenes registradas y transferidas a fichero numérico, de modo
que los trucajes resulten totalmente invisibles, una voz se sintetiza-
rá siempre mejor que una cara. *Sampling* y *relipping* permiten, con
ayuda de una banda magnética, guardar la voz de un individuo y a la
vez cambiar o permutar sus palabras. Es cierto que también se puede, sobre una paleta gráfica, recortar, recomponer y reconjuntar
cualquier foto (por ejemplo, para no tener que pagar los derechos de
reproducción). Como el universo industrial de las imágenes se va
haciendo autónomo, pronto corresponderá a las «copias» la tarea de
autentificar sus «originales». Sabemos que la autorreferencia mediática hace que una mentira repetida se convierta en una cuasiver-
dad. Aquí no hay nada nuevo: el periódico de barrio nació con la
nueva prensa, y el osario de Timisoara está ya en Balzac. Lo que va
a cambiar con respecto a la grafosfera es que la cuestión de la «realidad» de las imágenes analógicas (foto, cine, televisión) será reemplazada pronto, y más sabiamente, por la de su *parecido*. Y ésta ya
sólo será garantizada por su rapidez de transmisión: cuanto más corta sea la demora, menos posibilidades habrá de trucaje (que exige
máquinas y tiempo). Una vez verificable e instantáneo se hayan
convertido en sinónimos, la realidad será indexada en una escala de
tiempo. Los buenos y los malos usos del «tiempo real», a la vez im-
postura y autenticidad. El boletín difundido por la radio y el reportaje telefónico ya lo habían inventado para la voz y ahora la imagen
de vídeo lo recoge y completa sus vicios y sus virtudes. El diferido,
que da tiempo a la reflexión y a la perspectiva mediante el comentario permite también el montaje tendencioso y la elección intencio-
nada de las imágenes. Hay que recordar que los regímenes totalita-

rios, actuando en beneficio propio, han evitado muy a menudo las retransmisiones en directo de acontecimientos aleatorios y públicos (de hecho, prefieren el cine, más idóneo para la propaganda y la censura previa, que la televisión). Desconcertados por los torpes retazos de realidad, los mediáticos de ángulo recto y de utopía rectilínea tienen buenos motivos para desconfiar de la vida tal como se presenta. En Pekín y Pyongyang, la recreación por los «cuadros vivientes» en los estadios, programados a golpe de silbato e insistentemente repetidos, es considerada más fiable que las transmisiones en vivo.

Se acerca el día en el que la técnica de traducir el mundo en imágenes hará una imagen del mundo; y un telefilme de la historia; y un *western* como otro cualquiera de un combate dudoso, como todos. Al trivializar lo extraordinario y sublimar lo trivial; al eufemizar catástrofes y atrocidades; al leer los acontecimientos, todos furtivos y espejeantes, igualmente espectaculares y, por eso mismo, más o menos indiferentes; al favorecer un consumo primero lúdico, pronto onírico y por último pornográfico de los actos y de las obras, hechos y fechorías, juegos y desastres, el efecto de realidad termina por desrealizar la actualidad. Y, ante todo, al disolver su codicia. Hemos visto que la miniaturización por la imagen hace aceptables e incluso pintorescas las matanzas y las guerras lejanas que no habríamos soportado en tamaño natural, a escala real. Nuestra actual geofísica es una microfísica, y reducir una columna de vehículos civiles o una capital bombardeada al tamaño de una pantalla de vídeo no es la mejor manera de «visualizar» los retos humanos de un bombardeo. De la misma manera que la actualidad sin historia transforma el tiempo en una inmensa acumulación de hechos diversos —que constituyen lo maravilloso de la edad del vídeo—, la ubicuidad sin geografía instaura un engañoso estado de ingravidez y de no-pensamiento, puesto que pensar ha sido siempre pesar. Y la suputación, un cálculo a distancia.

*   *   *

Al ficcionar lo real y materializar nuestras ficciones, tendiendo a confundir drama y docudrama, accidente real y *reality-show*, la televisión pasa una vez más de la tesis a la antítesis, «de la ventana abierta al mundo» al «muro de imágenes», de la música al ruido, y viceversa. Y esa imprevisible oscilación es tal vez su verdad última. Factor de certidumbre e incertidumbre, *summum* de transparencia y colmo de ceguera, fabulosa máquina de informar y desinformar, es en la naturaleza de esa máquina de ver donde se hace bascular a sus operadores de la mayor credibilidad al mayor descrédito en un instante, como a nosotros, los telespectadores, del arrobamiento al hastío. Dios o diablo, redención o condena, santa o pecadora, ¿no estaba destinada la imagen artificial en Occidente, por sus orígenes religiosos, a ese descuartizamiento neurótico? Como si los Padres bizantinos del segundo Concilio de Nicea continuaran su disputa delante de la pequeña pantalla balanceándonos de un extremo a otro *ad vitam aeternam*, entre la tesis *homo* de los iconódulos y la tesis *pseudo* de los iconoclastas. La validez o no validez del icono, y sus límites, sigue siendo el núcleo lógico de los debates contemporáneos sobre los medios audiovisuales. ¿Cómo comprender la actualidad sin hacerla retroceder al menos doce siglos?

Doce tesis sobre el orden nuevo
y una última cuestión

1

Toda cultura se define por lo que decide tener por real. Transcurrido cierto tiempo, llamamos «ideología» a ese consenso que cimenta cada grupo organizado. Ni reflexivo ni consciente, tiene poco que ver con las ideas. Es una «visión del mundo», y cada una lleva consigo su sistema de creencias.

¿Qué creer? Cada mediasfera produce sus criterios de acreditación de lo real, y por lo tanto de descrédito de lo no-real. Permanente es la cuestión de confianza: «¿en qué confiar?»; las respuestas varían según el estado de los conocimientos y de las máquinas. Platón respondía por la logosfera: «Sobre todo no en lo que cae dentro del sentido, y sólo en las Ideas inteligibles», *Mito de la caverna*. Descartes por la grafosfera: «En los objetos visibles, pero a condición de construirlos con orden y mesura y formular bien sus ecuaciones», *Discurso del método*. La videoesfera: «Sobre todo no en las Ideas ni en cualquier método, la regla y el compás, siempre que vuestras imágenes sean buenas». Una foto será más «creíble» que una figura, y una cinta de vídeo más que un buen discurso. En gustos y colores, en métodos e ideas, cada uno tiene su opinión. Pero delante de la consola de visualización uno se calla. Visualizar es explicar. En la lengua corriente, «yo veo» ha sustituido a «yo comprendo». «Todo está visto» significa que no hay nada que añadir. Ayer: «eso es verdad, lo he leído en el periódico». Hoy: «me lo creo, porque lo he visto en la televisión» (dice la víctima de un curandero televisivo). Ya no vale oponer un discurso a una imagen. Una visibilidad no se refuta con argumentos. Se reemplaza por otra.

Lo que es presentado como «digno de verse» por cada edad de la mirada es definido como indiscutible. En régimen «ídolo», que corresponde a las *teocracias*, se pueden imputar las apariencias visibles, pero no que exista un «más allá» de lo visible y que debamos focalizar hacia él nuestro ojo espiritual. En régimen «arte», que anuncia las *ideocracias*, podemos dudar de los dioses y de los ídolos pero no de la verdad, y que deba ser descifrada en el gran libro del mundo, refiriendo los fenómenos visibles a las leyes invisibles. En régimen visual, o *videocracia*, podemos ignorar los discursos de verdad y de salvación, negar los universales y los ideales pero no el valor de las imágenes. Su incontestable preexistencia es el lugar común de una época. Y gobierna tanto mejor los espíritus cuanto que no se refleja como tal. Cada régimen de autoridad se da por evidente. Lo que nos hace ver el mundo es también lo que nos impide verlo, nuestra «ideología». Esta última, que nunca es más virulenta como en el prescindir de las ideas, tiene como hogar «la niña de nuestros ojos». En vez de dejarnos estupefactos, nos transforma en medusas y luego nosotros petrificamos en lugares comunes lo que vemos.

2

Las imágenes, contrariamente a las palabras, son accesibles a todos, en todas las lenguas, sin competencia ni aprendizaje previos. Y la programación informática une todos los planos de la Torre de Babel, Pekín, Nueva York y El Cabo. Pero una vez apagada la pantalla, hay que acceder todavía a las miradas interiores que rigen cada universo visible. Ese acceso sólo se puede hacer con el lenguaje y las traducciones simbólicas. Pero la universal promoción de los iconos y lo sagrado planetario del ojo que se deduce de ella no constituyen un augurio tan bueno como se cree para la comunicación mundial de los espíritus.

Todas las culturas pueden ser definidas como más o menos oscurantistas, ya que no pueden arrojar luz sobre su principio de visibilidad. ¿Cómo ver lo que nos ciega? Pero todas cultivan la virtud intelectual y física de la clarividencia, pues tienen por ideal ver, a través de lo que aparece (aunque puedan negar esa facultad a nuestros ojos de carne). Es más fácil hacer dialogar las filosofías que las luces, las bocas que los ojos. Los espíritus pueden hablarse, de un extremo a otro de la tierra, por mediación de intérpretes y traductores. Pero no hay diccionario de lo visible. «El ojo escucha», pero no oye al ojo del otro.

3

La piedra angular que sustenta el edificio de nuestras creencias y de nuestras prácticas no es la elección intelectual de la verdad, ni la elección moral del valor. Antes que esas operaciones por así decir secundarias que conciernen al conocimiento y a la moral, y los determinan, está el *teorema óptico de existencia*: lo que es, es. Y como nuestros principios de visión son también de división, lo demás, todo lo que «no hay que ver», se considerará no-ser, engaño visual o falso pretexto. Aquello que para nosotros es la realidad misma, los budistas lo llaman con toda naturalidad «el vacío», *sunya»;* lo que es plena realidad para el budista a nosotros nos parece simpleza y vanidad. La evidencia natural de una civilización pasa por ser una ilusión en otra. Cada una tiene peculiaridades. Esas peculiaridades justifican y reclaman «el diálogo de las culturas». Pero lo real se ha convertido en una categoría tecnocultural, y esa técnica se hace ahora mundial. ¿De qué vamos a hablar si la realidad es la misma para todos? Y si se llega también a una lengua única, ¿tendremos aún ganas de hablar de un extremo de la tierra a otro?

4

La convención transcendental de las miradas que define la cultura implícita de una sociedad no procede de un contrato social libremente debatido entre dos sujetos sin objetos ni pasado, reunidos para deliberar en la plaza de la aldea. Somos *herederos innovadores*, rodeados por todas partes de mitos pero también dotados de utensilios, y nuestra cultura es una transacción negociada un año con otro entre nuestra herencia mitológica y nuestro medio técnico (también él dependiente del estado del desarrollo científico). En ese compromiso, la parte de las mediaciones tiende a crecer, y no sólo nuestras evidencias sino también nuestras insurrecciones están equipadas. El mayo del 68 de los estudiantes, por ejemplo, como las revoluciones del siglo XIX, ha sido «modelizado» por el teatro a la italiana, con sus entarimados, sus puestas en escena, el énfasis de los gestos y la sonoridad del *slogan*, el público en las calles aclamando al conjunto, o sea, a la vanguardia que actúa y habla. Ésa fue sin duda «la última sesión», la última gran representación teatral de nuestra historia (el plató de televisión impuso luego su decorado y su dramaturgia a nuestro espacio público). Después de la toma del Odéon, ¿vendrá el asalto de los sistemas de control del vídeo? Cada nueva maquinaria de transmisión colectiva reorganiza nuestros lugares comunes, esos elementos incomunicables que nos permiten comunicar. Como el sujeto cognitivo en sí mismo, el *sujeto creyente es un sujeto técnico*, porque ante todo es un hombre imaginario. Con un imaginario cada vez mejor equipado, cada vez tendremos más estética, la moral y la política de nuestras prótesis. Sin las técnicas del primer plano, del *zoom* y de las tres dimensiones, ¿habríamos conocido la apoteosis total del fragmento, del «kit» y de la atomización que caracteriza nuestro momento cultural?

5

La mediología habrá alcanzado su meta cuando, delante de toda controversia «de fondo» o disputa «seria», ya no tenga miedo en *entrar directamente en el debate* poniendo sobre el tapete las cuestiones llamadas de intendencia que los «grandes espíritus», hasta hoy, ponían a la cola, a pie de página. No «qué y por qué» sino «por dónde y cómo». Las máquinas son hoy como la política de antaño. Podemos no ocuparnos de ellas, pero entonces son ellas las que se ocupan de nosotros.

¿Qué quiere mi máquina de visión y de escucha, y piensa ella lo mismo que yo? Cuestión tanto más ineludible cuanto que nuestro margen de libertad se reduce a medida que aumenta la interposición mediática, multiplicación de las redes y complejidad de los circuitos. Siempre ha habido una tecnología del hacer creer, desde el ágora griega y sin duda mucho antes. Pero hoy, la laringe colectiva gobierna la palabra pública. Hoy, nuestra realidad es una mediavisión del mundo, dispositivo que dispone de nosotros, dotado de una fuerza de arrastre planetaria.

¿Desmaterialización de los soportes por registro electromagnético? Desrealización de la realidad exterior. ¿Miniaturización de los aparatos y los elementos constitutivos? Reducción de las mayúsculas, reducción de los discursos lógicos en microrrelatos. ¿Encuadre de las representaciones? Formateado correspondiente de lo representativo. ¿Primer plano normal? Personalización normalizada de los colectivos. ¿Instantaneidad de las transmisiones hertzianas? Desaparición de la profundidad del tiempo. ¿Descomposición de la imagen? Desintegración puntillista de la información. ¿Montaje *cut* o en mosaico? Desarticulación lógica de los hechos. La cultura del detalle, del fragmento, del trozo, el derrumbe de las antiguas dialécticas de la totalidad, la sustitución por doquier de lo global por lo fraccionario, que a veces se resume en el «declive de los grandes relatos», no deben poco a la dislocación óptica de los objetos, como de las obras de arte, por los aparatos tomavistas, el montaje de cine, el *zoom* televisivo, el tratamiento informático, etc. Cada uno de estos procedimientos conduce a una conducta, y el conjunto de esas conductas conforma un tipo de Ciudad. No hay causalidad lineal, ciertamente, sino un curso general lleno de recovecos.

6

Lo más difícil es contar hasta tres. El cristianismo ha necesitado miles de años para reemplazar una cultura binaria por una cultura trinitaria (base teológica de la mediología). Sería una lástima que el lenguaje binario de las imágenes de mañana, combinación de cero y de uno, de sí y de no, encierre subrepticiamente a las inteligencias en el sí/no. Ya los sondeos, el *zapping*, la alternativa imagen/no-imagen, el ritual del duelo televisado entre campeones (dos, rara vez tres) y la segunda vuelta de las elecciones no dejan mucho sitio a los que no están ni a favor ni en contra, los que no dicen ni blanco ni negro, sino un poco los dos, o sea, ninguno de ellos. Es más que probable que una cultura extraspectiva (que proyecta la inspección al exterior) dañará el matiz, la complejidad, el mestizaje, la inferencia y la suposición, logros frágiles por lo reciente de las civilizaciones de introspección y de la interioridad emanadas de la escritura.

7

La servidumbre es la inversión por el hombre de lo mediatizado en inmediato. O de lo que depende de él en en el aspecto de lo independiente y de lo omnipotente. El sujeto recibe como implacable y natural lo que es artificial, construido por sus propios dispositivos. Toma por objeto percibir, pasivamente, aquello por lo que percibe activamente. Se ignora, pues, como creador, origen de sus imágenes (como ayer de Dios o de la verdad). «Se le echan encima» como el granizo o la tormenta cuando es su propio sistema de representación el que las ha «lanzado». Mecanismo clásico de alienación y de transformación de una libertad en mito. Pero lo que aquí se extravierte y se sublima, no ya en la idea de Dios sino en la imagen divinizada y mitificada, no es tampoco la conciencia de un sujeto sino una maquinaria sociotécnica.

8

La ecuación de la era visual: lo Visible = lo Real = lo Verdadero. Ontología fantasmal, del orden del deseo inconsciente. Pero deseo ya bastante potente y bien equipado para alinear sus síntomas en un verdadero orden nuevo.

Somos la primera civilización que puede creerse autorizada por sus aparatos a *dar crédito a sus ojos*. La primera en haber establecido un rasgo de igualdad entre visibilidad, realidad y veracidad. Todas las otras, y la nuestra hasta ayer, estimaban que la imagen impide ver. Ahora, la imagen vale como prueba. Lo representable se da como irrecusable. Pero como el mercado fija cada vez en mayor medida la naturaleza y los límites de las representaciones sensibles, mediatizadas como están por industrias, el rasgo de igualdad se transforma y pasa a ser: «Invendible = irreal, falso, no válido». Sólo lo válido vale, y sólo tiene valor lo que tiene una clientela. La alineación de los valores de verdad sobre los valores de información indexa la primera sobre la oferta y la demanda: será considerado verdadero lo que tiene un mercado. Traducción: «el público es nuestro único juez». No es imposible que, tras el *marketing* de la verdad y del bien, se instaure un tráfico de lo real (como el de los órganos humanos). La realidad sensible: ¿función del poder de compra? ¿Regirá el *pay for view* la mirada de mañana? ¿Veremos la percepción críptica, con descodificador para abonados? Entonces los ricos tendrán la exclusiva de las sensaciones refinadas, y tal vez, a la postre, el monopolio del mundo sensible. Como el valor supremo de una cultura es también lo que hace soñar a sus adeptos, ya ahora todos soñamos ya, poco o mucho, con que nos toque la lotería.

9

Que se confirme o no se confirme esa deriva hacia el panmercantilismo es todavía la tentación, cada vez más fuerte, de confundir «el aire» y «el espíritu». De alinear el derecho sobre el hecho, el deber ser sobre el ser ahí, lo largo sobre lo corto. ¿No reconduce la contracción de la imagen y de su referente en el universo electrónico y mañana numérico a la fusión deliberada de lo Verdadero, lo Bello y lo Bueno manipulada por los regímenes totalitarios de ayer? O sea, la extinción de los posibles y la congelación del tiempo, con reducción de las libertades de desviación, de oposición y de invención. La Videocracia alcanzaría entonces, por la derecha, el triste punto al que había llegado la Ideocracia, por la izquierda. La fiesta audiovisual ofrece diez mil veces más imágenes y mucho más alegres que los iconos de los miembros del Politburó, en el ex «socialismo real», pero no mucha más imaginación social, pues la imaginación es la función irrealizante de la consciencia, por la cual podemos negar las cosas tal como se producen. Pero la imagen registrada redobla la autoridad del acontecimiento por un terrorismo de la evidencia.

Una sociedad WYSIWYG (*what you see is what you get*) ya no es una sociedad abierta. Al rebajar el futuro de acuerdo con el presente visualizable y el juego de los posibles sobre lo acontecido que hace ley —«estás equivocado porque no tienes nada que mostrar»—, la videosfera sería la era a la vez menos mesiánica y más dialéctica que la humanidad ha conocido, si tuviera que recibir de nosotros plenos poderes. Hoy la lucha por la imaginación pasa por la lucha contra «el todo a la imagen». No se salvará nuestro derecho al infinito sin limitar los derechos de lo visual a autentificar, por sí solo, cualquier discurso. «Si se ve menos, se imaginará más» (Rousseau).

10

La desaparición de lo Invisible es un hecho apabullante, que desgraciadamente los medios de re-producción de lo visible hacen invisible.

Resumamos. En la *logosfera*, que sigue a la invención de la escritura, lo que «era» verdaderamente estaba ausente. La sospecha llevaba a lo visible: así ocurría ayer con las culturas egipcia, griega, bizantina y medieval; y hoy con la budista, hinduista y animista. Para dos monoteísmos sobre tres, el Todopoderoso no tiene rostro ni cuerpo. Él es la palabra. Querer darle una imagen sería un crimen y una locura. Sólo para la tercera, el cristianismo, en su versión católica al menos, la imagen física de lo divino era negociable.

Con la *grafosfera*, que se construye sobre la imprenta, lo visible había recobrado su dignidad, pero como contingencia que persigue o regula una necesidad lógicamente accesible por el discurso o la abstracción. Descartes: «El ciego es el que está en mejores condiciones para hacer geometría». Entonces se tenía por evidente que el mundo se explica por lo que nos oculta. En esa esfera la verdad, como dice Lévi-Strauss, «se indica en el cuidado que pone en encubrirse».

En la *videosfera*, ese encubrirse atestigua lo falso e inconsistente, y la sospecha recae en lo inobservable. Lo que no es visualizable no existe. Evanescencia de seres de palabra, esas cosas que sólo tienen que ser dichas, mitos en estado puro, fundamentos de la antigua Realidad: Nación, Clase, Ley, República, Deberes, Progreso, Interés general, Universal, Largo plazo, Justicia, Estado, etc. Pilares «abstractos» (pero en otro tiempo efectivos) de los seudoconcretos que nos rodean pero que no «aparecerán» en ninguna pantalla. Paradójicamente, cuanto más se desmaterializan los soportes de transmisión, tanto menos sitio hay para las inmaterialidades en la vida social. ¿Serían sólo nuestros inmateriales autorizados de orden técnico? Todas nuestras personas morales están en crisis. «Francia mía, te veo, ocupas el aire como la mujer joven que deseo...»; ejemplo de evidencia *sensible* ayer, retórica *literaria* hoy. Yo puedo ver, en una foto por satélite, una porción de tierra, en el extremo oeste del pequeño cabo de Asia, llamada convencionalmente Francia. Pero nunca podría ver los mil años de historia que han hecho un país de esa mancha ocre y verde sobre fondo negro: una singularidad inmaterial y decisiva.

11

Cuando todo se ve nada vale. La indiferencia ante las diferencias crece con la reducción de lo válido a lo visible. La semblanza como ideal lleva en sus flancos un virus devorador del parecido. Todos los ideales particulares se alinean uno tras otro en la porción de la humanidad dotada de la más fuerte visibilidad social. De ahí se sigue que la lengua del más rico se convierte en la de todo el mundo, y la ley del más fuerte en mi regla suprema. Una videosfera omnipresente tendría el cinismo por virtud, el conformismo por fuerza y por horizonte un nihilismo consumado. Asimismo, el instinto de supervivencia en la especie y la simple búsqueda del placer, tanto en los individuos como en las naciones llegarán, tarde o temprano, a limitar las prerrogativas de la imagen. Para eliminar la asfixia y la angustia se volverá a dar juego a los invisibles espacios interiores, a través de la poesía, la proeza, la lectura, la escritura, la hipótesis o el sueño.

12

Las nuevas imaginerías numéricas producen un saber y un poder más que envidiables. Después del telescopio, el microscopio y las radiografías, los tratamientos informáticos acrecientan considerablemente nuestro dominio de las distancias, de los órganos y de sus enfermedades, de nuestras construcciones por planos y dibujos y de nuestras propias hipótesis intelectuales, permitiendo una traducción visual de modelos teóricos abstractos. Las nuevas prótesis de visión, al desmultiplicar nuestra información, aumentan nuestras facultades de intervención en el entorno y nuestra superficie de contacto con el universo. Dotados ya de una visión *omniscópica*, podremos también explorar lo que está fuera de nuestro alcance sin tener que ir hasta allí y programar el futuro antes de que se produzca. El microscopio desciende a 1/10.000 de milímetro. Y el macroscopio ha ganado otros tantos factores a través de los satélites de observación.

Rayos X, infrarrojos, rayos gamma, ya nos habían llevado más allá de las longitudes de onda de lo visible. La optrónica y sus cámaras térmicas permiten a un conductor de carro de combate, a un piloto de avión, a un soldado con *bazooka*, ver en la noche, sin ser visto. La ecografía, por ultrasonidos, permite visualizar en tres dimensiones un cráneo o un estanque. La vista, en el diagnóstico médico, remplaza al oído y al tacto. La imaginería por resonancia magnética (IRM) permite entrar en los tejidos, las células, las neuronas. La reflectografía con infrarrojos, con cámara de vidicón, penetra bajo los materiales más densos. La imagen neutrónica detecta a través de los cercos metálicos, y la imagen numérica permite el mando automático de robots. *Spot-Image*, en una órbita de ochocientos kilómetros de altitud, por tratamiento pancromático o multiespectral de sus imágenes de alta resolución, teledetecta en tres dimensiones las crecidas de los ríos, el avance de las dunas o de los glaciares, la estructura geológica de los suelos, los sedimentos terrígenos de las vías de agua. La cámara submarina ha destapado los océanos. Y Changeux nos asegura que ya no es utópico, con las cámaras de positrón, «considerar que un día la imagen de un objeto mental aparezca en una pantalla».[1] La Mission Michel Serres, reinventando la empresa pedagógica por la teleenseñza, ha creado los medios informáticos necesarios para visualizar la distribución de los conocimientos en el seno de una comunidad: el cerebro de un colectivo en una pantalla Minitel. ¿No tienen contrapartida esos admirables progresos técnicos? *There is nothing such a free meal.* El costo de esos beneficios de operacionalidad, hacia fuera, residiría en cierta ceguera simbólica, dentro. Después de algunas décadas, la extensión de los espacios observables parece que se ha saldado con una amputación de los territorios de la utopía. Cuando el espectro de la radiación electromagnética se reducía a la luz visible por la retina, lo invisible tenía infinitamente más realidad. Libertad, igualdad, fraternidad, por ejemplo (que podría simbolizar un sistema de ideogramas pero que un microscopio electrónico nunca nos permitirá ver en directo).

* * *

Una simple pregunta al próximo milenio: ¿cómo ver perfectamente alrededor de uno sin admitir, al lado, abajo o arriba, «cosas invisibles»? No necesariamente ángeles ni cuerpos astrales. Realidades ideales, mitos o conceptos, generalidades o universalidades, inmaterialidades o símbolos que nunca tendrían traducciones visuales posibles, aunque fueran sólo virtuales, en un *ciberespacio.* ¿Cómo puede haber un *aquí* sin un *allí*, un *ahora* sin un *ayer* y un *mañana*, un *siempre* sin un *nunca*...?

* * *

Al mediólogo le está prohibido tener moral. De ahí los puntos suspensivos. En los límites de una investigación objetiva, él debería describir e intentar explicar. Su deseo de ahora en adelante, saliendo de su disciplina, sería apostar por lo invisible.

---

1. *L'Homme neuronal [El hombre neuronal]*, París, Fayard, 1983, pág. 168.

Bibliografía

Con el fin de no alargarla excesivamente, esta bibliografía no incluye todas las obras y artículos citados en el texto y en las notas, ni tampoco la totalidad de las fuentes que se han utilizado en esta investigación. Se mencionan las obras y artículos indispensables para quien desee profundizar en los temas abordados en cada capítulo.

1. EL NACIMIENTO POR LA MUERTE

BENVENISTE, Émile, *Le Vocabulaire les institutions indo-européennes*, vol. 2, *Pouvoir, droit, religion*, París, Les Éditions de Minuit, 1969 (trad. cast.: *Vocabulario de las instituciones indoeuropeas*, Madrid, Taurus, 1983).

BRETON, André, *L'Art magique*, París Éditions des Amis du Club français du livre, 1957; reedición: Phébus, 1991.

BUCHER, Gérard, *La Vision et l'énigme. Éléments pour une analytique du logos* (prefacio de Michel Serres), París, Éditions du Cert, 1989.

CLAIR, Jean, *Méduse*, París, Éditions Gallimard, 1989.

DETIENNE, Marcel, (bajo la dirección de), *Les Savoirs de l'écriture en Grèce ancienne*, Presses Universitaires de Lille, 1988.

DUPONT, Florence, «L'autre corps de l'empereur-dieu», en *Le Temps de la réflexion*, 1986, *Le corps des dieux*.

FRONTISI-DUCROUX, Françoise, «La mort en face», *Métis. Revue d'anthropologie du monde grec ancien*, 1, 2, 1986,

GISEY, Ralph E., *Le roi ne meurt jamais: les obsèques royales dans la France de la Reinaissance* (prefacio de François Furet), París, Flammarion, 1987.

GINZBURG, Carlo, «Représentation: le mot, l'idée, la chose», *Annales E.S.C*, noviembre-diciembre de 1991.

GUIOMAR, Michel, *Principes d'une esthétique de la mort*, París, Éditions José Corti, 1967.

LEROI-GOURHAN, André, *Le Geste et la Parole*, vol. 1 y 2, París Éditions Albin Michel, 1964.

MARROU, Henri-Irénée, *Décadence romaine ou Antiquité tardive: IIIe-VIe siècle*, París, Éditions du Seuil, 1977 (trad. cast.: *¿Decadencia romana o antigüedad tardía?*, Madrid, Rialp, 1980).

MORIN, Edgar, *L'Homme et la Mort*, París, Éditions du Seuil, 1970 (trad. cast.: *El hombre y la muerte*, Barcelona, Kairós, 1974).

POMIAN, Krzysztof, *Collectionneurs, amateurs et curieux. Paris-Venise XVIe-XVIIIe siècle*, París, Éditions Gallimard, 1987.

SERRES, Michel, *Statues*, París, Éditions François Bourin, 1980.

VERNANT, Jean-Pierre, «La Catégorie psychologique du double», en *Mythe et pensée chez les Grecs*, II, París, Éditions Maspero, 1974 (trad. cast.: *Mito y pensamiento en la Grecia antigua*, Barcelona, Ariel, [2]1985).

— «Naissance d'images», en *Religions, histoires, raisons*, París, Éditions Maspero, 1979.

— *La Mort dans les yeux. Figueres de l'autre en Grèce ancienne*, París, Librairie Hachette, 1986 (trad. cast.: *La muerte en los ojos*, Barcelona, Gedisa, 1986).

2. LA TRANSMISIÓN SIMBÓLICA

BERGER, René, *Art et Communication*, París, Éditions Casterman, 1972.

CHALUMEAU, Jean-Luc, *Lecture de l'art*, París, Éditions du Chêne, 1991.

CHARBONNIER, Georges, *Entretiens avec Claude Lévi-Strauss*, París, coedición Plon y Julliard, 1961.

DAGOGNET, François, *Philosophie de l'image*, París, Éditions Vrin, 1989.

GILSON, Étienne, *Peinture et Réalité*, París, Éditions Vrin, 1972.

Image et signification (obra colectiva: Rencontres de l'École du Louvre), París, La Documentation française, 1983.

KARLEN, Anne-Marie, *Le Discours sur l'art. De l'économie objective à l'économie subjective de la création*, tesis doctoral, Besançon, 1984.

LÉVI-STRAUSS, Claude, *Anthropologie structurale*, París, Librairie Plon, 1958 (trad. cast.: *Antropología estructural*, Barcelona, Paidós, [2]1992).

LÉVY, Pierre, *L'Idéolographie dynamique*, París, Éditions La Découverte, 1991.

— *Les Technologies de l'intelligence*, París, Éditions La Découverte, 1990.

MARION, Jean-Luc, *La Croisée du visible*, París, Éditions de la Différence, 1991.

MILLET, Catherine, *L'Art contemporain en France*, París, Flammarion, 1987.

Nouvelle Revue de psychanalyse, n. 35, primavera 1985, *Le champ visuel*.

PANOFSKY, Erwin, *L'Œuvre d'art et ses significations*, París, Éditions Gallimard, 1969.

— *Architecture gothique et Pensée scolastique*, París, Les Éditions de Minuit, 1967.

SCHAPIRO, Meyer, *Style, artiste et société*, París, Éditions Gallimard, 1982 (trad. francesa).

SCHMITT, Jean-Claude, *La Raison des gestes dans l'Occident médiéval*, París, Éditions Gallimard, 1990.

3. EL GENIO DEL CRISTIANISMO

ANDRÉ, Jacques y Marie, *Le Rôle des projections lumineuses fixes et cinématographiques dans la pastorale catholique française (1985-1914)*, París, junio de 1990.

BAUDINET, Marie-José, «La relation iconique à Byzance au IXe siècle d'après Nicéphore le Patriarche», *Études philosophiques*, enero de 1978.

— «Le corps, la voix, l'incarnation», *Esprit*, julio-agosto de 1982.

BOESPFLUG, F. y LOSSKY, N., *Nicée II, 787-1987. Douze siècles d'images religieuses*, París, Éditions du Cerf, 1987.

BROWN, Peter, *The Cult of the Saints. Its Rise and Function in Latin Christianity*, Chicago, SCM Press, 1981.

COLAS, Dominique, *Le Glaive et le Fléau. Généalogie du fanatisme et de la société civile*, París, Éditions Bernard Grasset, 1992.

DUVAL, Yvette, *Auprès des saints. Corps et âme*, París, Études augustiniennes, 1988.

ELLULL, Jacques, *La Parole humiliée*, París, Éditions du Seuil, 1981 (trad. cast.: *La palabra humillada*, Madrid, SM. 1983).

GRABAR, André, «Plotin et les origines de l'esthétique médiévale», *Cahiers archéologiques*, I, 1945.

OLIVER, Christin, *Une révolution symbolique, l'iconoclasme huguenot et la reconstruction catholique*, París, Les Éditions de Minuit, 1991.

PRIGENT, Pierre, *L'Image dans les judaïsme. Du IIe au VIe siècle*, Ginebra, Éditions Labor et Fides, 1991.

SENDLER, Egon, *L'Icône, image de l'invisible. Éléments de théologie, esthétique et technique*, París, Desclée de Brouwer, 1981.

VOVELLE, Michel, (bajo la dirección de), *Les Images de la Révolution française*, París, Publications de la Sorbonne, 1988.

4. HACIA UN MATERIALISMO RELIGIOSO

ALPERS, Svetlana, *L'Atelier de Rembrandt. La liberté, la peinture et l'argent*, París, Éditions Gallimard, 1991 (trad. francesa) (trad. cast.: *El taller de Rembrandt*, Barcelona, Mondadori, 1992).

AUMONT, Jacques, *L'Image*, París, Éditions Nathan, 1990 (trad. cast.: *La imagen*, Barcelona, Paidós, 1992).

BATICLE, Jeanine y GEORGEL, Pierre, (catálogo redactado por), *Technique de la peinture. L'Atelier*, París, Éditions de la Réunion des Musées nationaux, 1976.

BAXANDALL, Michael, *L'Œil du Quattrocentro*, París, Éditions Gallimard, 1985 (trad. francesa).

BENJAMIN, Walter, «L'œuvre d'art à l'ère de sa reproductibilité technique» *L'Homme, le langage et la culture*, París, coedición Denoël-Gonthier, 1971.

BOUGNOUX, Daniel, «L'efficacité iconique», *Nouvelle Revue de psychanalyse*, n. 44, otoño de 1991.

BOURDIEU, Pierre, «Champ intellectuel et project créateur», *Les Temps modernes*, n. 246, 1965.

— «Genèse d'une esthétique pure», *Cahiers du Musée national d'art moderne*, n. 27, primavera de 1989.

— «Éléments d'une théorie sociologique de la perception artistique», *Revue internationale des sciences sociales*, vol. 20, n. 4, 1968.

EISENSTEIN, Élisabeth, *La Révolution de l'imprimé dans l'Europe des Temps modernes*, París, Éditions La Découverte, 1991 (trad. francesa).

FOCILLON, Henri, *Vie des formes*, París, PUF, 1981 (reedición) (trad. cast.: *La vida de las formas*, Madrid, Xarait, 1983).

HENNION, Antoine, *La Médiation musicale*, tesis EHESS, París, diciembre de 1991, fotocopias.

HUYGHE, René, *Les Puissances de l'image*, París, Flammarion, 1965.

KLEIN, Robert, *La Forme et l'Intelligible. Écrits sur la Renaissance et l'Art moderne*, París, Éditions Gallimard, 1970 (trad. cast.: *La forma y lo inteligible*, Madrid, Taurus, 1982).

MICHAUD, Yves, *L'Artiste et les commissaires*, París, Éditions Jacqueline Chambon, 1989.

PANOFSKY, Erwin, *Idea. Contribution à l'histoire du concept de l'ancine théorie de l'art*, París, Éditions Gallimard, 1983 (trad. francesa) (trad. cast.: *Idea. Contribución a la historia de la teoría del arte*, Madrid, Cátedra, [7]1989).

SCHAEFFER, Jean-Marie, *L'Art de l'âge moderne, l'esthétique et la philosophie de l'art du XVIIIe à nos jours*, París, Éditions Gallimard, 1992.

STIEGLER (Bernard), «Mémoires gauches», *Revue philosophie*, n. 2, 1990.

5. LA ESPIRAL SIN FIN DE LA HISTORIA

BELTING, Hans, *L'histoire de l'art est-elle finie?*, Nîmes, Éditions Jacqueline Chambon, 1989 (trad. francesa).

CROCE, Benedetto, «La mort de l'art dans le système hégélien», *Revue de métaphysique et de morale*, t. XLI, 1934.

DE DUVE, Thierry, *Au nom de l'art. Pour une archéologie de la modernité*, París, Les Éditons de Minuit, 1989.

DIDI-HUBERMAN, Georges, *Devant l'image*, París, Les Éditions de Minuit, 1990.

FISHER, Hervé, *L'histoire de l'art est terminée*, París, Éditions Balland, 1981.

GOMBRICH, Ernst H., *Histoire de l'art*, París, Flammarion, 1982 (trad. cast.: *Historia del arte*, Barcelona, Garriga, 1992).

— *L'Écologie des images*, París, Flammarion, 1983.

HEGEL, G. W. Friedrich, *Esthétique*, trad. S. Jankélévitch, París, Flammarion, 1979 (reedición), 4 vol. (trad. cast.: *Estética*, Barcelona, Altafulla, 1988).

VASARI, Giorgio, *Les vies des meilleurs peintres, sculpteurs et architectes* (trad. francesa N. Blamoutier), París, Berger-Levrault, 1983 (trad. cast.: *Vida de grandes artistas*, Madrid, Mediterráneo, 1966).

WINCKELMANN, Johann Joachim, *La Naissance de l'histoire de l'art à l'époque des Lumières*, bajo la dirección de E. Pommier, actas del ciclo de conferencias pronunciadas en el Auditorium del Louvre, París, La Documentation française, 1991.

6. ANATOMÍA DE UN FANTASMA: «EL ARTE ANTIGUO»

FRONTISI-DUCROUX (Françoise), *Dédale. Mythologie de l'artisan en Grèce ancienne*, París, Maspero, 1975.

GASSIOT-TALABOT, Gérald, *La Peinture romaine et paléo-chrétienne*, Lausana, Éditions Rencontre, 1965.

GRABAR, André, *L'Art du MoyenÂge en Europe orientale*, París, Éditions Albin Michel, 1988.

LISSARAGUE, François, *Un flot d'images. Une esthétique du banquet grec*, París, Éditions Adam Biro, 1987.

PAPAIOANNOU, Kostas, *L'Art et la Civilisation en Grèce ancienne*, París, Éditions Mazenod, 1972.

PLINO EL VIEJO, *Histoire naturelle*, libro XXXV, París, Les Belles Lettres, 1985.

REINACH, Adolphe, *Textes grecs et latins relatifs à l'histoire de la peinture*, París, Éditions Macula, 1985.

SCHNAPP, Alain, *La Cité des images* (prefacio Jean-Pierre Vernant), París, Éditions Nathan, 1984.

SCHUHL, Pierre Marie, *Platon et l'art de son temps*, París, Éditions F. Alcan, 1933.

SIMON, Gerard, *Le Regard, l'être et l'apparence dans l'optique de l'Antiquité*, París, Éditions du Seuil, 1988.

VERNANT, Jean-Pierre, *Mythe et pensée chez les Grecs*, I y II, París, Éditions Maspero, 1974 (trad. cast.: *Mito y pensamiento en la Grecia antigua*, Barcelona, Ariel, ²1985).

7. LA GEOGRAFÍA DEL ARTE

ALPERS, Svetlana, *L'Art de dépeindre. La peinture hollandaise au XVIIe siècle*, París, Éditions Gallimard, 1983 (trad. cast.: *El arte de describir*, Barcelona, Blume, 1987).

BERQUE, Augustin, *Le Sauvage et l'Artifice. Les Japonais devant la nature*, París, Éditions Gallimard, 1986.

— *Médiance: de milieux en paysages*, Montpellier, GIP Reclus, 1990.

BERTHO-LAVENIR, Catherine, «La géographie symbolique des provinces. De la monarchie de Juillet à l'entre-deux-guerres», *Ethnologie française*, XVIII, 1988, 3.

BONAFOUX, Pascal, *Les Peintres et l'autoportrait* (Ginebra), Skira, 1984.

CAUQUELIN, Anne, *L'Invention du payasage*, Librairie Plon, París, 1989.

CHENG, François, *Vide et plein, Le Langage pictural chinois*, París, Éditions du Seuil, 1979.

DAGOGNET, François (bajo la dirección de), *Mort du paysage? Philosophie et esthétique du paysage*, Seyssel, Éditions du Champ Vallon, 1982.

Le Débat, n. 65, mayo-agosto de 1991, *Au-delà du paysage moderne.*

MARCEL, Odile, (bajo la dirección de), *Composer le paysage. Constructions et crises de l'espace (1789-1992)*, Seyssel, Éditions du Champ Vallon, 1989.

PITTE, Jean-Robert, *Histoire du paysage français. Le Sacré: de la Préhistoire au XVe siècle*, París, Éditions Tallandier, 1983.

RIEGL, Aloïs, *Le Culte moderne des monuments*, París, École d'architecture, 1984.

ROGER, Alain, *Nus et paysages. Essai sur la fonction de l'art*, París, Aubier, 1978.

8. LAS TRES EDADES DE LA MIRADA

CHASTEL, André, *L'Image dans le mirorir*, París, Éditions Gallimard, 1980.

DAMISCH, Hubert, *L'Origine de la perspective*, París, Flammarion, 1987.

DUBY, Georges, *Le Temps des cathédrales. L'art et la société 980-1420*, París, Éditions Gallimard, 1976.

FRANCASTEL, Pierre, *Études de sociologie de l'art. Création picturale et société*, París, coédition Denoël/Gonthier, 1970.

GARNIER, François, *Le Langage de l'image au MoyenÂge*, París, Le Léopard d'or, 1982-1989.

GIMPEL, Jean, *Contre l'art et les artistes*, París, Éditions du Seuil, 1968 (trad. cast.: *Contra el arte y los artistas*, Barcelona, Gedisa, 1989).

HASKELL, Francis, *Mécènes et peintres. L'art et la société au temps du baroque italien*, París, Éditions Gallimard, 1991 (trad. francesa), (trad. cast.: *Patronos y pintores. Arte y sociedad en la Italia del Barroco*, Madrid, Cátedra, 1984).

L'Idolâtrie (obra colectiva: Rencontres de l'École du Louvre), París, La Documentation française, 1990.

LAURENT, Jeanne, *Arts et pouvoirs en France de 1793 à 1981*, universidad de Saint-Étienne, trabajo XXXIV, 1982.

LE GOFF, Jacques, *L'imaginaire médiéval*, París, Éditions Gallimard, 1985.

MOULIN, Raymonde, *Le Marché de la peinture en France*, París, Les Éditions de Minuit, 1967.

— *L'Artiste, l'Institution et le Marché*, París, Flammarion, 1990.

PANOFSKY, Erwin, *La Perspective comme forme symbolique*, París, Les Éditions de Minuit, 1975 (trad. cast.: *La perspectiva como forma simbólica*, Barcelona, Tusquets, [5]1986).

POMMIER, Édouard, *L'Art et la Liberté. Doctrines et débats de la Révolution française*, París, Éditions Gallimard, 1992.

9. UNA RELIGIÓN DESESPERADA

Art et Pub, catálogo de la exposición realizada por el Centre Pompidou, París, 1990.

CLAIR, Jean, *Considération sur l'état des Beaux-Arts*, París, Éditions Gallimard, 1983.

GOUX, Jean-Joseph, «Les monnayeurs de la peinture», *Cahiers du Musée national d'art moderne*, n. 29.

MALRAUX, André, *Les Voix du silence*, París, Éditions Gallimard, 1951.

— *L'Intemporel, La métamorphose des dieux*, París, Éditions Gallimard, 1976.

SIMONNOT, Philippe, *Doll'Art*, París, Éditions Gallimard, 1990.

10. CRÓNICA DE UN CATACLISMO

BARTHES, Roland, *La Chambre claire*, París, coedición Gallimard-Le Seuil, 1980 (trad. cast.: *La cámara lúcida*, Barcelona, Paidós, 1982).

BAZIN, André, *Qu'est-ce que la cinéma?* París, Éditions du Cerf, 1975 (trad. cast.: *¿Qué es el cine?*, Madrid, Rialp, 1990).

DEBORD, Guy, *La Société du spectacle*, París, 1967 (trad. cast.: *Comentarios sobre la sociedad del espectáculo*, Barcelona, Anagrama, 1990).

DELEUZE, Gilles, *Cinéma I, L'image-mouvement*, París, Les Éditions de Minuit, 1983.

EISENSTEIN, Serge, *Réflexion d'un cinéaste*, Moscú, Ediciones en Lenguas Extranjeras, 1958 (trad. cast.: *Reflexiones de un cineasta*, Barcelona, Lumen, [2]1990).

FREUND, Gisèle, *Photographie et société*, París, Éditions du Seuil, 1974.

HOLTZ-BONNEAU, Françoise, *L'image et l'ordinateur*, París, coedición Aubier-INA, 1986 (trad. cast.: *La imagen y el ordenador*, Madrid, Tecnos, 1986).

JAUBERT, Alain, *Le Commissariat aux archives*, París, Éditions Bernard Barrault, 1986.

LÉVY, Pierre, *La Machine univers. Création, cognition et culture informatique*, París, Éditions La Découverte, 1987.

MALRAUX, André, *Esquisse d'une psychologie du cinéma*, edición del Festival de Cannes, 1976 (reedición).

PERRIAULT, Jacques, *Mémoires de l'ombre et du son. Une archéologie de l'audiovisuel*, París, Flammarion, 1981.

— *La Logique de l'usage*, París, Flammarion, 1989.

La recherche photographique, n. 7, 1989, *Le monde des images, les territoires de la photographie*.

ROEGIER, Patrick, *Façon de voir*, París, Le Castor astral, 1992.

ROUILLÉ, André, *La Photographie en France. Textes et controverses, une anthologie (1816-1871)*, París, Éditions Macula, 1989.

VAN LIER, Henri, «Philosophie de la photographie», *Les Cahiers de la photographie*, 1983.

VIATTE, Germain, *Peinture Cinéma Peinture* (catálogo de la exposición de Marsella), París, Éditions Hazan, 1990.

11. LAS PARADOJAS DE LA VIDEOSFERA

BONNEL, René, *La Vingt-Cinquième Image*, París, Gallimard-FEMIS, 1989.

BOUGNOUX, Daniel, *La Communication par la bande*, París, Éditions La Découverte, 1991.

«Les Chemins du virtuel. Simulation informatique et création industrielle», *Cahiers du CCI* (número extra), París, Centre Pompidou, 1989.

Communications, n. 23, 1975: *Psychanalyse et cinéma*.

Communications, n. 51, 1990: *Télévisions, mutations*.

DANEY, Serge, *La Rampe, Cahier critique 1970-1982*, París, Éditions Gallimard, 1983.

— «Ciné-Journal» (prefacio de Gilles Deleuze), *Cahiers du cinéma*, 1986.

— *Le Salaire du zappeur*, París, Éditions Ramsay, 1988.

— *Devant la recrudescence des vols de sacs à main*, Lyon, aléas Éditeur, 1991.

— *Revue d'études palestiniennes*, n. 40, verano de 1991, «Avant et après l'image».

FARCHI, Joëlle, *Le Cinéma déchaîné. Mutation d'une industrie*, París, Presses du CNRS, 1992.

Revue juridique de l'Ouest (facultad de Nantes), número extra, 1989: «Droit et médias».

12. DIALÉCTICA DE LA TELEVISIÓN PURA

CAZENEUVE, Jean, *Les Pouvoirs de la télévision*, París, Éditions Gallimard, 1970.

DE VIRIEU, François-Henri, *La Médiacratie*, París, Flammarion, 1991.

JAIGU, Yves, «Télévision: quel contenu?», *Le Débat*, n. 61, septiembre-octubre de 1990.

LIPOVETSKY, Gilles, *L'Ère du vide*, París, Éditions Gallimard, 1983 (trad. cast.: *La era del vacío*, Barcelona, Anagrama, ⁵1992).

MISSIKA, Jean-Louis y WOLTON, Dominique, *La Folle du logis. La télévision dans les sociétes démocratiques*, París, Éditions Gallimard, 1983.

VIRILIO, Paul, *La Machine de visión*, París, Éditions Galilée, 1988 (trad. cast.: *La máquina de visión*, Madrid, Cátedra, 1989).

— *L'Écran du désert*, París, Éditions Galilée, 1991.